Hip Arthroscopy
고관절 관절경

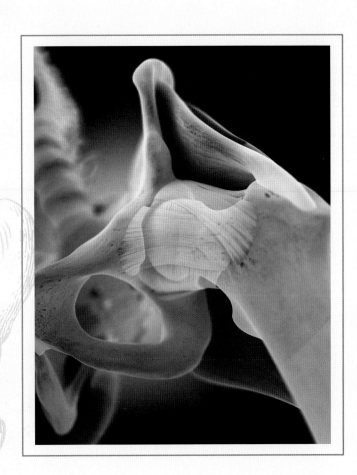

대표저자 황득수 외

군자출판사

고관절 관절경
HIP ARTHROSCOPY

첫째판 1쇄 인쇄   2021년 02월 17일
첫째판 1쇄 발행   2021년 03월 05일

지 은 이   황득수 외
발 행 인   장주연
출 판 기 획   한수인
책 임 편 집   이경은
편집디자인   양란희
표지디자인   김재욱
일 러 스 트   이호현
발 행 처   군자출판사
　　　　　등록 제 4-139호(1991. 6. 24)
　　　　　본사 (10881) 경기도 파주시 회동길 338(서패동 474-1)
　　　　　Tel. (031) 943-1888   Fax. (031) 955-9545
　　　　　홈페이지 | www.koonja.co.kr

ISBN 979-11-5955-672-2

정가 110,000원

고관절 관절경
HIP ARTHROSCOPY

집필진

- ● 편집위원장   **황득수** 충남의대

- ● 진행책임   **하용찬** 중앙의대

- ● 간사   **황정모** 충남의대

- ● 편찬위원   **김진우** 을지의대

  김태영 건국의대

  김필성 부민병원

  문남훈 부산의대

  백승훈 경북의대

  신원철 부산의대

  유준일 경상의대

  윤선중 전북의대

  윤필환 울산의대

  이영균 서울의대

  이정길 충남의대

  조승환 조선의대

  조영호 대구파티마병원

머리말

　고관절 관절경은 최소 침습적 방법으로 고관절 내 및 주위 골반 내 병변을 확인하고 치료하는데 유용한 수술 방법입니다. 고관절 관절경 역사 및 발전 내용을 간략히 소개하면, 1931년 Michael Burman이 처음으로 cadaver에 고관절 관절경을 시도한 보고가 있고 난 후 이를 간헐적으로 이용한 보고가 있었습니다. 이로부터 약 60년 후인 1990년대에 스위스 Ganz에 의해 대퇴비구 충돌증후군(femoroacetabular impingement)이 고관절 관절염과 연관된다는 발표가 있고 난 뒤부터 급속히 미국 및 유럽을 중심으로 확산하는 양상을 보여 주었습니다. 결국 2008년에 처음으로 국제 고관절 관절경학회(International Society of Hip Arthroscopy, ISHA)가 발족되어 2009년 제1차 국제적인 학회가 미국 뉴욕에서 열렸고, 현재까지 정기적으로 국제학회가 열리면서 이 분야의 발전 및 확산에 중요한 역할을 담당하고 있습니다. 아시아권에서는 초창기 일본에서 산발적인 보고가 있었으며, 우리나라에서도 이를 이용한 진단 및 치료가 1992년 국내 학술지에 한차례 보고만 있었습니다. 그 후 조직적인 고관절 관절경 모임은 2002년 충남대학교병원에서 1차 고관절 관절경 심포지움을 시작으로 형성되어 이를 토대로 2012년 제1차 아시아 고관절 관절경 심포지움이 열렸고, 2019년 정식적인 아시아 고관절 관절경 학회가 중국 상하이에서 발족 되었습니다.

　우리나라에서는 2002년부터 심포지움 및 cadaver 워크샵 그리고 전국적인 강의를 통해 현재 정형외과 영역에서 고관절 관절경 분야에 많은 젊은 전문의를 배출하였고, 현재까지도 많은 관심을 갖고 다양한 시도를 하고있다는 점에서 저자로서는 매우 고무적으로 생각하고 있습니다. 다만 고관절 관절경은 습득 면에 있어 다른 부위 관절에 적용하는 관절경보다는 많은 시간과 노력이 필요하다는 점에 약간의 아쉬움이 있습니다. 저자들이 고관절 관절경의 확산을 위해 많은 노력을 해오고 있음에도 불구하고 일부 초보자들의 중도 포기 그리고 고관절 관절경의 적응증에 대한 지식의 부족 등은 계속적인 고관절 관절경의 보급 및 확산에 장해 요인이 되고 있습니다. 이에 오래 전부터 정형외과 영역에서 고관질 관질경에 대한 교과서적인 책을 발행하고자 하는 욕망이 있었는데, 이제서야 이 분야에 뛰어난 여러 선생님들을 집필자로 모시고 제1판 고관절 관절경을 발행하게 되어 매우 기쁘게 생각됩니다. "첫걸음"이기에 혹시나 미진한 부분들이 있을 수 있습니다. 이는 계속적인 향후 보완하도록 하겠습니다. 한글판 "고관절 관절경"이 처음으로 발간됨으로써 대학병원은 물론 중소병원 봉직의 및 기타 개업의에게 고관절 관절경에 대한 많은 관심 및 지식 획득에 좋은 기회가 되기를 바랍니다.

　끝으로 첫 발간에 시간과 노력을 아끼지 않고 집필하여 주신 저자들과 많은 시간을 할애하며 세밀한 부분까지 검토하여 주신 하용찬, 황정모 교수에게 감사를 드립니다. 그리고 최고의 책을 만들기 위해 큰 노력을 기울여 주신 군자출판사와 관계자 모든 분들께 깊은 감사의 말씀을 드립니다.

2021년 2월

편찬위원장 **황 득 수**

Hip
arthroscopy

목
차

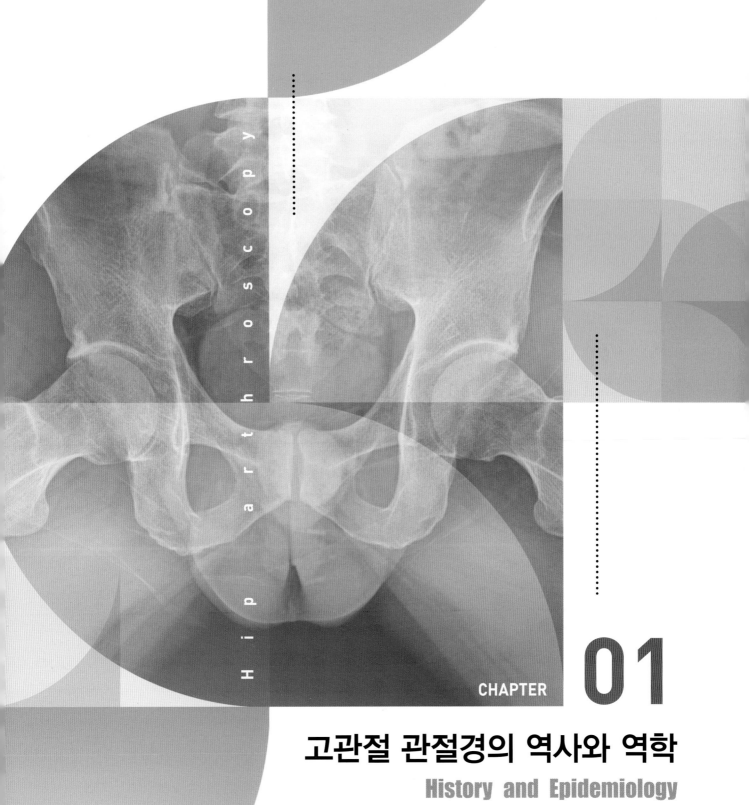

CHAPTER **01**

고관절 관절경의 역사와 역학
History and Epidemiology

CHAPTER 01

고관절 관절경의 역사와 역학

History and Epidemiology

황득수

1

History of hip arthroscopy

정확한 진단을 내리고자 하는 의사들의 노력은 문진과 신체진찰을 넘어 인체 표면 내부의 해부학적 구조를 최소한의 손상으로 관찰할 수 있는 내시경(endoscopy)을 발달시켰다. 그 시작은 총상 환자의 총알 위치를 발견하는데 어려움을 겪던 독일의 젊은 군의관 Philipp Bozzini부터였다. 1806년 그는 *Lichtleiter*라는 짧고 다루기 어려운 현대적인 내시경의 원형을 만들었다(그림 1). 이 기구는 임상적으로 특히 후두와 성대를 관찰하는데 유용하였다. 초기 내시경은 두 개의 튜브를 가졌으며 내부를 밝히는 광원으로 양초를 사용하였다. 이런 혁신적인 내시경을 관절경으로 이용하기까지는 100년 이상의 시간이 걸렸다. 흔히 관절경을 처음 사용한 사람으로 Kenji Takagi라는 일본인이 알려져 있지만, 1912년에 개최된 41st Congress of the German Society of Surgeons에서 덴마크 외과의사인 Severin Nordentoft가 무릎 관절경 검사 결과를 발표하였으며 'arthroscopy'라는 용어를 사용하였다. 그러나 당시에 그의 성과는 동료 의사들의 관심을 받지 못하였다. 1918년에 Takagi는 관절경을 해부학 시체의 무릎 관절에 처음 적용하였다. 그는 1931년 이전보다 작은 3.5 mm 직경으로 무릎 관절에 접근성을 높이는 관절경을 만들었으며 다수의 관절경 기구들을 개발하여 무릎 관절 내 생검과 같은 간단한 수술을 시행하였다(그림 2).

고관절에 있어 관절경의 개념은 1931년 Burman에 의해 처음 보고되었다. 그는 해부학 시체 연구에서 고관절과 무릎, 어깨, 손목, 발목 그리고 팔꿈치 관절에 관절경을 시험하였다. 또한 고관절에 대해 관절경으로 부분적으로만 관찰이 가능하며 관절 내의 골두와 비구는 관찰이 어렵다고 기술하였다. 하지만 관절낭 내부의 대퇴경부 및 변연 구획(peripheral compartment)의 대퇴골두 일부는 관찰할 수 있었다. 또한 고관절의 관절운동을 통해 하지의 견인 없이 대퇴골두의 관절면 일부를 관찰할 수도 있었다. 그는 대전자 주위의 삽입구를 주장하였고 이는 현재의 고관절 관절경에서 여전히 중요한 작업 삽입구로 사용되고 있다. Takagi는 1939년 2례의 Charcot 관절염과 각 1례의 결핵성 관절염, 화농성 관절염에 대한 고관절 관절경의 첫 번째 사례를 보고하였다. 이후 Takagi의 제자인 Masagaki Watanabe는 전자 및 광학의 발달에 의해 더욱 정교해진 관절경 기구를 이용하여 관절경의 임상적용, 특히 무릎 관절에 대한 광범위한 관심을 불러 일으켰다. 하지만 관절경의 성장에도 불구하고 고관절 관절경의 임상적 적용은 1939년 Takagi의 논문 이후

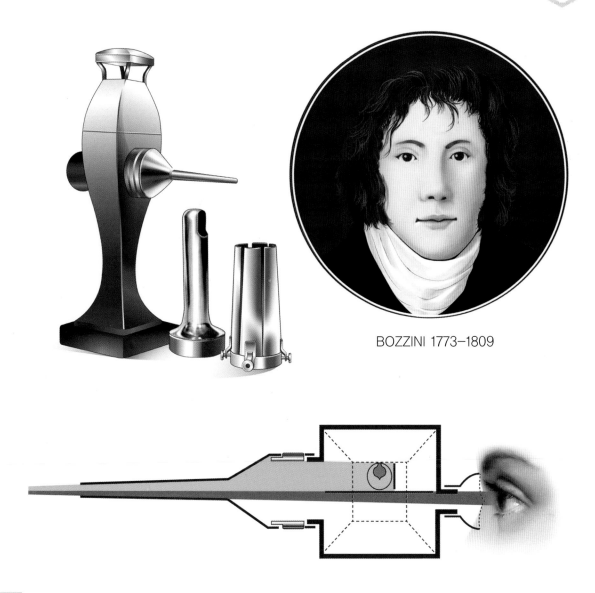

BOZZINI 1773–1809

그림 1 Philipp Bozzini와 초기 내시경
두 개의 튜브를 가졌으며 광원으로 촛불을 사용하였다.

1970년대까지 유용하게 이용되지 못하였다.

1974년 The International Arthroscopy Association이 설립되었으며, Watanabe가 첫 번째 회장으로 선출되었다. 이듬해인 1975년 코펜하겐에서 열린 첫 번째 회의에서 프랑스 의사인 Aignan이 진단적 고관절 관절경 및 52건의 생검에 대해 발표하면서 고관절 관절경의 새로운 장을 열었다. 이후 Richard Gross와 Svante Holgersson 등은 1977년과 1981년 소아에 대한 임상결과에 대해 발표하였다. Gross는 2.2 mm의 관절경을 사용하였으며, 수동적 견인을 통해 관절 내부를 관찰하기도 하였다. 그는 발달성 고관절 이형성,

Legg–Calvé–Perthes병, 신경병증성 아탈구, 감염성 고관절염의 과거력, 대퇴골두 골단분리증을 가진 27명의 소아를 대상으로 32가지 진단학적 관절경 절차에 대해 보고하였다. Holgersson 등은 13명의 소아에서 15례의 연소기 만성 관절염에 대한 결과를 발표하면서 이전의 다른 기술들과 비교해 고관절 관절경은 활액막과 연골에 대한 좋은 정보를 제공하며, 고관절 장애 발생 초기에 수행되어야 한다고 결론 지었다. 1980년에 Vakili와 Shifrin은 고관절 전치환술 후 발생한 시멘트 파편의 제거에 대한 2례의 사례보고를 각각 발표하였다.

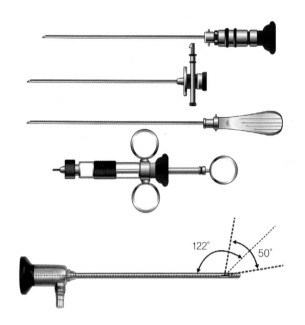

122° 50°

그림 2 Kenji Takagi에 의해 고안된 현대적인 내시경 기구들

1980년대에는 고관절 관절경의 진단적 가치를 향상시키기 위한 기술이 개발되었다. Eriksson은 마취를 한 그룹과 마취를 하지 않은 그룹의 견인에 필요한 힘을 비교하였다. 마취를 한 그룹은 고관절의 앞쪽 구획을 관절경으로 충분히 관찰하는데 300–500 N의 힘이 필요하였으며, 마취를 하지 않은 그룹은 900 N의 힘이 필요하였다. 이러한 견인 기술의 발달은 현재의 고관절 관절경에서 중심 구획(central compartment)의 비구순, 관절 연골, 원형인대의 관찰을 가능하게 하였다. 1987년 Glick과 Sampson은 측와위 자세의 관절경 수술에 대해 발표하였으며 과체중이나 비만이 심한 환자들의 약 40%에서 앙와위 자세로 관절경을 시행하는 경우 제한점이 많다고 보고하였다. 1980년대 말과 1990년대 초반 Thomas Byrd는 앙와위 자세에서 관절 구조물의 손상을 최소화하며 관절 내부의 적절한 관찰이 가능한 삽입구의 위치와 기술에 대해 연구하였다. 그는 효율적이며 안전한 삽입구의 위치는 해부학적 경계부(landmark)의 표시에 의해 찾을 수 있다고 하였다. 천부에 위치하며 만질 수 있는 대전자부와 전상 장골극 그리고 심부에 위치하며 투시영상장치로 확인 가능한 대퇴경부와 대퇴골두가 중요한 경계부이며 정확한 삽입구의 위치가 안전한 관절경 수술을 가능하게 하였다.

1999년 프랑스의 Dorfmann과 Boyer는 견인을 하지 않는 고관절 관절경의 유용성에 대해 보고하였다. 대부분의 고관절 이상은 변연 구획에서 발견될 수 있으며 견인을 하면 관절낭이 팽팽해지는 단점이 있다고 지적하였다. Dienst는 고관절 관절경에서 중심 구획과 변연 구획의 접근에 대한 통합을 이루었으며 이는 대퇴비구 충돌증후군의 관절경적 수술의 발전에 핵심적인 역할을 하였다. 대퇴비구 충돌증후군은 1999년 Myers, Eijer, Ganz에 의해 처음 기술된 것으로, 젊은 성인의 고관절통의 흔한 원인이며 2차성 고관절염의 가장 큰 부분을 차지하고 있다. 수술이 일차 선택치료이며, 개방적 수술에 비해 관절경 수술은 덜 침습적이고 안전한 치료법이다. 2000년대에 들어서 suture anchor를 이용한 비구순 봉합술의 유용성이 입증되었다. 이것은 비구순의 절제에서 복원으로의 중요한 전환을 가져왔으며 다양한 병리적인 질환으로 고관절 관절경의 적응증을 넓히는 계기가 되었다. 고관절 관절경은 아직 대부분의 병원에서 시행되는 술식은 아니며 전문적인 수술 기법이지만 기술이 향상됨에 따라 더욱 보편화되고 있다. 또한 고관절 질환의 병태생리학에 대한 이해가 증가하면서 새로운 병리 질환에 대한 이해와 연구가 진행되고 있다.

2008년 설립된 ISHA (International Society for Hip Arthroscopy)는 고관절 관절경 기구의 개발 및 교육을 지원하기 위해 설립되었다. 2009년 미국 뉴욕에서 1회 ISHA annual meeting이 열린 후 매년 전세계적으로 중요 도시를 돌아가며 현재까지 학회가 열리고 있으며 그 동안 많은 회원수를 보유하게 되었다. 아시아에서 고관절 관절경의 역사는 각 나라마다 지역적으로 조금씩 발전되고 있었지만 이를 통합하는 노력은 최근에 와서야 이루어졌다. 2012년 아시아 지역 고관절 관절경 모임을 대한민국 대전에서 처음 개최하였으며 그 후 매년 극동 아시아를 중심으로 비공식적인 초청 형식으로 심포지움을 열어 고관절 관절경에 대한 학문적 보급 및 교류가 이루어졌다. 2018년 12월 상하이 심포지움에서 여러 아시아 국가들의 고관절 관절경 전문의사들이 모여 공식적인 학회를 발족하였으며 공식 학회 이름을 Asia Society of Hip Arthroscopy and Preservation (ASHA)로 명명하고 그 이듬해인 2019년 7월 6–7일 중국 상하이에서 제1

그림 3 제1회 ASHA 학회가 2019년 상하이에서 개최되었다.

회 ASHA 학회를 개최하였다(그림 3).

2

Epidemiology

고관절은 체내에 가장 깊숙이 위치한 관절로, 상대적으로 길이가 긴 기구의 발달과 견인기술의 발전 이전에는 앞

서 밝혔듯이 진단적인 관절경술 및 생검과 같은 간단한 수술만 가능하였다. 하지만 관절경 기구의 개발과 선구자들의 노력으로 현재는 중심구획 및 변연구획의 여러 병변들로 수술적 적응증이 확대되었으며(표 1), 대퇴골두의 골절 및 탈구 (Pipkin I)에 대한 내고정술 및 대퇴경부의 골절에 대한 정복 및 골이식술까지 관절경이 적용되고 있다. 이 밖에도 다양한 질환들의 병태생리 및 관절경 기술, 기구 등에 대한 연구가 활발히 진행되고 있어 고관절 관절경의 적응증은 더욱 확대될 것으로 기대된다.

Montgomery 등에 따르면 미국의 고관절 관절경은 2004년 188건에서 2009년 1,076건으로 시행 횟수가 증가하였다. 10,000명당 수술건수가 1.20에서 5.58로 365% 확대된 것이다. 수술을 가장 많이 시행 받은 환자군은 20세에서 39세 사이이며, 어깨나 무릎 관절경 환자들과 달리 성별에 차이가 없다고 보고되었다. 하지만 2007년에서 2011년 사이에 관절경 수술을 시행 받은 8,227명의 환자를 분석한 다른 보고서에는 40세에서 49세 사이의 환자가 가장 많은 비중을 차지하였으며, 남녀의 성비가 37%와 63%로 여자 환자의 비율이

표 1 Indications and Contraindications of Hip Arthroscopy

	Indication	Contraindication
Intra–articular pathologies	Femoroacetabular impingement Acetabular labral tear Acetabular or femoral chondral injury Tear of ligamentum teres Joint instability Loose body Inflammatory synovial disease Rheumatoid arthritis Synovial osteochondromatosis Early osteoarthritis Limited application for avascular necrosis	Ankylosis of impossible joint traction Soft tissue infection Wound infection Severe obesity Advanced osteoarthritis
Extra–articular pathologies	Neuropathy by perineural cyst around hip Internal or external snapping hip Iliopsoas impingement Subspinal impingement Piriformis syndrome Deep gluteal syndrome Greater trochanteric pain syndrome Calcific tendinitis Ischiofemoral impingement Sport related injury; Hamstring avulsion fracture	

유의미하게 더 높게 보고되었다. 보고서 간에 차이가 발생되는 것은 데이터 베이스의 부적확성과 데이터의 수집 및 활용법의 차이 그리고 시간이 지날수록 관절경 수술의 적응증이 넓어지는 것에서 기인한다고 추정되고 있다.

미국의 자료에서 관절경 수술은 최근 20년간 꾸준히 증가하는 것을 알 수 있으며 이는 다음과 같은 여러 요인 때문으로 분석할 수 있다. 첫째, 관절경 수술을 쉽게 수행할 수 있도록 기구와 기술들이 발전하고 있으며 이는 관절경의 역사에서 간략하게 소개하였다. 둘째, 자기공명영상장치와 같이 고관절의 병변을 진단할 수 있는 진단 기술이 발전하고 있다. 셋째, 대퇴비구 충돌증후군처럼 관혈적 수술이 시행되었던 병변들로 적응증이 점차 넓어졌다. 대퇴비구 충돌증후군은 1999년 Ganz에 의해 처음 기술되었으며 이어진 연구에서 그는 대퇴비구 충돌증후군이 초기 고관절염의 중요한 원인이라는 것을 밝혔다. 현재는 관절경이 대퇴비구 충돌증후군에 의한 고관절염의 진행을 늦추며 관절을 보존하기 위한 중요한 술식으로 자리잡고 있다. 넷째, 전공의와 전문의에 대한 교육프로그램의 확대로 고관절 관절경 수술을 시도하는 정형외과 의사들의 수가 늘어나고 있다. Colvin 등에 따르면 1999년에 미국의 정형외과 전문의 자격증을 취득하는 의사 643명 중 고관절 관절경을 시행한 의사는 8명(1.24%)이었지만 해마다 그 수가 증가하여 2009년 전문의 취득자 663명 중 49명(7.39%)이 고관절 관절경을 시행하였다.

미국과 달리 우리나라는 건강보험심사평가원(Health Insurance Review and Assessment Service, HIRA)이 수술 코드가 아닌 수가코드에 의해 수술 자료를 수집하여 고관절 관절경의 정확한 통계를 얻을 수 없었다. 하지만 2013년에 보고된 문헌에 따르면 우리나라에서 시행된 고관절 관절경 수술은 2007년 596건에서 2010년 1,262건으로 3년 사이에 2배 이상 증가하였다. 남녀 비율은 1.08로 남자 환자가 조금 더 많았다. 남자는 20대와 40대에서 수술 건수가 많았으며 여자는 50대에서 환자가 가장 많았다. 미국과 비교하여 환자들의 분포에 차이가 있으며 평균 연령이 조금 높게 보고되었다.

젊은 층에서 발생한 대퇴비구 충돌증후군이 초기 고관절염의 중요원인으로 대두되나 향후 연령이 증가하면서 말기 고관절염으로 진행되는지 여부에 대한 경과 보고는 아직 통계적으로 미약하다. 우리나라의 최근 보고에 의하면 인공 고관절 전치환술을 시행 받은 환자의 원인을 후향적으로 조사한 결과 대퇴비구 충돌증후군이 6.36%로 나타났고, 또한 이 경우 평균연령이 73.02세로 고령에서 주로 나타나서 대퇴비구 충돌증후군이 말기 고관절염으로 진행하는 빈도는 적지만 고령층에 주로 발생한 것으로 보아 상당기간 경과 후 서서히 고관절염이 진행하는 것으로 추정할 수 있다. 2000년도에 우리나라 65세 이상 고령 인구의 비율은 7.4%였으나 2020년에는 15.7%로 추산되며, 향후에도 계속 증가하여 2025년에는 20.3%에 이르러 초고령사회로 진입할 것으로 예상되고 있다. 대다수의 국민들은 기대수명의 증가에 따라 고령의 나이에도 활동적인 일상생활을 영위하고자 하는 가운데, 관절경이 고관절염의 진행을 늦추고 관절을 보존하기 위한 중요한 술식으로 자리잡고 있어 고관절 관절경을 이용한 수술은 앞으로도 계속 늘어날 전망이다.

References

1. Jackson R, Kieser C. Arthroscopy: Minimally invasive surgery changed the face of orthopedics. Orthop Today. 2000;20:40-2.

2. Kieser CW, Jackson RW. Severin Nordentoft: The first arthroscopist. Arthroscopy. 2001;17(5):532-5.

3. Tagaki K. The arthroscope: the second report. J Jap Orthop Assn. 1939;14:441.

4. Burman MS. Arthroscopy or the direct visualization of joints: an experimental cadaver study. JBJS. 1931;13(4):669-95.

5. Aignan M. Arthroscopy of the hip. Rev Int Rheumatol. 1976;33:458.

6. Gross R. Arthroscopy in hip disorders in children. Orthopaedic Review. 1977;6(9):43-9.

7. Holgersson S, Brattström H, Mogensen B, Lidgren L. Arthroscopy of the hip in juvenile

chronic arthritis. Journal of pediatric orthopedics. 1981;1(3):273-8.

8. Vakili F, Salvati EA, Warren RF. Entrapped foreign body within the acetabular cup in total hip replacement. Clinical orthopaedics and related research. 1980(150):159-62.

9. Shifrin L, Reis N. Arthroscopy of a dislocated hip replacement: a case report. Clinical orthopaedics and related research. 1980(146):213-4.

10. Eriksson E, Arvidsson I, Arvidsson H. Diagnostic and operative arthroscopy of the hip. Orthopedics. 1986;9(2):169-76.

11. Glick JM, Sampson TG, Gordon RB, Behr JT, Schmidt E. Hip arthroscopy by the lateral approach. Arthroscopy. 2010;26(4):536.

12. Byrd JW, Pappas JN, Pedley MJ. Hip arthroscopy: an anatomic study of portal placement and relationship to the extra-articular structures. Arthroscopy. 1995;11(4):418-23.

13. Dorfmann H, Boyer T. Arthroscopy of the hip: 12 years of experience. Arthroscopy: The Journal of Arthroscopic & Related Surgery. 1999;15(1):67-72.

14. Dienst M, Gödde S, Seil R, Hammer D, Kohn D. Hip arthroscopy without traction: in vivo anatomy of the peripheral hip joint cavity. Arthroscopy: The Journal of Arthroscopic & Related Surgery. 2001;17(9):924-31.

15. Myers S, Eijer H, Ganz R. Anterior femoroacetabular impingement after periacetabular osteotomy. Clinical orthopaedics and related research. 1999(363):93-9.

16. Levy DM, Kuhns BD, Chahal J, Philippon MJ, Kelly BT, Nho SJ. Hip arthroscopy outcomes with respect to patient acceptable symptomatic state and minimal clinically important difference. Arthroscopy: The Journal of Arthroscopic & Related Surgery. 2016;32(9):1877-86.

17. Philippon MJ, Faucet SC, Briggs KK. Arthroscopic hip labral repair. Arthroscopy techniques. 2013;2(2):e73-e6.

18. Park MS, Yoon SJ, Choi SM. Arthroscopic reduction and internal fixation of femoral head fractures. J Orthop Trauma. 2014;28(7):e164-8.

19. Montgomery SR, Ngo SS, Hobson T, et al. Trends and demographics in hip arthroscopy in the United States. Arthroscopy. 2013;29(4):661-5.

20. Sing DC, Feeley BT, Tay B, Vail TP, Zhang AL. Age-Related Trends in Hip Arthroscopy: A Large Cross-Sectional Analysis. Arthroscopy. 2015;31(12):2307-13 e2.

21. Ganz R, Parvizi J, Beck M, Leunig M, Nötzli H, Siebenrock KA. Femoroacetabular impingement: a cause for osteoarthritis of the hip. Clinical Orthopaedics and Related Research®. 2003;417:112-20.

22. Colvin AC, Harrast J, Harner C. Trends in hip arthroscopy. J Bone Joint Surg Am. 2012;94(4):e23.

23. Lee YK, Ha YC, Yoon BH, Koo KH. National Trends of Hip Arthroscopy in Korea. J Korean Med Sci. 2014;29:277-80.

24. Lee WY, Hwang DS, Noh CK. Descriptive Epidemiology of Patients Undergoing Total Hip Arthroplasty in Korea with Focus on Incidence of Femoroacetabular Impingement: Single Center Study. J Korean Med Sci. 2017 Apr;32(4):581-586.

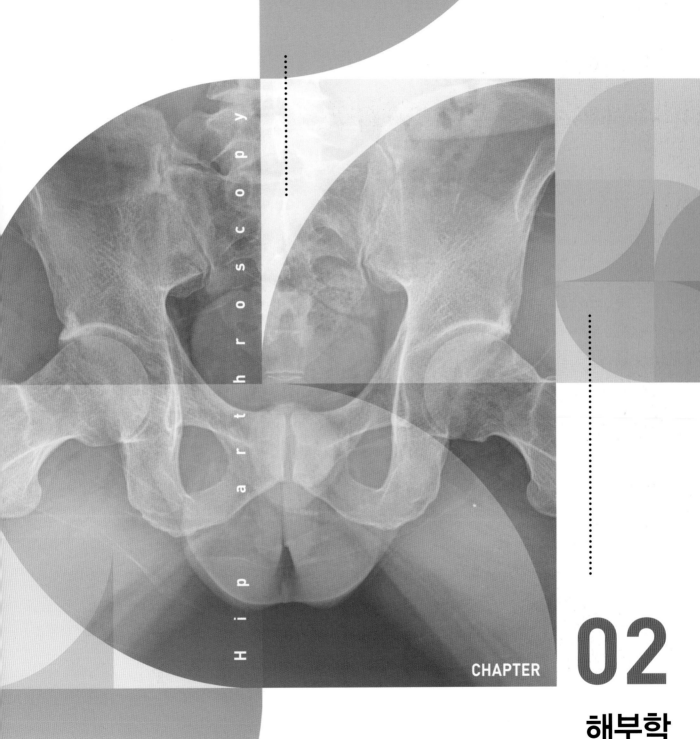

CHAPTER

02

해부학
Anatomy

해부학
Anatomy

김진우

1

육안해부학(Gross Anatomy)

가동(활액) 관절의 네 가지 독특한 특징은 ① 관절강, ② 관절 연골, ③ 윤활액을 생산하는 활액막, ④ 인대 관절막(ligamentous capsule)이다. 볼-소켓형 관절(ball-and-socket joint)들은 다축성 관절(multi-axial articulation)을 보여주며, 가동 관절(diarthrodial joint)의 여섯 가지 유형 중 하나이다. 고관절 운동(Hip motion)은 가장 근접하게 실제 볼-소켓 형상(ball-and-socket configuration)을 보여준다. 이러한 형상은 관절경을 통해 고관절에 접근할 수 있는 기술적 능력을 위해 중요하다.

또한, 고관절은 주위 연부 조직(soft tissue envelope)에 의해 가장 단단하게 둘러 싸여 있기 때문에 길이가 긴 관절경 장비(extra-length arthroscopic instrument)가 필요한 관절이다. 더욱 중요한 것은 관절 안에 기구를 유치하기 위한 위치 표시(localization)와 삼각화(triangulation) 기술을 필요로 한다는 것이며, 이는 술자의 고유수용감각(proprioception)을 요한다.

관절경과 수술 도구들을 삽입하기 위해 관절을 충분히 분리할 목적으로 보통 견인(distraction)이 사용된다. 견인은 치밀한 인대 관절막뿐만 아니라 고관절을 둘러싸고 있는 강력한 근육들을 이겨내야만 한다. 전신 또는 부분 마취에 관계없이 적절한 이완은 동적 근육의 수축력을 무효화하고, 최소한의 정적 근육의 영향만을 남겨둔다. 그러나, 일부 영역에서 0.5 cm 이상 두껍고 치밀한 관절막은 견인에 있어 굉장한 정적 저항을 가지기 때문에 고관절 관절경에서 종종 커다란 견인력을 필요로 하게 된다. 긴장의 유지와 함께 치밀하고 상대적으로 불응하는 구조물들은 생리적 포복(physiologic creep)의 과정을 통해 이완될 수 있으며, 이는 종종 과량의 힘을 주지 않고도 고관절을 적절하게 견인할 수 있게 된다. 이러한 해부학적이고 구조적인 원칙들을 이해하는 것은 효과적인 관절경을 수행하는 능력에 있어서 중요하다.

술자는 반드시 적절하게 방향(orientation)을 잘 잡아야 하고 어떠한 관절이든 중요한 관절 외 구조물에 대하여 알아야 한다. 이러한 준비는 국소 해부학(topographic anatomy)에 대한 적절한 지식과 함께 시작되며, 이는 심부 구조물들의 공간적인 관계를 해석하는 데 매우 중요하다.

1) 국소 해부학(Topographic anatomy)

고관절 주위 골성 표지자(bony landmark)의 촉지는 간단하다. 이러한 표지자(landmark)들을 평가하고 심부 연부 조직 구조물들과의 관계를 이해하는 것은 중요하다. 주요 기준점들은 대전자(greater trochanter), 전상 장골극(anterior superior iliac spine), 치골결합 부위(pubic symphysis), 장골 능선(iliac crest), 후방 장골극(posterior iliac spine), 좌골(ischium) 등이다(그림 1).

이러한 표지자들 중 두 가지 혹은 세 가지는 관절경 시술 시 적절한 방향(orientation)을 위해 매우 중요하다. 주요 구조물은 대전자부로, 이것의 전방(anterior)과 후방 경계(posterior border)뿐만 아니라 상방 경계(superior margin) 또한 표시되어야 한다. 전상 장골극은 두 번째 중요한 표지자이며, 전방 삽입구(anterior portal)의 위치를 결정하는 데 중요하다. 술자는 환자를 소독(draping)할 때 이 부분이 잘 노출되도록 주의하는 것이 필요하다.

몇몇 저자들의 경우 치골결합 부위(pubic symphysis)를 전방 삽입구의 위치를 확립하기 위한 표지자로써 사용했다. 이 부위는 촉지와 위치 확인을 반복적으로 할 수 있다는 장점이 있다. 다만 이는 반드시 환자를 소독하기 전에 시행해야 하는데, 이 부분이 수술 범위(operative field)를 포함시키기 어렵기 때문이다.

2) 근육

고관절의 근육들(hip musculature)은 표층부(superficial layer)와 심층부(deep layer)로 나타낼 수 있다. 대퇴근막

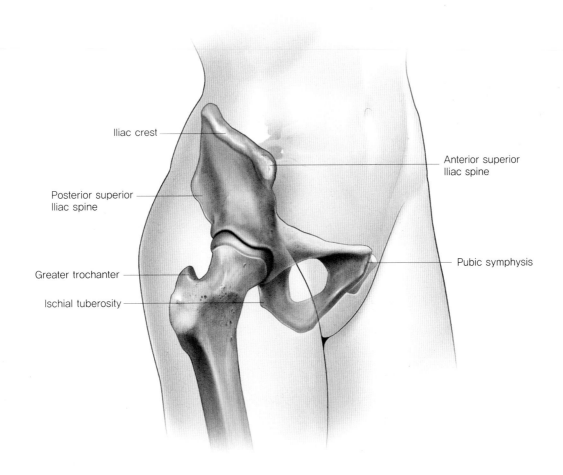

그림 1 고관절 주위 골성 표지자들

(fascia lata)은 표층부를 구성하는 세 가지 근육들을 포함하여 전체의 고관절을 덮고 있고 이들은 대퇴근막장근(tensor fascia lata), 봉공근(sartorius)과 대둔근(gluteus maximus)이다(그림 2). 대퇴근막 또한 대퇴근막장근과 대둔근의 심층(deep)과 표층(superficial surface)을 덮으면서 나누어져 있다. 대퇴근막장근과 대둔근은 서로 연결되어, 장경대(iliotibial band)를 형성한다. 대둔근은 또한 특별히 둔부 조면(gluteal tuberosity)에서 대퇴 근위부(proximal femur)에 부착한다. 이러한 섬유근막(fibromuscular sheath)은 Henry에 의해서 "골반 삼각(pelvic deltoid)"으로 기술되었고, 이는 삼각근(deltoid muscle)이 견관절을 덮는 것과 마찬가지로 고관절을 덮는다는 것을 의미한다. 흥미로운 것은 대둔근(gluteus maximus)은 신체에서 가장 큰 근육이고, 두 가지 관절을 교차하는 봉공근은 상당히 약하지만 가장 길다는 사실이다.

중둔근(gluteus medius)은 표층(superficial)과 심부 근육층(deep musculature layer) 사이에서 이행되는 관계에 놓여있다. 장골능에서부터 비교적 표층에서 기시하고 대퇴근막(fascia lata)의 일부분에 의해 덮이며, 심부 근육들과 같이 대전자부에 부착한다(그림 3). 뒤쪽으로, 심부 근육층(deep muscle layer)은 이상근(piriformis), 상하쌍자근(superior and inferior gemelli)과 공통의 힘줄 부착(tendinous insertion)을 가지는 내폐쇄근(obturator internus), 그리고 대퇴방형근(quadratus femoris)을 포함한다(그림 3). 외측으로는 소둔근(gluteus minimus)이 중둔근의 심부 표층 위에 놓여있다. 대퇴직근(rectus femoris)의 기시부(origin)가 전방 관절막(anterior capsule)을 덮고 있는데 직두(straight head)는 전하 장골극(anterior inferior iliac spine)에서, 반전두(reflected head)는 후상방 비구연 바로 위쪽에서 기시한다. 이것의 바로 앞쪽으로 골반 안쪽의 대요근(psoas major)과 장골근(iliacus)으로 이루어진 장요건(iliopsoas tendon)은 한 개의 건으로 합쳐져 소전자부(lesser trochanter)에 부착한다(그림 4).

고관절 내측으로는 장내전근, 단내전근 및 대내전근(adductor longus, brevis, magnus), 박근(gracilis)을 포함하는 내전근들(adductor muscle group)에 의해 경계가 지어진다. 이러한 근육들은 고관절의 내측 접근(medial approach)을 고려할 때를 제외하고는 고관절 관절경에서 임상적 중요성이 제한되기 때문에 기술 단위(technical entity)로 설명은

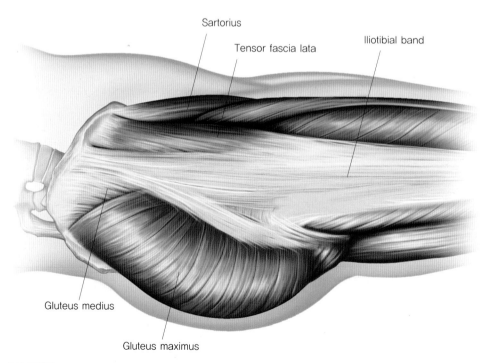

Sartorius
Tensor fascia lata
Iliotibial band
Gluteus medius
Gluteus maximus

그림 2 고관절의 표층부 근육들

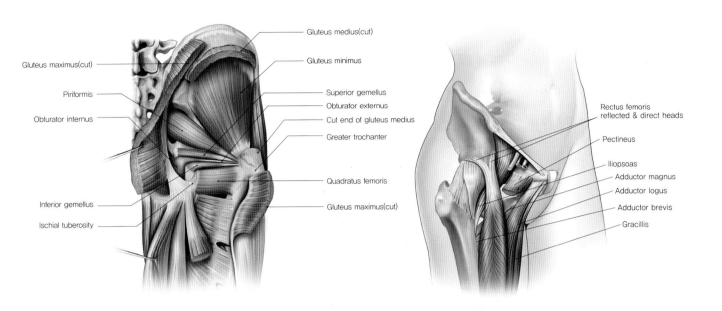

Gluteus maximus(cut)
Piriformis
Obturator internus
Inferior gemellus
Ischial tuberosity

Gluteus medius(cut)
Gluteus minimus
Superior gemellus
Obturator externus
Cut end of gluteus medius
Greater trochanter
Quadratus femoris
Gluteus maximus(cut)

Rectus femoris
reflected & direct heads
Pectineus
Iliopsoas
Adductor magnus
Adductor logus
Adductor brevis
Gracillis

그림 3 고관절의 심층부 및 후방 부위 근육들

그림 4 고관절 전방 부위 근육들

되지만, 임상적 접근은 제한된다.

3) 신경혈관 구조

대퇴 신경 혈관 구조물(femoral neurovascular structure)들은 전상 장골극(anterior superior iliac spine)과 치골 결절(pubic tubercle)의 가운데 부분의 서혜인대(inguinal ligament) 아래로 골반을 빠져나간다(그림 5).

이들은 고관절의 비교적 앞쪽에 있으며, 신경이 가장 바깥쪽에 위치한다. 이러한 구조물들은 장요근(iliopsoas muscle)의 앞쪽 표면 위에 놓여 있고, 그리하여 근육은 대퇴 신경 혈관 구조물을 고관절로부터 분리시킨다.

외측 대퇴피부신경(lateral femoral cutaneous nerve)은 요추 신경총(lumbar plexus)으로부터 기시하여 전상 장골극(anterior superior iliac spine)에 근접하여 서혜 인대(inguinal ligament) 밑을 지나 빠져나간다. 이 신경은 외부 압박(external compression)에 민감한 것으로 알려져 있다(감각이상대퇴통증; meralgia paresthetica). 이는 또한 장골능의 골 채취 부위가 전상 장골극에 너무 근접해 있을 때와 관절

경 삽입구(arthroscopic portal) 위치가 적절하지 못할 때 손상을 입기 쉬운 것으로 알려져 있다.

외측 대퇴회선동맥(lateral circumflex femoral artery)은 대퇴 동맥(femoral artery)에서 시작된 대퇴 심부 동맥(profunda femoris(deep femoral artery)으로부터 분지된다. 외측 대퇴회선동맥의 상행 분지(ascending branch)는 전자간선(intertrochanteric line)의 방향을 따라 비스듬하게 주행한다. 상둔 신경과 상둔 동맥(superior gluteal nerve and artery)은 좌골 절흔(sciatic notch)을 통해 나가는 10개의 신경 혈관 구조물(neurovascular structure)들 중 가장 위쪽에 위치한다. 이들은 중둔근과 소둔근 사이로 뒤에서 앞쪽 방향으로 수평하게 진행하며 두 구조물을 지배(innervation)하고 혈액을 공급한다. 좌골 신경(sciatic nerve)은 대좌골 절흔(greater sciatic norch)을 거쳐 이상건(piriformis tendon)의 전내측으로 내려오며 원위부로 진행할수록 수직 방향으로 다른 단외회전근(short external rotator muscles)들의 위에 놓여 있게 된다(그림 6).

복잡한 혈관 문합들은 첫 번째 관통 동맥(perforating artery)의 상행 분지(ascending branch), 하둔 동맥(inferior

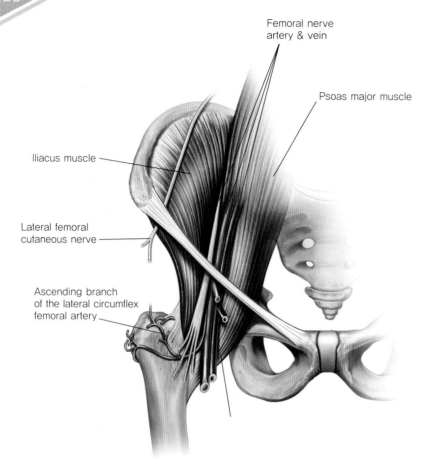

Femoral nerve
artery & vein

Psoas major muscle

Iliacus muscle

Lateral femoral
cutaneous nerve

Ascending branch
of the lateral circumflex
femoral artery

그림 5 고관절 신경혈관 구조물들(전면)

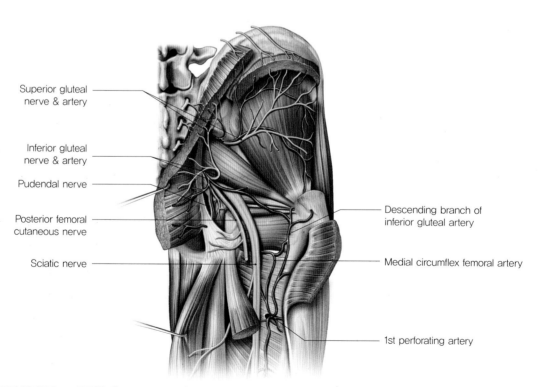

Superior gluteal
nerve & artery

Inferior gluteal
nerve & artery

Pudendal nerve

Posterior femoral
cutaneous nerve

Sciatic nerve

Descending branch of
inferior gluteal artery

Medial circumflex femoral artery

1st perforating artery

그림 6 고관절 신경혈관 구조물들(후면)

gluteal artery)의 하행 분지(descending branch), 그리고 내측 및 외측 대퇴회선동맥들의 수평 분지들로 이루어져 대퇴방형근(quadratus femoris)의 아래쪽 경계에서 모인다.

4) 관절막과 관절 구조

장골(ilium), 좌골(ischium), 치골(pubic bone)들은 비구에서 하나로 합쳐지며, 무명골(innominate bone)을 형성한다. 어린 시기 동안에 이들은 삼방 연골(triradiate cartilage)에 의하여 분리되어 있는데, 이는 골격계가 성숙함에 따라 골유합이 이루어진다.

비구(acetabulum)는 전방으로 약 15°, 하방으로 약 45° 기울어져 있다(그림 7). 비구의 관절면은 말발굽(horseshoe) 또는 초승달(lunate) 모양을 가지고 있다. 중심 하방의 비구와(acetabular fossa)는 관절면을 이루지 않으며 그것은 pulvinar라 불리는 섬유탄성지방덩이(fibroelastic fat pad)가 채워져 있다. 또한, 하단의 비구 절흔(acetabular notch)으로부터 원형인대(ligamentum teres)의 비구 부착 부위를 가지

고 있다. 비구 아래쪽은 횡 비구 인대(transverse acetabular ligament)에 의해 완성된다(그림 8).

비구순(labrum)은 비구의 테두리에 부착되는 섬유연골(fibrocartilage) 조직이다. 비구순은 비구와의 앞쪽과 뒤쪽 경계에서 아래로 끝난다. 그리고 횡 비구 인대로 이어지며 비구 주위 둘레(circumferential ring)를 완성한다. 비구순은 비구의 여러 부위에 많은 변이를 가지고 일관적이지 않은 구조물이기도 하다.

대퇴골 근위부는 평균 125°의 경간각(neck shaft angle)을 가지고 있고, 대퇴경부(femoral neck)는 약 14°의 전경사각(anteversion)을 가지고 있다. 대퇴골두(femoral head)는 구의 형태로 2/3 이상이 관절연골로 덮여 있으며 안쪽으로 대퇴골두의 관절면에 대퇴골두 와(fovea capitis femoris)라 불리는 구멍이 원형인대의 대퇴 부착부위(femoral attachment site)이다.

고관절의 골 구조(bony architecture)는 중요한 내적 안정성을 제공한다. 이 안정성은 복잡한 관절막 인대(capsular ligament) 복합체들에 의해 강화된다. 이 복합체는 네 가지

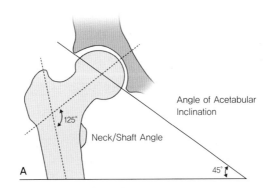

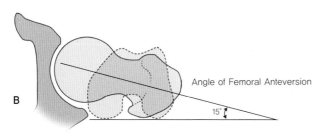

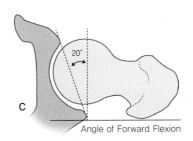

그림 7 대퇴골 경간각 및 비구 경사각(A)과 대퇴골 전경사각(B) 및 비구 전경사각(C)

특징적인 인대들로 이루어져 있고 관절에 다양한 역할을 하고 있다. 관절막들의 복잡한 특징과 특징적인 형태가 다양한 해부학적인 연구들을 통해 잘 정의되어 왔다. 그러나 시간이 지나면서 이 해부학적 형태의 관절경적 특징을 얻어 더 나은 평가를 함으로써 인대들에 관해 더 많은 것들을 알 수 있을 것이다. 아마도 이 개념들은 부분적으로 다시 정의되기도 할 것이다.

관절막 앞쪽은 주로 장대퇴 인대(iliofemoral ligament)나 Bigelow 인대(ligament of Bigelow)로 이루어져 있다(그림 9). 그것은 비구 위쪽으로 장골 부착부위(ilium attachment)로부터 시작되는 거꾸로 세워 놓은 Y 모양을 가지고 있다. 그리고 나서 전자간선(intertrochanteric line)을 따라 그것의 대퇴 부착 부위(femoral attachment)로 나선형의 패턴을 가지고 돌아 나간다. 그것은 신체에서 가장 강한 인대들 중 하나이며 이러한 나선형 인대들은 서로 꼬인 방향으로 있기에 고관절을 신전할 때는 나사 회전 효과(screw home effect) 또는 비틀어 짜기 기전(winging-out mechanism)에 의해 인대들이 서로 꼬이고 긴장되어 가장 안정된 위치에 놓인다. 반면 고관절을 굴곡, 외회전, 외전할 경우 꼬인 인대들이 풀리고 이완되어 관절강의 용적이 커지게 된다.

좌대퇴 인대(ischiofemoral ligament)는 관절막 뒤쪽을 강화한다. 또한 후방 비구 가장자리(posterior acetabular rim)의 좌골 부착부위(ischial attachment)로부터 시작하여 경부 후외측에서 대전자 기저부 내측으로 진행하며 부착되는 나선형의 형태를 가지고 있다(그림 10).

치대퇴 인대(pubofemoral ligament)는 비교적 약하지만 비구 가장자리의 치골부분(pubic part)에서 장대퇴 인대(iliofemoral ligament)의 내측 경계(medial edge)와 합쳐지며 관절막 아래쪽과 앞쪽을 강화한다(그림 9). 이 복합체의 나선형의 성질은 신전하는 동안에 비구 속으로 대퇴골두가 안쪽으로 틀어지게 하는데 이는 임상적으로 중요한 의미를 가지고 있다. 우선 이것은 고관절이 아픈 환자가 왜 외상, 질병 또는 감염의 결과에 관계없이 고관절을 조금 구부린 자세로 관절막을 이완시켜 쉽게 되는지 설명해 준다. 또한 수술 시 고관절을 구부린 상태, 즉 관절막을 이완시킨 상태로 관절경을 시행하는 것이 이득임을 보여준다.

네 번째 인대는 대퇴골두의 인대, 즉 원형인대이다. 비구와의 부착으로부터 대퇴골두 와로 진행하는데 활액막 안에 싸여 있는 관절내(intracapsular) 구조물이지만 활액막외(extrasynovial) 구조물이다. 이러한 비교적 약하지만 과다한 이완(redundant)은 고관절에 있어서 어떤 중요한 안정화 효과가 있지는 않아 보인다. 이 인대의 크기와 강도는 다양하며, 때때로 존재하지 않아 그 의미를 알 수 없다(그림 11).

관절막의 섬유들 중 대퇴골두 원위부에서 대퇴경부 주위로 원형으로 주행하며 윤대(zona orbicularis)를 형성한다. 이 층은 관절막을 압축하고 비구 안에서 대퇴경부를 유지하는데 도움을 주는 고리(collar)로써 역할을 하며 관절막 내에서 가장 좁은 부위를 형성한다(그림 11).

5) 대퇴골두의 혈액 공급

대퇴골두에서 동맥에 의한 혈액 공급은 세 개의 말단 동맥들의 혈관 문합을 통해 이루어지며 주요 혈관들이 활액막 지대(synovial retinaculum) 안에서 상행한다(그림 12).

이들은 주로 대측 대퇴회선동맥(medial circumflex femoral artery)으로부터 후방 및 내외측 부위, 외측 대퇴회선동맥(lateral circumflex femoral artery)및 첫 번째 관통 분지(1st perforating branch)로부터 전방 부위 공급을 받아 대퇴경부 기저부 둘레의 관절막외 동맥고리(extracapsular arterial ring)가 형성된다. 이 동맥고리로부터 기시되는 지대 동맥(retinacular artery)은 대퇴골두의 주된 혈액 공급을 담당하는데, 이는 관절막을 뚫고 들어가 지대 속으로 경부를 따라 올라가면서 골간단 및 골단 분지(metaphyseal and epiphyseal branch)로 나눠져 각각 골두와 경부에 혈액을 공급한다. 이 분지들은 뼈 안으로 뚫고 들어가기 직전 고리 모양의 활액막하 관절막내 동맥고리(subsynovial intracapsular arterial ring)를 형성한다. 대퇴경부의 후방 특히 후상방 지대 동맥은 대퇴골두의 가장 중요한 혈액 공급원이다. 다음으로 주로 폐쇄 동맥(obturator artery)에서 기시하는 원형 동맥(ligamentum teres artery)인데 이는 대퇴골두 내측 일부의 혈액 공급을 담당하나 성인에서는 항상 존재하는 것은 아니며 약 20%의 인구에서는 나타나지 않는다. 이

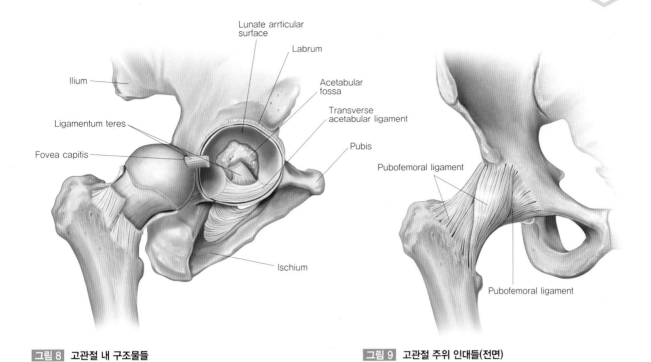

그림 8 고관절 내 구조물들

그림 9 고관절 주위 인대들(전면)

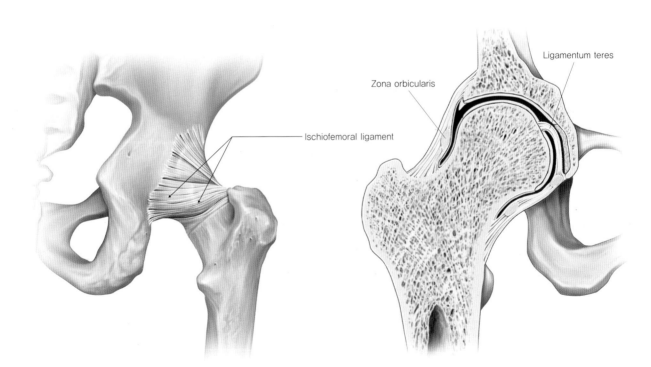

그림 10 고관절 주위 인대들(후면)

그림 11 원형인대(ligamentum teres) 및 윤대(zona orbicularis)

외 대퇴 간부에서 들어오는 영양동맥(nutrient artery)으로부터 약간의 혈액을 공급받지만 골단판이 존재하고 있는 소아에서는 골단에 혈액 공급을 하지 못한다.

2
삽입구 해부학(Portal Anatomy)

고관절 관절경 검사의 삽입구 위치는 문헌마다 다양하게 기술되어 왔으며 삽입구의 위치에 주의를 기울이는 것은 두 가지 이유에서 중요하다. 이는 ① 관절의 접근성, ② 주변의 주요 신경, 혈관 구조물들을 피하는 것이다.

고관절 관절경에서 Byrd의 수술 기법은 전형적인 방법으로 소개되며 앙와위에서 세 가지 삽입구를 사용한다(그림 13).

대전자의 전외측과 후외측을 통해 관절경에 의해 효과적으로 고관절로 들어갈 수 있다. 전방 삽입구의 위치를 잡는

것은 삼각화 기술(triangular technique)이 좀 더 필요하다. 이 모든 세 가지 삽입구들은 일반적으로 각각의 관절경 과정들을 통해 나타나게 되고, 관절에 충분한 접근성을 제공한다. 만약 추가 삽입구가 필요하다면, 이 기본 삽입구들의 관절외 구조들의 해부학적 관계를 아는 것이 삽입구를 안전하게 만드는 데 도움이 될 것이다.

1) 전방 삽입구(Anterior portal)

전방 삽입구(anterior portal)는 전상 장골극으로부터 아래로 이어진 수직선과 대전자의 상부 끝부분으로부터의 측면으로 뻗은 가로선으로 결정된다. 이 두 선이 만나는 점은 전방 삽입구(anterior portal)를 의미한다. 이 삽입구는 거의 45°를 향하고 정중선과는 30°를 이룬다. 이것은 전외측 삽입구에서 관절경을 통해 직접적으로 관찰하며 시행되며, 이는 관

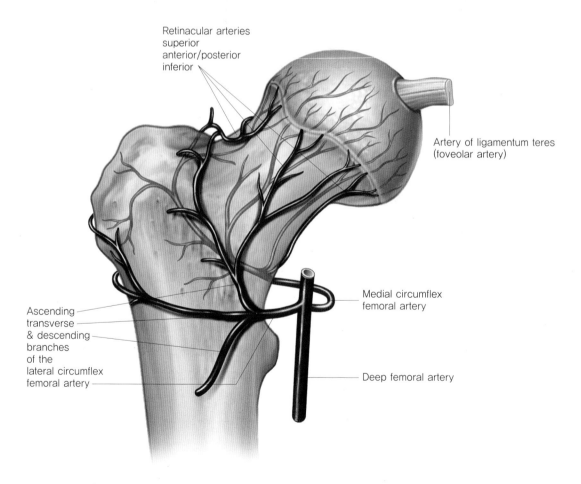

그림 12 대퇴골두의 혈액 공급

절경 검사에서 첫 번째로 결정된다.

전방 삽입구는 평균적으로 전상 장골극에서 원위부로 평균 6.3 cm 위치에 놓여있다. 이는 전방 관절낭으로 들어가기 전에 봉공근(muscle belly of the sartorius)과 대퇴직근(rectus femoris)을 통과한다(그림 14).

일반적으로, 외측 대퇴피부신경(lateral femoral cutaneous nerve)은 세 개 이상의 분지로 나뉜다. 삽입구는 이러한 신경 분지들 사이로 지나가야 하고 보통 가장 가운데 분지를 지난다(그림 14). 따라서 삽입구를 외측으로 더 옮기면서 외측 대퇴피부신경을 피하는 것은 효과적이지 않다. 이는 삽입구를 남아있는 신경의 가지로 더 가까이 위치하게 한다. 사실 삽입구를 좀 더 가운데로 옮기는 것이 외측 대퇴피부신경을 피하는 데 더 효과적이기는 하지만, 이 조작은 대퇴신경(femoral nerve)의 가까운 접근성 때문에 삽입구에 불완전하게 적용된다.

다양한 분지들 때문에 외측 대퇴피부신경을 피하기 쉽지 않지만 이는 삽입구를 세심하게 정하여 보호해야 한다. 특히 피부 절개를 너무 깊게 해서 이 분지들 중 하나를 손상시키는 가장 취약점이 있다. 피부로부터 관절낭으로 통과하면서, 전방 삽입구는 대퇴신경과 거의 떨어져 지나고 관절낭과 평균 3.2 cm 거리로 가깝게 놓여있다.

외측 대퇴회선동맥(lateral circumflex femoral artery)의 상향 분지(ascending branch)는 보통 전방 삽입구에서 거의 3.7 cm 아래에 있는데 이것의 의학적 중요성은 확실치 않고, 전방 삽입구에서 이로 인한 대량 출혈은 보고된 바 없다.

2) 전외측 삽입구(Anterolateral portal)

전외측 삽입구는 보통 관절경 검사의 안전 지역(safe zone)의 중앙에 위치하며, 관절경 검사 시 첫 시작 지점이 된다. 전외측 삽입구는 대전자의 상부 위 경계 바로 앞쪽에 위치한다(그림 15). 대퇴경부 전방경사(anteversion)로 인해 전후방면상 대퇴골두 외측 약간 앞쪽으로 나와 관절경 검사 시 고관절에 바로 부착되게 된다. 삽입구를 위치하는 동안 고관절이 외회전 또는 내회전하면 대퇴골두와 대전자의 위치가 변할 수 있으므로 중립자세(neutral rotation)를 유지하

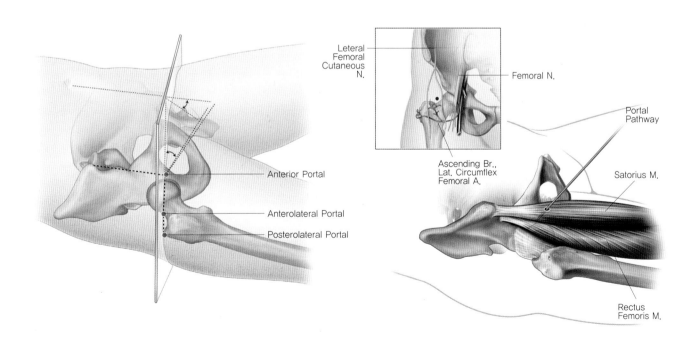

그림 13 고관절 관절경의 세 가지 삽입구

그림 14 전방 삽입구

도록 주의해야 한다.

전외측 삽입구는 중둔근(gluteus medius)을 관통하고 관절낭의 외측을 뚫게 되는데 이때 중요한 구조물은 상둔신경(superior gluteal nerve)이다(그림 15). 좌골 절흔(sciatic notch) 외측 끝나는 위치에서, 상둔 신경은 중둔근의 깊은 면을 가로질러 뒤에서 앞으로 평행하게 가로질러 주행한다. 이 관계는 외측 삽입구(lateral portal)에서도 동일하며, 평균 거리는 4.4 cm이다.

3) 후외측 삽입구(Posterolateral portal)

후외측 삽입구는 전외측 삽입구와 비슷한 위치로 대전자부 상부 경계 바로 뒤쪽에 있다. 관절경 상에서 두 삽입구의 위치를 다소 가깝게 위치해 보이며 전외측 삽입구를 통해 직접 확인하면서 쉽게 접근할 수 있다. 직접 가시화(direct visualization)를 유지하는 것은 후외측 삽입구의 주요 구조, 특히 좌골 신경(sciatic nerve)에 가까워지기 때문에 삽입구 위치에 매우 중요하다.

후외측 삽입구는 관절낭 외측의 뒤 끝에 닿고 나서, 중둔근(gluteus medius)과 소둔근을 둘 다 관통하며 그 경로는 이상건(piriformis tendon)의 전상방이다(그림 16). 이것은 관절낭의 높이에서 좌골 신경(sciatic nerve)과 가장 가까이 위치해있다. 좌골 신경의 외측 모서리와의 거리는 평균 2.9 cm이다.

관절경 검사에서의 몇몇 술기적인 오류나 변경은 좌골 신경의 큰 손상을 외측에서 가져올 수 있다. 첫째로, 고관절 굴곡은 관절낭의 긴장을 완화시키고 견인을 쉽게 할 수 있으나, 좌골 신경과 관절낭을 가까워져 부상에 노출될 가능성을 높일 수 있다. 두 번째로, 삽입구의 위치를 잡을 때 중립 자세(neutral rotation)를 유지하는 것이 중요하다. 만약 과하게 외회전 하는 경우, 대전자는 대퇴골두와 고관절에 비해 더 뒤로 위치하게 된다. 이러한 시작 자세는 좌골 신경을 손상 위험에 노출시킬 수 있다. 이렇게 약간의 굴곡이 관절낭의 긴장을 완화시킬 수 있다고 하더라도, 과도한 굴곡은 피해야 한다. 또한, 시술 과정 중 고관절 회전은 대퇴골두의 시각화를 도울 수 있지만, 모든 삽입구가 만들어지기 전에 회전시켜서는 안 된다.

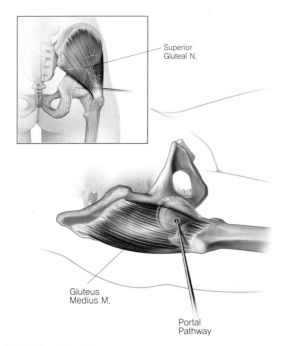

Superior Gluteal N.

Gluteus Medius M.

Portal Pathway

그림 15 전외측 삽입구

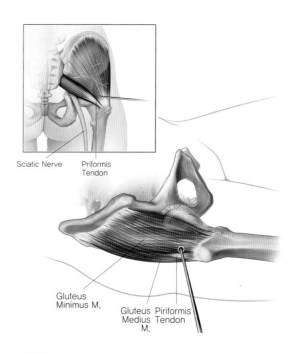

Sciatic Nerve   Priformis Tendon

Gluteus Minimus M.

Gluteus Medius M.   Piriformis Tendon

그림 16 후외측 삽입구

4) 명명법(Nomenclature)

관절경 검사를 설명하는 명명법은 따로 설명해야 할 필요가 있다. 전방 삽입구는 고관절을 향하는 진짜 전방 접근법이 아니다. 그러나, 위치는 전방에서 멀어질수록 안전하고 믿을 만하다. 따라서, 다양한 외측 삽입구로부터 구분하기 위해 이를 전방 삽입구로 부르는 것이다. Glick 등은 대전자(greater trochanter)의 위 경계의 앞쪽과 뒤쪽에 있는 삽입구를 전방 및 후방 전자주위 삽입구(anterior and posterior paratrochanteric portal)라 명명했다. Byrd는 다른 관절들에 보통 쓰이는 용어들과 일관성을 유지하고 단순하게 표현하기 위해 전외측(anterolateral)과 후외측(posterolateral)이라는 말을 써왔다. 보통의 삽입구들은 관절들과의 관계를 정의하기 위해 대개 약어로 쓰인다. 삽입구에 대한 설명은 위치관계상 중요한 구조물과의 관계를 위해 특이한 삽입구나 때때로만 쓰는 삽입구에만 쓰인다.

저자들은 명명법이 정말로 표준화될 때까지 고관절 관절경술에 대한 회의를 할 때 삽입구의 위치에 대한 자세한 설명을 첨부하는 것이 중요하다고 생각한다.

3
고관절 부위의 관절경적 해부학

사람의 고관절 부위는 비구순의 경계에서 대퇴경부 부위까지 관절의 축을 따라 있는 관절낭을 포함한 볼–소켓형 관절로 되어 있다. 이 관절에서 뼈의 구조는 기립 자세 시 필요한 고유의 안정성을 제공한다. 그러나 동시에 자체의 관절을 해치게 한다.

고관절의 육안적 해부는 고대에서부터 잘 알려져 왔다. 그럼에도 불구하고 보통의 정형외과 의사들은 이 부분에 확신이 있지 못한다. 특히 관절 안의 구조에 대해서 확신이 있지 않다. 왜냐하면 고관절은 대부분 정형외과에서 수술하고, 퇴행성 관절이기 때문이다. 그리하여 술자가 치환술을 시행할 때 해부학적 구조를 구분하는 것이 중요하다는 것을 믿지 않을 수도 있다.

고관절 관절경술은 정상과 병적인 해부학적 분석을 자세하게 함으로써 고관절의 새로운 병적 실체의 발견을 하게 하였다. 성공적인 고관절 관절경술을 시행하기 위해서는 일차적으로 수술의가 무엇이 정상이고 무엇이 비정상이며 고관절의 증상을 일으키게 하였는지를 구분하는 능력에 달려 있다.

1) 정상 고관절 부위의 발달

관절 내 구조의 기능과 생체역학을 이해하기 위해서 고관절의 발달에 대해서 살펴보는 것이 중요하다. 골반 반쪽 8개의 골화 중심 중에서 3개가 비구를 이룬다. 출생 시 장골, 좌골, 치골이 일차 골화 중심(primary ossification center)이고 이것이 삼방 연골(triradiate cartilage)을 이룬다. 장골의 중심은 임신 9주에 보이고 좌골, 치골 중심은 각각 임신 4개월, 5개월에 보인다. 출생 시 비구는 연골컵(cartilaginous cup)으로 있고 8–9세 사이에 비구에서 골화가 시작된다. 비구 안에 장골, 좌골, 치골 사이의 골유합은 16–18세 사이에 일어난다.

초기 태아기에 비구는 거의 대퇴골두를 모두 감쌀 정도로 깊은 공간에 위치하여 있다. 성장하면서 점점 바뀌게 되어 출생 시 깊이는 점점 얕아지게 되는데, 전체의 3분의 1을 감싸게 되며, 이는 출생 시 관절 운동 범위를 증가하게 해준다. 출생 후 이 과정이 다시 바뀌면서 점점 깊은 위치에 위치하게 된다.

대퇴골에서 대퇴골두의 골화 중심은 출생 후 1년 동안 나타나서 골두의 외측에 위치한다. 비구와 유사하게 대퇴골두도 발생 동안 모양의 변화를 거친다. 3세까지는 전후 직경이 좌우 직경에 비해 더 길다. 그 후 좌우 직경이 점점 커지면서 골두는 타원형이 된다. 고관절 안 비구 및 대퇴골의 이러한 발달에 의해서 대퇴골두는 출생 시 관절 안에 많이 포함되어 있지 않다.

고관절 부위의 연부조직 구조는 같은 미분화된 간엽조직에서 나와서 비슷하게 발달이 진행된다. 제태 11주에 관절낭, 내측의 윤활막 세포, 비구순과 원형인대는 잘 분화된다. 관절낭은 처음에는 매우 얇지만 점차 여러 층화(pluristratified)

되면서 두꺼워지고 강해진다. 이는 고관절의 안정성에 기여하는 가장 중요한 구조이며, 관절 이완은 여성에서 더 흔하다. 비구순은 비구의 깊이를 증가시키며 발생하면서 점점 섬유연골성 구조로 바뀐다.

비구의 아래 부분은 정상적으로 횡 비구 인대(transverse acetabular ligament)와 연결되어 있다. 원형인대는 배아 간엽조직의 골화간부(interzone)에서 분화되어 대퇴골두에서부터 횡 비구 인대 안쪽 비구와의 내측 경계까지 이어진다. 이는 고관절 발생 초기 안정성과 억제력(restrain)을 제공한다. 게다가 원형인대 동맥이나 중심와 동맥(foveolar artery)에 기계적 지지를 해준다. 이 혈관들은 성장기 동안의 영양 공급에 중요한 역할을 한다. 대퇴골두의 순환에 대한 해부학은 발생 동안 일정하지 않으나 각각 나이에 따라 다르다. 태아기에는 외측 골단 동맥, 전방 골간단 동맥, 중심와 동맥 등 세 개의 혈관들이 고관절에 혈류를 공급한다. 태생 후 4개월에는 원형인대 혈관들이 퇴화되어 이 단계에는 골화 중심에 영양을 공급하는 부분이 없다. 7살까지 중요한 공급은 외측 골단 동맥이다. 초기 청소년기(7-11세)에는 원형인대 동맥으로부터의 공급이 다시 증가한다. 그것은 골화 중심을 뚫고 들어가 대퇴골두의 나머지 부분을 향해 커진다. 처음에 외측 골단 동맥의 종말가지와 중심와 동맥 사이가 연결이 된다. 이것들이 골간단 골화 중심에 공급되는 두 개의 혈관들이다. 청소년기의 혈액 공급은 거의 골간단이 혈관들에 의해 골단과 연결되는 17세까지 유지된다.

2) 관절경적 해부학

(1) 대퇴골두(femur head)

대퇴골두는 구형에 가까운 형태로 대퇴골두 와(fovea)를 제외하고 약 2/3 이상이 관절연골로 덮여 있다. 전방으로 관절면은 경부까지 덮고 있다. 전상방 내측으로 만나며 기하학적으로 타원형과 유사하다. 비구에서와 달리 대퇴골두는 내측이 두껍고 가장자리로 갈수록 얇아진다. 다른 관절에서와 같이 정상 유리연골은 직접 보았을 때 빛나는 하얀색으로 보인다(그림 17). 70° 관절경을 이용하였을 때 관절면의 약 80%를 볼 수 있다. 이것은 관절경 시 다리를 회전하게 되면

간편해진다. 전방에서 대퇴경부부터 관절면의 거리는 짧지만 이를 지나가는 장요근건으로부터 압력에 대한 반응이라고 생각한다. 대퇴골두의 구형모양은 관절 안에서 방향을 쉽게 알 수 없게 한다. 오직 표면에서 고정된 지표는 대퇴골두와의 원형인대 기시부이다. 이 지역은 대퇴골두의 전방내측에 위치되어 있으며 과거 bare area라고 하던 부위이다. 변형과 확대 때문에 골두 모양의 이상을 항상 알 수는 없다. 그러나 유리 연골(hyaline cartilage)의 손상은 분명하고 쉽게 알 수 있다. 관절면의 경도(consistency)도 탐침기(probe)를 이용해 평가할 수 있으며 보통 움푹 들어간다(indentation)(그림 18).

(2) 비구(acetabulum)

비구는 라틴어로 고대 로마시대에서부터 유사한 모양을 가진 식초 컵(vinegar cup)에서 유래한다. 관절경에서 말발굽 모양처럼 보이며 비구와 주변을 둘러싸며, 초승달 모양으로 생겼다. 상부, 전방 골주(anterior column), 후방 골주(posterior column) 세 부분으로 나눌 수 있다. 반구형인 비구는 내측 1/5는 치골, 후상방 2/5는 장골, 후하방 2/5는 좌골로 이루어져 있다. 정상적 표면은 하얗고 부드러우며 빛나 보인다. 관절연골은 전방에서 가장 넓고 상방에서 가장 두껍다고 한다. 70° 관절경으로 외측 접근을 했을 때 연속적으로 세 구역과 대부분의 관절표면을 볼 수 있다.

비구의 말발굽 모양(그림 19)은 고정된 지표이며 관절 안에서 방향을 쉽게 알 수 있게 한다. 비구의 바깥 경계는 비구순의 주변경계와 중첩되어 있어 모두 볼 수는 없다. 비구 관절면의 안쪽 경계는 둥근 관절 경계를 가지고 있으며 이는 비구와(acetabular fossa)와 경계를 형성한다. 간혹 중심 골극이 이 지역에서 보여지는데(그림 20), 후방 중심 골극도 보이지만 대개는 보통 전방 골주의 안쪽 경계에 위치해있다.

비구와 안의 전방 또는 후방 끝에 접해서 초승달 표면 안쪽에 은색의 성상 주름(stellate crease)이 자주 관찰된다(그림 21). 이런 소견의 중요성은 잘 모르지만 우리의 경험상 임상적인 증상과 연관되지는 않는다. 경험이 많지 않은 술자라면 이것이 조기 변성 변화가 있는 것인지 혼란스러울 수도 있다. 드물게 횡 비구 인대가 성상 주름에서부터 비구의 전방

연(anterior margin)까지 앞쪽으로 진행하는 것이 있다. 이것은 변성된 것처럼 보이지 않고 정상 관절연골과 함께 나타난다. 이것은 아주 일부에서 발견되었으며 삼방 연골의 흔적으로 생각할 수 있다.

(3) 골관절염 초기의 관절경적 소견

고관절의 초기 퇴행성 변화는 관절경 소견상 흔하지 않으며 단순 방사선 사진으로 조기 연골 손상을 발견하는 것은 진단적으로 쉽지 않다. 과거 연구에서 234명의 관절경 소견과 기록을 통해 수술 소견과 방사선학적 소견을 비교하였다. 수술 전 방사선학적 검사에서 정상을 보인 186명 중 정상 60명(32.2%)에서 수술 중 골관절염의 증거를 발견했다. 이것은 초기 골관절염이 대부분 정상 방사선학적 소견을 보이는 젊은 환자(평균 36세)에서 고관절 증상의 원인일 수 있음을 시사한다.

한 가지 더 재미있는 소견은 정상 방사선학적 소견을 보이는 그룹이 여성에서 더 많다는 것이다(71% vs 29%). 손상 정도의 정량화를 비구와 대퇴골두의 사분면에 따라 나누어 얻을 수 있었다. 정상 방사선학적 소견을 가지고 있었으나 관절경상 골관절염이 있었던 사람은 방사선학적으로 골관절염의 소견이 있던 사람에 비해 연골 손상이 적었다.

고관절은 특이하게 볼–소켓 모양이어서 전후 방사선 사진 상으로 알기는 어렵다. 골관절염의 방사선학적 증거는 퇴행성 변화가 관절 전체에 상당히 진행될 때 나타난다.

(4) 비구와(acetabular fossa)

관절 팽창이 잘 되면 비구와는 안전하게 볼 수 있다(그림 22). 그러나 비구와 내에 지방덩이(fat pad)가 종종 있고 공간 내에 퍼져 있어 애매하게 보일 수도 있다. 보통 비구와(acetabular fossa)는 평평한 상방연(superior margin)과 전방 및 후방 경계(anterior and posterior border)를 가지고 있다. 비구와의 후하방은 원형인대가 시작된다. 비구와는 치밀한 섬유결합조직으로 되어 있으며 활막벽(synovial lining)이 부족하다. 비구와의 아래쪽 부분은 지방조직(adipose tissue)이 채워져 있고 혈액 공급이 풍부하며 보통 유출구(outflow)에서 흡입(suction) 시 잘 움직인다. 때때로 지방 조직은 관절 내에서 유경성 구조물로 보일 수도 있다. 이는 무수히 많은 고유 감각의 신경 말단을 가지고 있는 것으로 여겨진다.

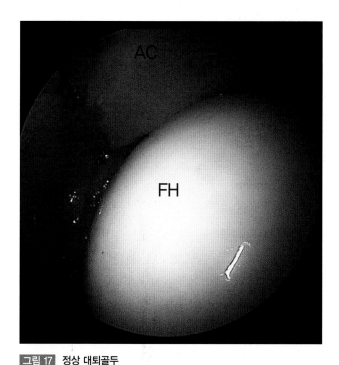

그림 17 정상 대퇴골두

FH; femur head, AC; acetabular cartilage.

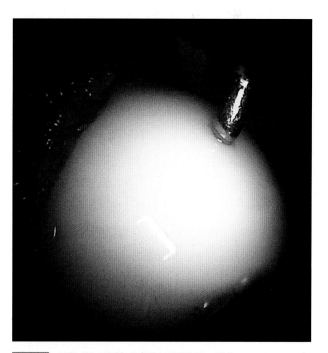

그림 18 탐침기를 이용한 대퇴골두 관절면 경도 평가

Indentation of FH; femur head.

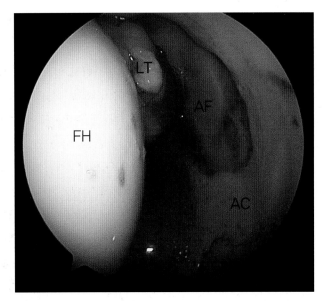

그림 19 말발굽 모양의 비구

FH; femur head, AC; acetabular cartilage, AF; acetabular fossa, LT; ligament teres.

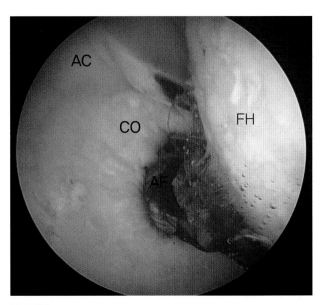

그림 20 비구 중심 골극(acetabular central osteophyte)

FH; femur head, AC; acetabular cartilage, AF; acetabular fossa, CO; central osteophyte.

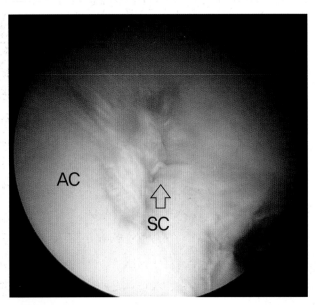

그림 21 성상주름(stellate crease)

SC; stellate crease, AC; acetabular cartilage.

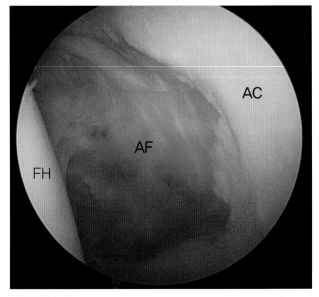

그림 22 비구 와

AF; acetabular fossa, FH; femur head, AC; acetabular cartilage.

이것이 압박을 받게 되면 이것은 비구와부터 횡 비구 인대 밑으로 일부가 빠져나온다.

섬유 조직이 두꺼운 띠를 이루는 횡 비구 인대는 비구와의 아래 부분에 위치하고 있다(그림 23). 이 구조는 말발굽모양의 비구의 끝을 이어주고 때때로 탐침기(probe)로 함께 찾아낼 수 있다. 그것은 하방와(inferior recess)로부터 비구와를 분리시켜 준다. 횡 비구 인대의 주위로 하방와로부터 활액막 조직이 침식하고 비구와 내에 횡 비구인대 밑으로 지나간다. 하방와에는 흔히 유리체(loose body)가 숨어져 있는데 이것이 있을 것 같지 않더라도 이 위치에 있을 시 큰 위험을 일으킬 수 있다.

(5) 비구순(acetabular labrum)

비구순(acetabular labrum or labrum glenoidale)은 비구강을 깊게 만듦으로써 고관절의 영구적인 안전성을 준다. 비구순은 단면상에서 삼각형 모양으로 삼각형 끝 부분은 얇은 자유 경계(free edge)로 이루어져 있다. 이 자유 경계는 고정 경계(fixed edge)보다 직경이 작으며 대퇴골두의 최대 직경보다도 다소 작다. 비구순은 대퇴골두의 전방, 상방 및 후방 표면을 덮어주고 지지한다(그림 24).

비구순은 어깨의 관절와(glenoid)처럼 관절의 안정성을 증가시켜주는 밸브 효과를 제공한다. Takechi 등은 반구절제술 후 검체에서 비구순의 안쪽과 바깥쪽에서 관절 안의 압력을 재었는데 관절 안의 안쪽 부분, 즉 비구순 안쪽의 압력이 바깥쪽보다 거의 2배라는 것을 찾아냈다. 이것은 왜 관절에 생리식염수 또는 공기 주입 없이 고관절의 만족스러운 견인을 얻기 어려운지 설명해준다.

조직학적으로 섬유연골성 비구순(fibrocatilaginous labrum)은 1–2 mm의 이행 부위와 함께 관절 연골에 연결된다. 골성 비구부터 확장되어 구분된 타이드마크(tidemark)와 함께 연골의 석회화 지역을 통해 비구순까지 연결되어 있다.

관절경상 비구순은 비구 주위로 유리 연골(hyaline cartilage)과 겹쳐 있는 것처럼 보인다. 그것은 하방으로 주

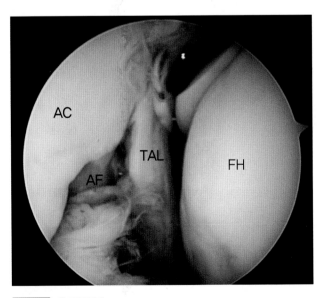

그림 23 횡 비구인대

TAL; transverse acetabular ligament, AF; acetabular fossa, FH; femur head, AC; acetabular cartilage.

행하며 횡 비구 인대 안으로 연결된다. 횡 비구 인대는 보통 절흔(notch)을 가로 질러 비구순의 해부학적 확장으로 간주된다. 때때로, 비구와의 가장자리에서 그 비구순은 정확하게 횡 비구 인대로 연결되지 않는다. 그러한 경우 비구 관절 연골부분은 두 구조물 사이에 있는데 이는 비구순의 불안전성과 관계없는 것처럼 보인다.

비구순은 고관절 관절경술 시 피해를 줄 수 있는 첫 번째 구조물이다. 그것을 피하기 위해 관절선의 정확한 확인이 필요하다. 만약 C–arm 상에서 유도 철사(guide wire)가 비구 가장자리에 너무 근접한 경우 투관침(trochar)의 삽입 동안 비구순을 파열 시킬 수도 있다. 이 경우 유도 철사(guide wire)의 재배치(reposition)가 더 낫다.

70° 관절경을 통해 들어가게 되면, 비구순과 횡 비구 인대의 주요한 부분을 볼 수 있다. 비구순의 전방, 상방 및 후방 부분은 무릎의 반월상 연골과 같은 경도를 가지고 탐침자(probe)를 통해서 함입(indentation)을 확인할 수 있다. 비구순의 아래 부분인 횡 비구 인대는 더이상 섬유 연골(fibrocatilagionus) 구조를 가지지 않고 비구와를 가로지르는 단단하고 평평한 섬유들로 구성되어 있다. 비구순은 아래 부분을 제외하고 비구연과 겹쳐있다. 그것은 보통 유리 연골로부터 명확한 비구순 고랑(labral groove)에 의해 분리되어 있다. 대개 비구순은 외번(evert)보다는 내번(invert) 되어있고 잘 움직인다. 고관절 관절경 37례의 수술에서 비구순의 병리 중 2례의 불안정한 비구순이 보고되었고, 두 경우 모두 10대의 전신인대이완이 있는 소녀였다. 관절경상 다리를 내회전 및 외회전 시 비구순은 아탈구 되었다. 외상력이 없는 두 명의 환자들은 인대 이완의 비구순 발달의 독특한 선천적 특징이라고 할 수 있다.

비구순의 평균 폭(width)은 5.3 mm(표준편차 2.6 mm)이다. 비구순으로 인해 비구의 크기는 유의하게 커진다. Tan 등은 비구 표면의 면적이 비구순이 없을 시 28.8 cm^2부터 비구순이 있을 시 36.8 cm^2까지 커질 수 있다고 알려져 있다. 비구순의 부피는 비구순 없을 시 31.5 cm^3부터 비구순이 있을 시 41.1 cm^3까지 나올 수 있다.

비구순 단면적이 정확하게 삼각형이 아닐지라도, 그것의 두께는 부위마다 다양하다. 후상방은 더 크고 두껍고 전하방

이 더 얇다. 비구순의 비대는 원형인대가 길어 지는 것과 함께 비구 절흔 주위의 상아질화가 일어나고 이는 고관절 이형성증에서 입증되었다.

관절경상 젊은 성인의 비구순은 무혈성의 반달 모양이고 탄력적인 반면, 노인에서는 노랗고 퇴행성 모양이다. Suzuki 등은 소아기 대퇴골두 무혈성 괴사증(Legg–Calvé–Perthes) 질환의 모든 병기에서 현저하게 보이는 비구순의 과혈관성을 묘사했다.

관절 내 비구순은 관절 내 부분과 활액막과 함께 말초부위로 나누어져 있다. 3개의 명확한 구획(gutter)은 비구순 관절 내 부분의 외측에서 확인할 수 있다. 이는 비구순 주위고랑(perilabral sulcus), 전방 구획, 그리고 후방 구획이다.

(6) 비구순 파열의 분류

비구순의 병리학적 변화는 불편함과 딸깍거림(clicking) 그리고 고관절의 걸림(catching)을 야기한다. 관절경은 이에 대한 진단과 치료에 아주 효과적인 방법이다. 관절조영술, 컴퓨터단층(CT) 관절조영술, 컴퓨터 단층촬영, 그리고 자기공명영상검사(MRI)는 직접적인 관절 안 검사의 정확성보다 나을 수는 없다. 최근에 Petersilge는 고관절 관절경과 비교하지는 않았지만 자기공명(MR) 관절조영술의 뛰어난 결과를 보고했다.

비구순의 병리학적 구분은 병인적, 형태학적, 파열 위치에 따라 구분하였다.

① 병인적 분류(etiologic classification)

A. 외상성(traumatic)

고관절의 명확한 외상력이 있어야 한다. 관절경상 비구순 또는 관절 연골의 퇴행성 변화가 없어야 한다. 외상 기전은 고관절에 명백해야 하고 골절-탈구를 동반한 교통사고 또는 하지의 단순한 뒤틀림 손상에서 발생할 수 있다. 후자의 경우 외상성 비구순 파열을 일으키는 가장 흔한 원인이다. Fitzgerald에서 55례의 비구순 파열 중 30례가 외상성(54%)이었다. Lage에 따르면 외상성에 의한 경우는 유병률(18.9%)이 적었다. 이러한 환자들은 급성기 통증으로 오며 그들은 수상 당시 고관

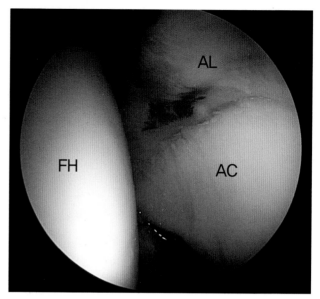

그림 24 비구순

AL; acetabular labrum, FH; femur head, AC; acetabular cartilage.

절의 특정 자세를 대개 기억하지 못한다.

B. 퇴행성(degenerative)

퇴행성 파열에서 비구순의 하얗고 무혈관성의 반월상 모습은 손상되고 노랗고 퇴행성처럼 보인다. 관절 연골의 손상은 종종 존재한다. 비구순의 낭종성 변화는 나이와 관계된 것으로 알려졌다. Lage에 따르면 비구순 파열의 48.6%에서 일어났다. 최근 발표에서 Seldes는 평균나이 78세의 55개의 방부처리된 고관절과 12개의 신선 동결(fresh frozen)한 성인 고관절을 연구하였다. 이 중 96%는 비구순 파열을 가지고 있었고, 이들 중 74%는 전상방 사분면에 위치했다. 그들은 비구순 파열은 나이가 많을수록 유병률이 높다고 하였다. 비구순 파열은 고관절 관절염이 조기에 일어나게 하고 퇴행성 변화의 원인들 중 하나이다.

C. 특발성(idiopathic)

퇴행적 변화 및 이전 외상 병력도 없는 그룹에서 비구순 파열이 존재하는 것을 말한다. Fitzgerald는 55례 중에 25례에서 이전에 외상 병력도 없었으며, 퇴행성 변화를 확인하지 못했고 Lage에서는 이러한 경우가 27.1%였다.

D. 선천성(congenital)

2례의 불완전 아탈구된 비구순이 Lage에 의해 인지되

었다. 외상 병력도 없었고, 비구 이형성증(acetabular dysplasia)도 없고, 형태학적 이상도 없는 경우의 비구순을 선천성 이상으로 구분하였다. 고관절의 내회전 및 외회전 시 비구순의 아탈구가 일어난다. 인대의 전신적 이완, 젊은 나이, 그리고 여성에서 이 현상이 두드러진다.

E. 비구 이형성증(acetabular dysplasia)

고관절 이형성증에서 비구순 파열은 종종 일어난다. 아마도 비구연(acetabular rim)과 주변조직의 끊임없는 운동시 과한 압력으로 인해 비구순 파열이 일어난다. 결론적으로, 고관절 이형성증에서 비구순 파열은 전방 또는 후방보다 상방에서 보다 빈번하게 일어난다.

② 형태학적 분류(morphologic classification)

비구순 파열의 형태학적 분류는 오직 Lage에 의해 알려졌으며 네 그룹으로 분류하였고 각 그룹 내 파열은 다음과 같다(그림 25).

A. 방사형 피판 파열(radial flap) 56.8%

방사형 피판 파열(radial flap)은 반월상 연골판 피판 파열(meniscal flap)과 유사하다. 비구순의 자유 경계(free edge)가 찢어지고, 그리고 피판은 관절 내에 자유로이 놓여있다.

B. 방사형 세동 파열(radial fibrillated) 21.6%

이는 일반적으로 고관절의 퇴행성 손상과 빈번하게 관련된다. 자유 경계(free edge)는 세동화(fibrillated)되어 있는 것처럼 보이고, 비구순은 종종 노랗고 무르다.

C. 종형 주변 파열(longitudinal peripheral) 16.2%

종형 주변 파열(longitudinal peripheral tear)은 반월상 연골판의 적색 주변 파열(red peripheral zone)과 부합하고, 파열 길이는 다양할 수 있다. Ikeda에서는 7례에서 이러한 형태의 파열을 기술했다. 비구순의 양동이 손잡이형(bucket handle) 손상은 이전 문헌에서 보고되었지만, Lage에 의해서는 확인되지 않았다. Fitzgerald는 비구로부터 비구순의 종형 분리가 49례 중 41례(83.7%)에서 확인하였고 이를 수술로 치료하였다고 보고하였다.

D. 불안정 파열(unstable) 5.4%

불안정 파열은 선천성 병인에서 보인 비구순의 아탈구 2례에 나타난 것으로 파열의 모양보다는 비구순의 비정상적 기능을 반영한 것으로 생각된다.

③ 파열의 위치(location of tears)

Fitzgerald에 따르면 파열의 위치는 전방 92%, 후방 8%로 확인되었고, Lage에 따르면 전방 62.2%, 후방 29.7%, 상방 8.1%로 보고하였다. 반대로, Ikeda 등은 7례 중 6례에서 후방 파열을 확인하였다. 저자마다 파열의 형태와 위치 모두가 다르게 보고되었다는 것은 중요하다. 이러한 변이는 Fitzgerald이 개방 수술로 치료한 대부분에서 일부 설명할 수 있는 반면에 Lage는 모두 관절경상에서 보고하였다. Ikeda 등에서 보고된 비정삭적으로 높은 비율의 후방상 파열은 다른 문헌 상에서는 보고되지 않았다. 비구순 파열은 전방 파열이 가장 흔하다.

(7) 원형인대(ligamentum teres)

고관절의 원형인대(그림 26)는 비구와의 후하방에서 기원한다. 때때로 이것은 횡 비구 인대와 함께 비구 절흔(notch) 양쪽에서 기원하기도 한다. 이것은 절흔을 지나 bare area라 불리는 대퇴골두 와(fovea capitis femoris)에 도달한다.

이 인대는 얇은 활액막에 둘러싸인 삼각형의 편평한 띠이고 이것은 관절 내 구조물이지만 활액막외 구조물로 여겨진다. 원형인대는 대퇴골두의 중심동맥과 지방조직 그리고 복잡한 감각 신경을 둘러싼다. 이 구조는 정상적으로 관절경으로 구분할 수 없지만, 때때로 모세혈관이 표면에 보일 수 있다. 이 구조물의 진행 때문에 적어도 외측 접근을 이용한 대퇴 삽입 부분에서 이 인대를 확인하는 것은 쉽지 않지만 적절한 견인과 함께 구부러진 갈고리(curved hook)를 이용하면 가능할 수 있다. 원형인대 기저부 주위 활액막은 비구와의 바닥까지 뻗어있다. 이것은 비구 하방 와(inferior recess)로부터 시작하여 횡 비구 인대 아래를 통과하여 이어진다. 때때로 활액막을 통해 비구 절흔의 전후방 경계에서 시작하는 인대 기저부에서 두 개의 다른 띠를 구분할 수 있다.

이 인대는 어떤 각도라도 하방 아탈구의 기계적인 방해물

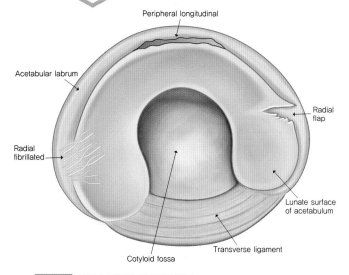

Peripheral longitudinal

Acetabular labrum

Radial
fibrillated

Radial
flap

Lunate surface
of acetabulum

Cotyloid fossa

Transverse ligament

그림 25 **비구순 파열의 형태학적 분류**

로 구성되지 않는다. 고관절 관절경술하에 관절을 열기 위해 강한 견인이 주어지더라도 원형인대는 절대 팽팽해지지 않는다. 고관절 관절경에 사용되는 견인은 인대를 잡아당기기 보다 누르는데 사용된다. 물리학적으로, 내전 시 긴장되고 외전 시 이완된다.

원형인대의 관절 안정장치 역할 이외의 기능에 대해 많은 이론들이 존재한다. 이런 측면에서 만약 안정장치의 역할이 가장 최우선의 기능이라면 원형인대는 이를 만족하지 못한다. 예를 들어 원형인대는 선천성 탈구를 예방하지 못한다. 고관절 외상성 탈구가 발생할 때, 인대의 대퇴경부 근위부착 부위나 인대 중간부분에서 자주 찢어진다.

원형인대는 와이퍼처럼 행동한다고 일컬어지는데, 운동하는 동안 관절 표면을 가로질러 활액에 펼쳐진다. 틀림없이 중요한 역할은 대퇴골두의 중심동맥을 보호하고 지지하는 것이다. 이 혈관은 항상 폐쇄동맥의 깊은 외측 가지로부터 기원하지만 가끔은 대퇴 심부 동맥의 내측 회선 가지(medial circumflex branch of the profunda femoris)로부터 기원하기도 한다. 이것은 횡 비구 인대 밑을 지나 고관절로 들어가고, 뼈를 관통하는 대퇴골두와를 향하여 원형인대와 함께 지나간다. Wolcott은 해부학적 입장에서 그리고 Waldenstrom은 임상적 입장에서 모두 이 자체로 대퇴골두 전체의 영양을 담당한다고 믿는다. 이 혈관의 직경은 다양하며, 때때로 모세혈관만 하기도 하다. 하지만 종종 이것은 큰 혈관이고 대퇴골두의 많은 부분을 공급한다. 고관절 탈구 후 대퇴골두의

괴사 빈도는 원형인대 파열의 결과와 함께 이 구조물의 중요성을 지지할지 모른다. 때때로 원형인대와 중심동맥은 없이 오직 활액막만 존재하기도 한다.

① 원형인대(ligamentum teres) 손상(그림 27)

기능이 확실히 알려지지 않은 구조물에 대한 병리를 묘사하는 것은 어려운 일이다. 따라서 오늘날까지 원형인대와 관련된 특이적인 증후군의 존재를 지지하는 논문은 거의 없다.

우리가 서술하였던 것처럼 때때로 이 인대가 모두 결손되었던 환자들은 명백하게 통증으로 고통받지 않았다. 하지만 대퇴골두의 붕괴는 고관절 탈구의 합병증으로 인식된다. 원형인대 파열은 그러한 주요 외상이 일어났을 때 확신한다. 골과 관절막의 혈관이 손상되었을 가능성이 있더라도 중심동맥의 손상으로 인한 혈류량 감소는 대퇴골두 붕괴의 일부 책임이 있다. 아직 밝혀지지는 않았지만 원형인대는 아마 생화학적 기능도 가지고 있을 가능성이 있다. 그러한 기능을 잃은 것이 대퇴골두 붕괴의 원인이 되는지는 아직 모른다.

원형인대 파열의 후향적 관절경 검토에서 Gray와 Villar는 20명 환자의 원형인대의 병리를 확인하였고 이를 세 개의 그룹으로 구분하였다. 7명이 포함되어 있는 그룹 1은 완전 원형인대 파열이었다. 4명에서 원인은 골절 및 탈구였다. 2명에서는 과거의 선청성 고관절 탈구에서 폐쇄적 정복술을 시행하였고 1명은 심한 고관절의 비틀림 손상이었다. 두 례에서 관절경상 파열 때 인대에서 떨어진 골연골 조각이 발견되었다. 8례를 포함하는 그룹 2는 원형인대의 부분파열이 일어났다. 이 환자들의 과거력은 특이사항이 발견되지 않았다. 2–12년 동안의 고관절 불편함, 통증과 쑤심, 간헐적 딸깍거림(clicking)으로 관절경 수술을 시행하였다. 그룹 3은 퇴행성 인대 손상으로 전신적 퇴행성 변화가 혼합되어 발견되었다. 관절경하 변연절제술은 이들 집단에서 예상할 수 없는 결과를 주었다. 하지만 가장 좋은 결과는 그룹 1에서 나왔고 그 다음으로 그룹 3에서 나왔으며 이것은 논문 상 원형인대 손상을 기록한 첫 번째 기록이다. 그러나 다른 병리 상황이 원형인대 문제와 관련 있을 수 있다.

급성 고관절 탈구에서 약한 견인으로도 관절을 더 크게 열 수 있는 것은 관절경 술자들에게 흔히 발견된다. 이것은

아마 관절의 불안정성에 대한 경고일수 있고 골관절염의 예고일 수도 모른다.

Fitzgerald는 임상적 실체로서 원형인대의 급성 관절강 내 출혈을 보고하였다. 그는 이것이 비구순 파열의 감별 진단 시에 논의되어야 한다고 제안했다. 그리고 그는 이 두 상황은 고관절에 기계적인 통증을 일으킬 수 있다고 기술하였다. 그래서 우리는 관절경 상 원형인대 손상이 고관절 통증의 첫 번째 이유로 인식할 수는 없다.

원형인대 병변의 중요성과 유병률에 대해 알기 위한 노력이 필요하며 원형인대에 대한 기능과 손상의 치료법에 대한 지식을 통해 고관절 병리의 이해와 치료로 나아가야 할 것이다.

(8) 대퇴경부(femur neck)

대퇴경부는 관절을 견인하지 않을 때 잘 보인다. 왜냐하면 견인 시 관절막이 신장되어 뼈에 가까이 놓여져 대퇴경부 주위의 공간이 줄어들기 때문이다. 때때로 대퇴경부 앞부분은 고관절을 굴곡함으로써 더 접근하기 쉽다. 전방 구획(anterior gutter)이 더 큰데 그 이유는 관절막의 전방 부착 부위는 전자간선(intertrochanteric line)에 도달하는 반면에 후방 부착 부위는 좀더 근위부이며 전자간 능선

(intertrochanteric crest)보다 1 cm 상방이다. 대퇴 비구 상향을 반영하는 활액막 세로 주름(synovial longitudinal fold)은 종종 나타난다. 그것들은 혈관이 풍부한 모습이며 내측 대퇴회선동맥으로부터 기원하는 작은 혈관을 포함한다. 만약 하나 또는 그 이상의 유리체가 관절 내 있으면 대퇴경부에 근접한 전방 및 후방 구획에 대개 포함된다.

(9) 관절막(capsule)

섬유성 관절막은 두꺼우며 강한 구조물로 근위 대퇴골과 비구를 둘러싸고 있다. 근위부 관절막의 삽입부는 비구 경계 위 5–6 mm인데 비구순 넘어서 약간 남는 공간을 비구주위 고랑(perilabral sulcus)이라고 부른다. 이곳의 관찰은 70도 관절경을 통해 삽입관(cannula)을 관절 끝으로 밀면 가능하다.

섬유성 관절막의 부착 부위는 다양하다. 앞쪽으로 전자간선(intertrochanteric line)에 붙게 되고, 측면으로는 대퇴경부, 뒤쪽으로는 전자간 능선(intertrochanteric crest)의 1 cm 상방에 붙게 되고 소전자 주위 대퇴경부 내측으로 붙게 된다. 그리고 관절막은 관절과 대퇴경부를 감싸는 원통의 윤대(zona orbicularis)와 연결되어 있다. 관절막은 전방이 후방보다 두꺼우며 종상형 및 환상형의 두 섬유 다발로 구성되어있다.

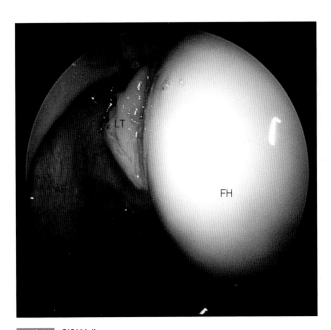

그림 26 원형인대

LT; ligamentum teres, FH; femur head, AF; acetabular fossa.

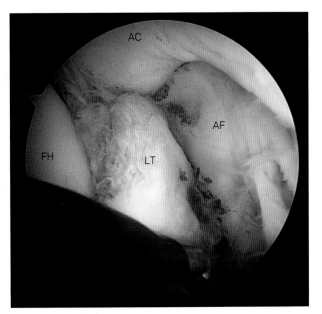

그림 27 원형인대 손상

LT; ligamentum teres, AF; acetabular fossa, FH; femur head, AC; acetabular cartilage.

① 윤대(zona orbicularis)

환상형의 섬유들을 윤대, 둘레띠라 하며 이것은 관절경의 관심 분야 중 하나인데 그들이 대퇴경부 주위로 링(ring)을 형성하기 때문이다. 이 링은 뼈와 직접적으로 부착되어 있지 않으며 관절경 상에서 대퇴골두를 포함하는 활액막 안으로 돌출된 두꺼운 관절막으로 보인다. 수술 중 다리의 외회전은 둘레띠를 이완시키는 반면 내회전은 대퇴경부 주위로 팽팽하게 한다. 이 수기는 윤대를 비구순으로부터 구분할 수 있는데 사용된다.

② 관절막 인대(capsular ligament)

종 방향 섬유들은 수와 강도에서 가장 강하지만 관절경적 관심은 적다. 단지 장대퇴 인대(iliofemoral ligament)나 Bigelow 인대(ligament of Bigelow)의 확인이 가능하다. 이 인대는 삼각형 모양이며 이것의 끝은 아래 전상 장골극(anterior superior iliac spine)과 비구연(acetabular rim) 사이에 붙어있으며 기저부는 전자간선(interchanteric line)에 있다. 중심 부분이 얇기 때문에 종종 Y 모양이라고 불린다. 관절막을 강화하는 다른 인대들은 치대퇴(pubofemoral)와 좌대퇴 인대(ischiofemoral ligament)들이다. 관절경으로 항상 보이지는 않으며 그 중 좌대퇴 인대는 관절경적으로 간혹

중요한데 이는 관절막 후방을 두껍게 해주고 드물게 후방 접근 시 천공되기 때문이다.

③ Weibrecht 지대(retinacula of weibrecht)

Dvorak 등은 Weibrecht's retinacula를 대퇴경부 후상방에서 후방 전자간 주위 삽입구(paratrochanteric portal)로부터 전방을 볼 때 보여 진다고 보고하였다. 이것은 납작한 끈 모양의 섬유성 막으로 대퇴경부 관절막 부착부에서부터 대퇴골두 연골 변연부까지 주행하며 남자의 94.8% 여성의 92.5%에서 나타난다. 대퇴골두의 영양동맥은 Weibrecht 지대를 통해 지나간다. Noriyasu 등은 두 가지 종류의 지대가 있다고 보고하였는데 이는 완전한 띠 모양과 막 모양이다.

④ 요근 점액낭(psoas bursa)

치대퇴(pubofemoral)와 장대퇴 인대(iliofemoral ligament) 사이의 원형의 틈은 가끔 요근건하 점액낭(subtendinous psoas bursa)과 함께 관절강에서 합쳐진다. 이 구조물은 장요근으로부터 관절막이 분리되어 활액막에 붙여진다.

⑤ 활액막(synovium)

관절막의 안쪽면은 혈관이 풍부한 활액막의 분홍색 층으

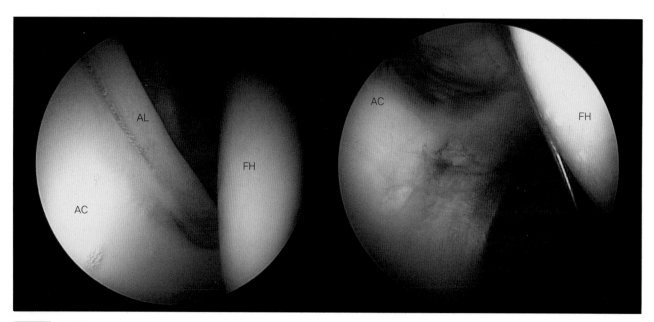

그림 28 활액막

S; synovium, AL; acetabular, FH; femur head, AC; acetabular cartilage.

로 되어있다(그림 28). 이 조직은 또한 관절 내의 대퇴경부를 포함한 부분, 비구순과 원형인대의 양쪽 면 그리고 비구와의 지방을 감싸고 있으며 횡 비구 인대를 가로질러 비구 기저부 및 비구와의 변연부까지 덮는다. 활액막은 출혈경향을 보일 수 있고, 때때로 폴립모양의 혈관 유두 돌기가 보일 수 있다. 이 구조물들은 활액막염과 오해해서는 안 된다.

References

1. 황득수, 이원석, 김영모, 남대철, 강찬. 연령과 연관된 성인 고관절 비구순의 형태 병리학적 연구. 대한정형외과학회지. 2003;38:355-60

2. Clemente Cd. Gray's Anatomy, 30th Am. Ed., Lea & Febiger;1986

3. Byrd J.W. Thomas. Operative Hip Arthroscopy. New York:Springer;2013. 100-28

4. Dvorak M, Duncan CP, Day B: Arthroscopic anatomy of the hip. Arthroscopy 1990;6(4):264–73

5. Fitzgerald RH: Acetabular labral tears: diagnosis and treatment. Clin Orthop 1995;(311):60–8

6. Gautier E, Ganz K, Krugel N, Gill T, Ganz R. Anatomy of the medial femoral circumflex artery and its surgical implications. J Bone Joint Surg Br. 2000;82(5):679-83

7. Glick JM, Sampson TG, Gordon RB, Behr JT, Schmidt E: Hip arthroscopy by the lateral approach. Arthroscopy 1987;3(1):4–12

8. Gray AJ, Villar RN: The ligamentum teres of the hip: an arthroscopic classification of its pathology. Arthroscopy 1997;13(5):575–8

9. Grose AW, Gardner MJ, Sussmann PS, Helfet DL, Lorich DG. The surgical anatomy of the blood supply to the femoral head: description of the anastomosis between the medial femoral circumflex and inferior gluteal arteries at the hip. J Bone Joint Surg Br. 2008;90(10):1298-303

10. Ikeda T, Awaya G, Suzuki S, et al: Torn acetabular labrum in young patients; arthroscopic diagnosis and management. J Bone J Surg Br 1988;70(1):13–6

11. Lage AL, Patel JV, Villar RN: The acetabular labral tear: an arthroscopic classification. Arthroscopy 1996;12(3):269–72

12. Noriyasu S, Suzuki T, Sato E, et al: On the morphology and frequency of Weitbrecht's retinacula in the hip joint. Okajimas Folia Anat Jpn 1993;70(2-3):87–90.

13. Petersilge CA: MR arthrography for evaluation of the acetabular labrum. Skeletal Radiol 2001;30(8):423–30

14. Seldes RM, Tan V, Hunt J, et al: Anatomy, histologic features, and vascularity of the adult acetabular labrum. Clin Orthop 2001;(382):232–40

15. Suzuki S, Kasahara Y, Seto Y, et al: Arthroscopy in nineteen children with Perthés disease: pathologic changes of the synovium and the joint surface. Acta Orthop Scand 1994;65(6):581–4

16. Tan V, Seldes RM, Katz MA, et al: Contribution of acetabular labrum to articulating surface area and femoral head coverage in adult hip joints: an anatomic study in cadavera. Am J Orthop 2001;30(11):809–12

17. Waldenstrom H: Necrosis of the femoral head owing to insufficient nutrition from the ligamentum teres. Acta Chir Scand 1934;75:185–96

18. Wasielewski RC. The Hip. In: Callaghan JJ, Rosenberg AG, Rubash HE, 2nd ed. The adult hip. New York: Lippincott Williams & Wilkins; 2007. 51-67

19. Wolcott WE: The evolution of the circulation of the developing femoral head and neck. Surg Gynecol Obstet 1943;77:61–82

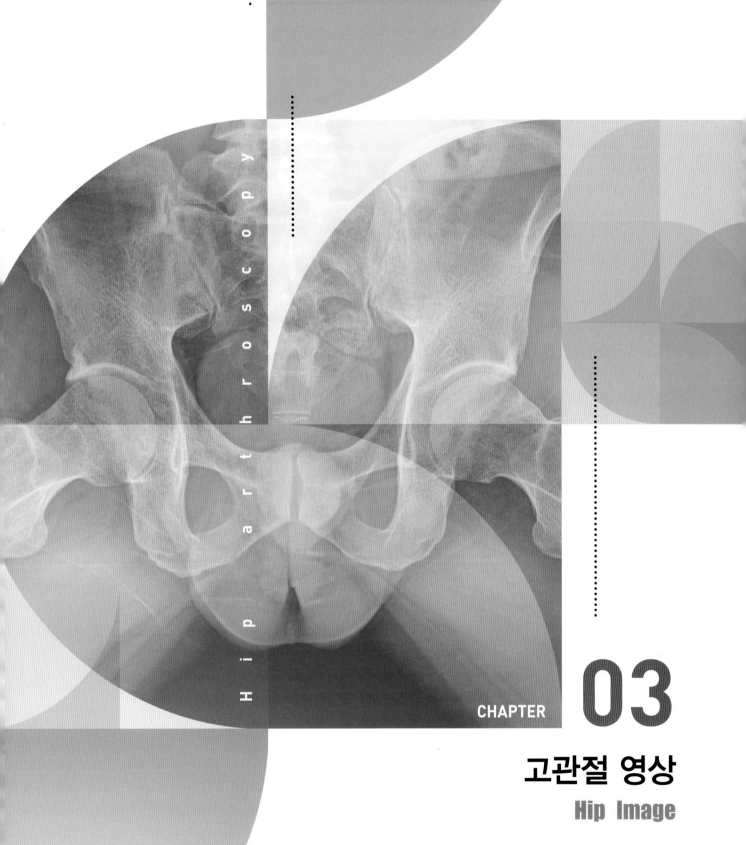

CHAPTER 03

고관절 영상

Hip Image

Hip
arthroscopy

CHAPTER

03

고관절 영상
Hip Image

황정모

영상학적 검사는 성인에서 설명되지 않는 고관절 통증평가에 중요한 역할을 한다. 특발성 골관절염의 잠재적 원인으로 여겨지는 대퇴비구 충돌증후군의 이해와 인식이 지난 20년에 걸쳐 발전하면서 비구순의 병리학적 진단 및 처치에 대한 접근은 많이 발전해 왔다. 역사적으로, 자기공명 관절조영술은 비구순의 병리를 확인하는데 우수한 결과를 보여주었고, 최근 연구에서 cam 형, pincer 형 대퇴비구 충돌증후군에서 자기공명 관절조영술의 특징적인 소견은 고관절 관절경술을 시행하는 의사들에게 수술의 길잡이를 제공할 수 있음을 제시하였다. 또한 3T 자기공명영상은 해상도의 의미 있는 발전으로 관절 내 연골과 비구순의 비정상적 소견의 시각화뿐만 아니라, 고관절 통증의 원인이 되는 관절 내 그리고 관절외 원인들을 확인하는 데 도움을 주었다. 이 단원에서는 성인 고관절 관절 내 병리학의 진단에서 강조되는 통증 평가에 사용되는 다양한 영상 기법들의 역할에 초점을 맞추어 설명하고자 한다.

1
진단적 영상의 종류와 절차

1) 단순 방사선영상(Plain radiography)

단순 방사선영상은 고관절 질환이 의심될 때 시행되는 초기 영상 검사이다. 단순 방사선영상은 대퇴골두 무혈성 괴사, 발달성 이형성증, 퇴행성 고관절 질환, 스트레스 골절 또는 종양 같은 명백한 고관절 통증을 일으키는 상황에서 시행된다. 또한 단순 방사선영상을 통해 대퇴비구 충돌증후군과 경미한 고관절 이형성의 증례와 관련된 미세한 비정상 소견들을 확인할 수 있다. 단순 방사선영상 시리즈는 촬영 기관 그리고 정형외과 의사 개인의 선호도에 따라 다양하게 사용되지만, 증상이 있는 고관절에서 보통의 표준적인 고관절 방사선 영상 시리즈는 골반의 anteroposterior (AP) 영상 그리고 coned-down AP 영상 그리고 frog leg lateral 영상을 포함한다. 이러한 영상들은 45°와 90° Dunn 영상, cross table lateral 그리고 false profile 영상으로 확장되어 사용될 수 있다. Oblique 또는 Judet 영상은 일반적으로 비구 골절을 더 잘 확인하기 위해 사용된다.

앞에서 언급한 고관절 단순 방사선영상(false profile 영상을 제외한)은 검사 테이블에 환자가 앙와위 상태에서 촬영된다. 고관절 및 골반의 AP 영상은 환자의 발을 15° 내회전 상태에서 전후방 면에 X-ray 빔을 투과하여 촬영한다. Frog leg lateral 영상은 고관절을 외전한 상태에서 전후방 면에 X-ray 빔을 투과하여 촬영한다. 90°와 45° Dunn 영상은 90°와 45°로 고관절은 굴곡시키고 20°로 외전한 상태에서 전후방 면에 X-ray 빔을 투과하여 촬영한다. Judet 영상은 고관절 비구 골절의 평가에서 자주 사용되며 앙와위에서 골반이 45° 회전한 상태로 X-ray 빔을 전후방 면에 투과하여 촬영한다.

최근 대퇴비구 충돌증후군과 관련된 단순 방사선영상 소견들이 많은 관심을 받고 있다. 단순 방사선영상에서 cam 형 대퇴비구 충돌증후군의 특징적인 소견들은 비구형(ashperical) 대퇴골두(그림 1)를 포함하여 전방 대퇴골두-경부 연접부에서의 국소적인 융기, 근위부 대퇴의 권총손잡이 변형(pistol-grip deformity)(그림 2), 대퇴골두-경부 연접부에서의 낭성 변화(그림 3), 그리고 알파각의 비정상적인 증가이다(그림 4). pincer 형 대퇴비구 충돌증후군의 단순 방사선영

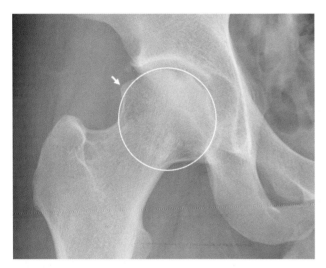

그림 1 비구형(ashperical) 대퇴골두
대퇴골두-경부 연접부에 골극의 형성으로 대퇴골두가 구형이 아니다.

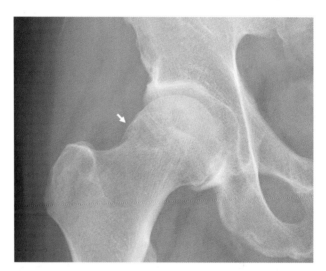

그림 2 근위부 대퇴의 권총손잡이 변형(pistol-grip deformity)
대퇴골두-경부 연접부 상방의 골성 융기로 인한 비구형 대퇴골두

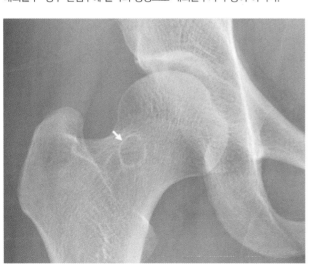

그림 3 대퇴골두-경부 연접부의 낭성 변화

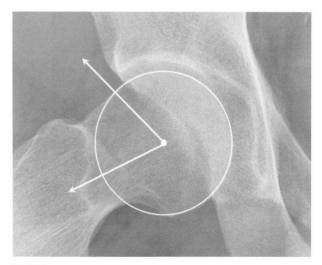

그림 4 알파각(alpha angle)
골두의 외연을 따라 그린 원의 중심에서 대퇴경부 축을 잇는 선과 원 밖으로 돌출되기 시작하는 점에서 원의 중심을 잇는 선이 이루는 각을 측정한다. cam 형 충돌은 >55°이다.

상 소견으로는 crossover 징후(그림 5), 후벽 결손(posterior wall deficient) 징후(그림 6), 그리고 과도한 비구 피복이 있다. 비록 이와 같은 단순 방사선영상 소견들은 대퇴비구 충돌증후군을 시사해주지만, 골반자세에 따라 상당한 측정의 다양성이 발생한다. 최근 후향적 분석에 따르면 건강한 젊은 남자 집단에서 대퇴비구 충돌증후군과 연관된 단순 방사선영상의 crossover 징후는 거의 절반 정도로 흔히 나타남을 확인하였다. 이러한 대퇴비구 충돌증후군을 시사하는 단순 방사선영상들은 항상 임상적 소견과 상호 관련하여 판단하여야 함을 의미한다. 그리고 전통적인 자기공명영상 또는 자기공명 관절조영술 같은 이차적인 영상 검사는 대퇴비구 충돌증후군의 소견을 확인하기 위해, 그리고 치료적 중재술의 길잡이로 도움을 주기 위해 고려해보아야 한다.

단순 방사선영상에서는 다음과 같은 항목을 평가한다.

(1) 경간각(neck shaft angle)

경간각은 대퇴골에서 비구에 전해지는 부하를 나타낸다. 대퇴골 경부의 중심을 지나는 장축과 근위 대퇴 골간의 중심을 지나는 장축 사이의 각도로 측정된다. 정상치는 125-140°이다. 만약 경간각이 140° 이상이면 외반고(coxa valga)로 분류되며, 125° 이하이면 내반고(coxa vara)로 분류된다. 정상적인 경간각은 생역학적 기능에 대한 기계적 이점을 생성하는 최적의 지렛대 거리(lever arm) 방향으로 대퇴골 경부와 비구에 가장 낮은 부하를 생성한다.

(2) 외측 중앙-모서리(CE)각(lateral center-edge angle)

외측 CE각은 고관절 이형성증 골반에서 가장 중요한 단순 방사선영상으로 골성 비구가 대퇴골두를 상방과 외측으로 덮는 정도를 평가하기 위해 사용된다. 양측 대퇴골두의 중심(C1)을 기준으로 수평한 선을 긋고, 골두 중심을 지나면서 이에 수직인 선(C1-C2)을 그린 후, 대퇴골두 중심과 비구의 가장 외측(lateral sourcil)을 연결한 사선(C1-C3)과의 각도를 측정한다(그림 7).

비구의 가장 외측은 실질적으로 체중부하의 영향이 미치는 sourcil의 외측단을 기준으로 설정한다. Wiberg 등은 성

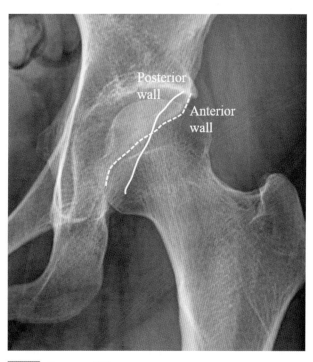

그림 5 Crossover 징후

비구연의 전방 측면선이 sourcil의 외측 부위에 도달하기 전에 후방 측면선을 가로질러 전방 측면선이 후방 측면선의 외측에 위치하게 된다.

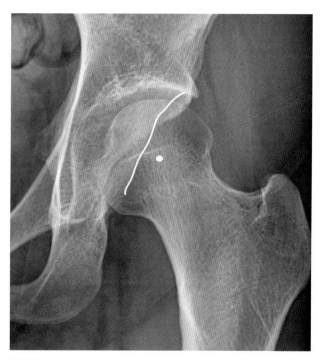

그림 6 후벽 결손(posterior wall deficient) 징후

대퇴골두 중심이 후방 측면선의 외측에 위치한다.

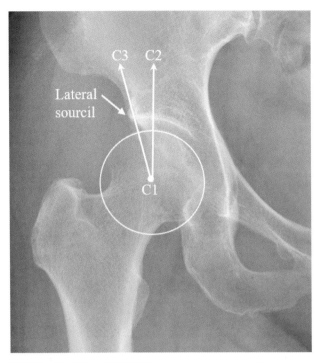

그림 7 외측 중앙-모서리(CE)각(lateral center-edge angle)

골반 전후면 단순방사선 영상에서 대퇴골두 중심(C1)을 지나는 수직인 선 (C1–C2)과 대퇴골두 중심과 비구의 가장 외측(lateral sourcil)을 연결한 사선 (C1–C3)이 이루는 각도를 측정한다.

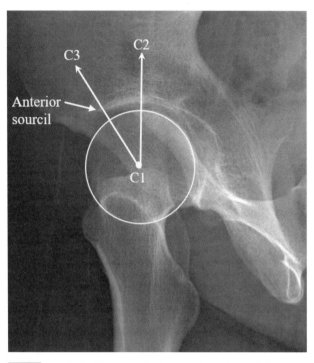

그림 8 전방 중앙-모서리(CE)각(anterior center-edge angle)

False profile 영상에서 대퇴골두 중심(C1)을 지나는 수직선(C1–C2)과 대퇴 골두 중심(C1)에서 비구의 가장 전방 부위(anterior sourcil)를 잇는 사선(C1– C3)이 이루는 각도를 측정한다.

인의 외측 CE각을 정의하면서, 25° 이상의 값을 가질 때 정 상 범위, 20–25°를 경계(borderline) 범위, 20° 이하를 고관절 이형성증으로 정의하였다.

(3) 전방 중앙-모서리(CE)각(anterior center-edge angle)

전방 CE각은 false profile 영상으로 평가되며, 외측 CE각 이 비정상으로 측정되었다면, 대퇴골두의 전방 덮임 정도를 평가하기 위해 측정한다. 대퇴골두의 중심(C1)을 지나는 수 직선(C1–C2)과 대퇴골두의 중심(C1)에서 비구의 가장 전방 부위(anterior sourcil)를 잇는 사선(C1–C3)이 이루는 각으로 측정된다(그림 8).

근위 대퇴골 절골술(femoral osteotomy)이나 비구주위 절 골술(periacetabular osteotomy)이 계획된 경우에 외전–내회 전 방사선 영상은 개선된 비구 덮임으로 대퇴골두 중심화를 평가할 수 있다.

(4) 비구 경사(acetabular inclination, acetabular roof angle of Tönnis, Tönnis angle)

비구 경사는 비구 덮개의 위치를 평가하는 지표로, 대퇴골 두의 외측 덮임 정도를 확인할 수 있다. Sourcil의 가장 내측 (inferior sourcil)과 가장 외측(lateral sourcil)을 연결하는 사선 과 sourcil의 가장 내측점의 수평선 사이의 각도로 측정된다. 비구 경사는 3가지로 분류하게 된다(그림 9).

① 정상 = Tönnis angle 0–10°
② 증가 = Tönnis angle > 10°, 구조적 불안정성; 이형성증
③ 감소 = Tönnis angle < 0°, pincer 형의 대퇴비구 충돌

(5) 고관절 중심 위치(hip center position)

대퇴골두의 내측면이 장좌선(ilioischial line)으로부터 10 mm 이상일 경우 외측화(lateralized)되었다고 하며, 10 mm 이내일 경우는 비외측화(nonlateralized)되었다고 분류할 수 있다. 측면화된 정도를 결정하기 위해서는 양측을 비교하는

것이 도움이 될 수 있다.

(6) 골두 구형(head sphericity)

직립 전후방과 frog leg lateral 방사선 영상에서 평가되어야 하는데 이는 전후방 영상에서 골두는 구형으로 보이나 측면 영상에서는 그렇지 않기 때문이다. 대퇴골두의 분류는 골단이 기준 원보다 2 mm 이상 벗어나지 않을 때 구형(spherical)이라고 하며 2 mm 경계를 벗어나면 비구형(aspherical)으로 분류한다.

(7) 비구 깊이(acetabular depth)

대퇴골두와 비구와(acetabula fossa) 바닥의 관계는 장좌선(ilioischial line)과 비교하여 평가한다. 비구와 바닥이 장좌선에 닿거나 내측 또는 후벽이 회전 중심 축에서 외측으로 연장되어 있는 경우라면 심부고(coxa profunda)로 분류한다. 대퇴골두의 내측면이 장좌선의 내측에 위치하면 돌출 비구(protrusio acetabula)로 분류한다. 또한 내측 비구벽의 두께, 내측 벽의 모양, 그리고 하측 비구의 위치를 파악해야 한다.

(8) 비구 염전(acetabular version)

비구는 crossover 징후(그림 5)의 유무로 전염(anterversion) 또는 후염(retroversion)으로 분류할 수 있다. 만일 비구연(rim)의 전방 측면선이 sourcil의 외측 부위에 도달하기 전에 후방 측면선을 가로지르지 않는다면 비구는 전염으로 분류되고, 비구연의 전방 측면선이 sourcil의 외측 부위에 도달하기 전에 후방 측면선을 가로지르면 비구는 후염으로 분류된다. 후벽 결손(posterior wall deficient) 징후(그림 6)가 보이거나 좌골극(ischial spine)이 골반 내로 돌출되어 보이는 경우(ischial spine sign)(그림 10)도 비구 후염을 시사하는 소견이다.

그러나 crossover 징후는 있으나 후벽 결손이 없는 경우에는 비구 전방의 과피복(또는 국소적인 비구 후염)을 의미한다. 직립 및 앙와위 전후방 방사선 영상은 비구연의 전후방 측면선을 결정하는데 사용되므로 정확히 촬영해야 한다.

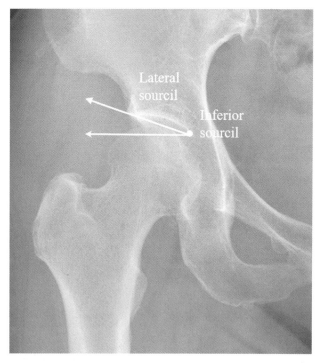

그림 9 비구 경사(acetabular inclination, acetabular roof angle of Tönnis, Tönnis angle)
Sourcil의 가장 내측(inferior sourcil)과 가장 외측(lateral sourcil)을 연결하는 사선과 sourcil의 가장 내측점의 수평선이 이루는 각도를 측정된다.

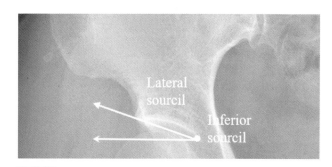

그림 10 좌골극 징후(ischial spine sign)
비구 후염이 있을 경우 좌골극(ischial spine)이 골반 내로 돌출되어 관찰된다.

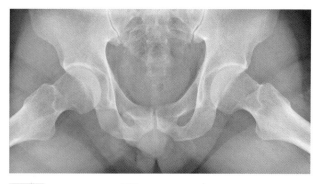

그림 11 Frog leg lateral 영상

(9) frog leg lateral 영상

내외측 관절 너비, 골두 구형, 관절조화(congruency), 대퇴골두–경부 오프셋, 알파각, 골 모양을 평가할 수 있다. 영상 촬영은 앙와위에서 슬관절을 30–40° 굴곡하고 고관절을 45° 외전한 자세에서 치골 결합의 상방과 좌우 전상장골극을 연결한 선의 중간 지점을 향해 입사하여 촬영한다(그림 11). 수술실에서 쉽게 재현할 수 있고 수술 전 및 수술 중에 대퇴골두–경부 오프셋을 일정하게 확인할 수 있기 때문에 사용한다.

(10) 대퇴골두–경부 오프셋(head–neck offset)

45° 또는 90° Dunn, frog leg lateral, 또는 cross table lateral 영상 등을 이용하여 측정하며, 대퇴골두–경부 결합부 전면과 후면의 모양을 비교하여 분류한다. 대퇴골두–경부 결합부 전후면이 대칭적으로 모두 오목(concavity)한 경우는 정상이며, 전면의 오목한 정도가 후면의 오목한 정도보다 적은 경우는 대퇴골두–경부 오프셋 감소되었다고 분류하며, 전면이 오목이 아닌 볼록(convexity)한 경우라면 대퇴골두–경부 오프셋이 융기(cam–type FAI)되었다고 분류한다.

(11) 알파각(alpha angle)

알파각은 컴퓨터단층촬영이나 자기공명영상의 축영상(axial view)에서 보다 정확하게 측정할 수 있으나 단순 방사선 영상에서도 측정할 수 있다. 골두의 외연을 따라 그린 원의 중심에서 대퇴경부 축을 잇는 선과 원 밖으로 돌출되기 시작하는 점에서 원의 중심을 잇는 선이 이루는 각을 측정한다(그림 4). 55°보다 큰 값일 경우 대퇴골두–경부 오프셋의 변형(cam–type FAI)을 생각할 수 있으나, 고관절의 관절조화(congruency)도 고려하여야 한다.

2) 컴퓨터 단층촬영(Computed tomography)

CT는 단순 방사선영상에서 확인할 수 없는 고관절의 골횡–절단면 세분화 정보를 제공한다. 일반적으로는 CT는 급성 골절에서 골절의 추가적인 특징을 확인하고 인공삽입물 수술에서 수술 전 계획, 작은 병변의 확인, 그리고 불유합

을 평가하는데 더 특성화 되어있다. 다중절 나선형(multislice helical) CT는 2차원 그리고 3차원의 재구성 고화질 영상을 빠르게 얻은 것 외에도 전통적인 CT보다 향상된 해상도의 영상을 짧은 시간에 얻을 수 있고 적은 방사선 조사량 노출이라는 부가적인 이점이 있다. 고관절 관절경술에서 CT는 평가 도구로서의 의미를 가지고 해부학적 구조의 변형으로 인한 일차적인 질환을 파악하거나, 환자의 재발성 또는 지속적인 해부학적인 문제를 교정하는데 중요한 도구이다.

3) 컴퓨터 단층촬영 관절조영술(CT arthrography)

최근 CT 검사의 증가로 인한 방사선 조사량의 잠재적 위험성에 대한 관심 때문에, 고관절에서 CT 관절조영술은 널리 시행되지는 않지만 금속물이 있거나 MRI를 촬영할 수 없는 환자에서 보완적으로 촬영할 수 있는 방법이다. 다중절 나선형 CT를 이용한 CT 관절조영술은 연골 손상, 비구순 손상 또는 인대 손상에서 조영제가 손상 부위에 흡수되고 유리체의 윤곽을 보여줌으로써 관절 내 비정상적인 소견을 쉽게 확인할 수 있다. 관절 내 주사는 자기공명 관절조영술과 유사한 방법으로 시행되며, 조영제에 마취제(bupivacaine 등)를 혼합하여 사용하면 통증의 원인이 관절 내 원인인지 관절 외 원인인지를 감별하는 데 도움이 된다.

4) 초음파(Ultrasound)

초음파는 고관절 통증의 평가에서 MRI 검사의 보완적인 검사로 여겨지며, 특히 발음성 고관절에서 역동학적 평가와 영상 유도하 중재술 시행에 있어서 적합하다. 초음파는 다른 영상 기법에 비해 덜 침습적이고, 이온화된 방사선 조사를 덜 받으며, 반대편 관절을 동시에 평가할 수 있고, 움직이는 역동적 영상을 확인할 수 있고, 힘줄이나 비구순 등 다른 연부조직의 이상을 평가할 수 있고(그림 12), 치료적인 주사 및 흡인술의 길잡이로 사용될 수 있는 이점을 가지고 있다.

이러한 장점들에도 불구하고 설명되지 않는 고관절 통증을 가장 잘 확인할 수 있는 이차적 영상 검사는 MRI인데, 이는 초음파 영상은 초음파 시행자에 매우 의존적이고 전체적

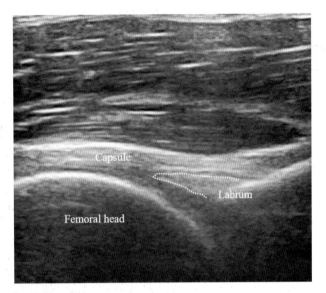

그림 12 고관절의 초음파 영상 비구순

전방 관절낭 그리고 대퇴골두가 관찰된다.

인 윤곽을 제공하지 못하며, MRI로부터 얻어지는 고관절의 연부조직, 관절 내 구조, 골수에 대한 포괄적인 정보를 제공하지 못하기 때문이다.

초음파는 관절, 힘줄집 또는 점액낭 주사, 결절종 흡인, 관절 주변 액체 저류의 배액 그리고 석회화 건병증 주사 치료에서 영상 유도하 중재술에 매우 적합하다. 초음파 탐침(probe)의 종류는 검사하는 깊이에 따라 달라진다. 얕은 부위의 검사 또는 중재술에서는 선형 배열(linear array) 고주파 탐침을 이용하고, 깊은 부위에서는 곡선형(curved) 또는 부채꼴형(sector) 배열 저주파 탐침을 사용한다. 관절 내 그리고 관절 외 주사 모두에서 직경이 작은 주사바늘을 이용하여 멸균 상태에서 실시간 초음파 유도하에 시행된다. 고관절에서 실시간 초음파 유도하 중재술은 주로 탐침을 주사바늘의 진행 방향과 평행하게 위치시키고 시행되며, 탐침에 주사바늘을 평행하게 하는 것은 바늘 끝을 연속적으로 확인할 수 있기 때문이다. 주사 또는 흡인하는 동안의 연속적인 영상은 시술 과정 동안에 바늘 끝이 적절한 위치에 안전하게 위치하게 해준다. 결절종 흡인은 보통 점액성 액체보다 더 점성이 높은 내용물을 가지고 있기 때문에 더 큰 게이지의 바늘(18 gauge)로 시행된다.

5) 자기공명영상(Magnetic resonance imaging)

MRI는 임상증상에서 잘 설명되지 않는 고관절 통증 평가에서 선택할 수 있는 2차 영상 검사다. MRI는 단순 방사선 영상, CT 또는 핵의학 영상에서는 볼 수 없는, 자세한 해부학적 세부 묘사와 연부조직 및 골수 이상에 대한 많은 정보를 제공한다. MRI는 관절 내 및 관절 외 병태 생리학적 통증의 원인을 확인하고 적절한 치료의 가이드라인을 제시하는데 효과적이다. 즉, MRI는 관절 외 부위의 점액낭염, 근건 손상, 천장관절염, 치골 골염, 골반의 신생물에 대한 정보를 자세히 제공하며, 관절 내 통증의 원인인 관절 삼출액, 골괴사, 잠재 골절, 염증성 관절염 등에 대한 정보도 제공한다. 기존 1.5T MRI에서는 비구순과 연골에 대한 평가가 비교적 성공적이지 못하였지만 이것은 3T MRI와 새로운 영상 기법으로 극복할 수 있게 되었다.

양측 고관절의 관상면 T1-강조 영상은 해부학적인 모습을 잘 관찰할 수 있고 골괴사, 잠재골절 그리고 골수에 침범한 종양를 관찰하는데 효과적이다. T2-강조 지방 억제 영상은 관절 내 및 관절 외의 체액 저류, 예를 늘년 관절 삼출액, 점액낭염을 평가하는데 유리하며, 잠재골절, 피로골절, 연골하 낭종, 골괴사, 종양 등을 평가하는데 유리하다. 작은 시야의 양성자 밀도 이미지는 비구순, 대퇴골두와 비구의 관절면 연골을 평가하는데 가장 유용하다. 사선 시상면 SPGR(Spoiled gradient recalled echo) 영상은 cam과 pincer의 정도를 측정하고, cam 형 대퇴비구 충돌증후군에서 골성 돌출부의 특징을 평가하는데 도움이 된다.

6) 자기공명 관절조영술(Magnetic resonance arthrography)

MRA는 고관절 관절 내 병변에 대한 평가를 하는데 많은 도움을 준다. MRA는 비구순 파열에 대한 고관절 관절경술을 결정하는데 도움이 될 수 있으며 93%의 양성 예측도를 가진 것으로 보고되었다. MRA는 비구순, 관절 연골, 원형인대, 관절낭, 유리체 또는 증식성 활액막염 등의 이상소견을 관찰할 수 있다. 골 및 정상적인 연부조직과 관절낭 사이로 조영제가 관절에 주입됨으로 인해 기존의 MRI보다 관절 내 구조물을 더 잘 시각화하여 나타낼 수 있다(그림 13). 비구순 또는 연골에 조영제가 침투한 것은 이러한 구조물에 병변이 있다는 직접적인 증거이다. 또한 MRA는 비구 후염, 대퇴골 두-경부 오프셋 감소 등 경미한 골성 병변의 평가에도 도움이 될 수 있다. dGEMRIC (delayed gadolinium-enhanced magnetic resonance imaging of cartilage)는 초기 관절염에서의 당아미노글리코산의 손실 정도를 측정하여 대퇴비구 충돌증후군 또는 고관절 이형성증 환자에서의 초기 관절염을 확인할 수 있다.

7) 핵 섬광조영술(Nuclear scintigraphy)

MRI로 인해 설명되지 않는 순수한 고관절 통증에서 핵 섬광조영술은 거의 사용되지 않는다. 오늘날, 관절 성형술 후 발생하는 고관절 통증에서 감염이나 해리를 확인하기 위해 골주사가 주로 사용된다. 관절 성형술 삽입물은 수술 후 2년까지는 증가된 움직임에도 정상적으로 보이며, 이런 대퇴 삽입물의 근위부 또는 전자부의 지속적인 움직임은 해리를 의미하고, 더욱 심한 삽입물의 움직임은 감염을 의미한다. 골주사는 방사성의약품(전형적으로 technetium-99 methylene diphosphonate, MDP)를 환자에게 주사하여 연속적인 수동 영상을 감마 카메라를 이용하여 얻는다. 평면 전신 영상 또는 국소 해부 영상은 일반적으로 방사성의약품 주입 후 2-4시간 뒤에 촬영한다. 성인 고관절 통증 검사에서 골주사 검사가 2차적인 검사로 주로 사용되지는 않지만, 대퇴비구 충돌증후군과 관련된 영상들이 보고되고는 있다.

2
고관절 병리의 영상 특징

1) 골관절염

골관절염(OA)은 성인에서 가장 흔히 관찰되는 관절증이며 일차 및 이차 형태로 세분화할 수 있다. 이차성 골관절염은

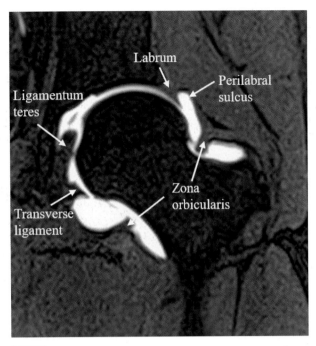

그림 13 자기공명 관절조영술(magnetic resonance arthrography)
조영제가 관절에 주입됨으로 인해 비구순과 원형인대 등 관절 내 구조물을 더 잘 확인할 수 있다.

외상이나 감염과 같은 결과로 발생하거나 염증성 관절 병증, 결정 침착증 또는 고관절 형성 장애와 관련되어 발생한다. 일차성 골관절염의 병인은 잘 알려져 있지 않다. 골관절염의 초기 단순 방사선 소견은 연골 손상을 나타내는 불균일한 외측 관절 간격 축소이다. 질병이 진행됨에 따라 기계적 응력의 변화로 반응성 골형성(연골 하 경화증, 골극형성, 내 부벽화지)이 일어난다. 상완골과 대퇴골 두의 연골 낭종 형성은 전형적으로 골관절염의 단순 방사선 상 소견이다.

2) 대퇴비구 충돌증후군 및 비구순

Ganz 등에 의한 성인에서의 대퇴비구 충돌증후군이 일차성 또는 특발성 관절염의 잠재적인 원인이라는 최근의 연구는 원인이 되는 해부학적 비정상 구조물을 진단함에 있어 단순히 연골 및 비구순의 이상 만이 아닌 근위 대퇴골 및 비구의 구조적 이상이 원인으로 관심을 갖도록 방향을 전환하여 수술적 치료에서 기계적 결함을 교정하도록 이끌었으며, 관절염의 진행을 늦출 수 있도록 하였다. 대퇴비구 충돌증후군은 cam 형, pincer 형, 또는 혼합형(cam과 pincer가 혼

합)으로 분류 할 수 있다. Cam 형 충돌은 남성에서 흔히 발생하며, 전방 대퇴골 경부의 골 돌출부와 전방 비골 주위부가 조기에 충돌된 결과이다. 특징적으로 전상방 비구 연골은 손상되고 종종 전상방 비구순의 파열 또는 견열과 동반된다. pincer 형 충돌은 여성에서 더 흔하게 발생하며, 비구의 전염(anteversion) 또는 후염(retroversion), 또는 비구의 돌출 변형에 의해 대퇴골 경부가 변형된 비구연에 조기 충돌로 인해 발생한다. 이 기전은 반충손상(contrecoup injury)이 후방 비구와 대퇴골두에 발생하고, 전형적으로 비구순이 두꺼워지거나 커지고 뭉툭해지며, 낭포성 변화를 보일 수 있다.

대퇴비구 충돌증후군에 대한 단순 방사선영상의 평가는 Clohisy 등에 의해 잘 정리되었다. Cam 형 대퇴비구 충돌증후군을 암시하는 단순 방사선영상 결과는 근위 대퇴골의 권총손잡이 변형(pistol-grip deformity)(그림 2), 전방 대퇴골두-경부 접합부의 국소적인 돌출, 비구형(aspherical) 대퇴골두(그림 1), 대퇴골두-경부 접합부의 낭성 변화(그림 3) 및 비정상적으로 증가된 알파각(alpha angle)(그림 4) 등이다. MRI의 사선 시상면 영상에서 전방 대퇴경부의 골성 과증식을 가장 잘 볼 수 있다. 알파각의 측정은 통상적으로 Notzli 등의 연구에서 설명된 방법에 따라 이 MRI 영상으로부터 이루어진다. 대퇴비구 충돌증후군 환자와 무증상 환자를 비교 한 결과 두 그룹의 알파각에 유의한 차이가 있었고 55° 이상의 알파각은 cam 형 대퇴비구 충돌증후군을 의미한다고 했다.

pincer 형 대퇴비구 충돌증후군은 cam 형 대퇴비구 충돌증후군보다 드물며, 주로 여성에서 발생하는 것으로 보고되며, 비구의 돌출 변형 또는 후염과 관련 되어있다. 단순 방사선영상에서 crossover 징후(그림 5)와 후벽 결손(posterior wall deficient) 징후(그림 6)의 조합으로 비구의 후염을 확인할 수 있다. MRI와 MRA에서 비구 돌출(overcoverage)의 정도를 측정하는 것은 알파각을 측정하는 것보다 명확하게 알려져 있지 않다. Pfirmann 등은 대퇴경부의 중심을 통해 얻은 사선 시상면에 대한 비구 깊이를 측정 하는 방법을 제안했다. pincer 형 대퇴비구 충돌증후군 환자는 전후방 비구면 연결선(5 mm가 평균)에 대한 대퇴골두 중심의 위치가 중앙 또는 측방에 위치하는 cam 형 대퇴비구 충돌증후군 환자와는 대조적으로 대퇴골두 중심이 내측에 위치하는 것으로 나타났다.

두 가지 형태의 충돌은 비구순의 병리와 관련되어 있기 때문에 MRI에서 비구순의 정상 및 비정상 소견에 대한 지식은 적절한 진단에 필수적이다. 비구순 파열에 대한 가장 직접적인 증거는 비구순 실질에 조영증강신호나 액체의 확인이다(그림 14). 비구순의 분리는 조영제가 비구순과 비구 연골 사이에 비구순의 전체 두께로 확장 할 때 진단된다(그림 15). 비구순의 전체 두께보다 적게 비구순과 비구 연골 사이로 확장하는 조영증강신호는 비구순의 부분 파열, 부분 박리 또는 비구순하 고랑(sublabral sulcus)을 의미한다. 영상 소견의 위치 및 인접 연골 손상의 존재 또는 비구순 주변 낭종의 존재는 비구순의 이상 소견과 비구순하 고랑(sublabral sulcus)을 구분하는데 도움을 준다. MRA에서 증가된 영상 신호를 동반한 비구순의 비대는 또 다른 이상 소견이며, 만성적인 퇴행성 변성과 퇴행성 파열을 의미하고 대부분 pincer 형 대퇴비구 충돌증후군의 결과이다.

대퇴비구 충돌증후군에서 비구순 병변 주위에 연골 손상이 흔히 관찰되며, 진행된 연골 손상이 있는 환자에서는 연골 손상이 제한적이거나 없는 환자보다 예후가 좋지 않으므로 이러한 변화를 확인하는 것은 중요하다. 이런 연골 변화의 확인이 어렵다는 것은 기존 MRI와 MRA의 단점이다. MRI와 MRA에서 연골 손상을 확인하는 것은 관절 표면의 굴곡과 대퇴골과 비구 연골의 위치에 의해 제한적이다. MRI에서 부분적 연골 손상은 양자밀도(proton density) 지방억제 또는 양자밀도 영상에서 주위의 액체보다는 저신호 강도, 피질골보다는 고신호 강도이기 때문에 가장 잘 나타난다. MRA에서 연골 손상은 손상 부위로 조영제가 침투해 보이거나 국소적인 연골 결손부위에 조영제가 채워진 것으로 확인할 수 있다. 대퇴골두와 비구 연골의 손상에 대한 진단법의 개선은 연골 치료의 중요성에 대한 인식과 3T MRI와 같은 새로운 기술의 도입으로써 가능할 것으로 보이나, 더 많은 연구가 필요할 것으로 보인다.

3) 원형인대

원형인대의 기능과 잠재적 역할은 논쟁거리로 남아있다.

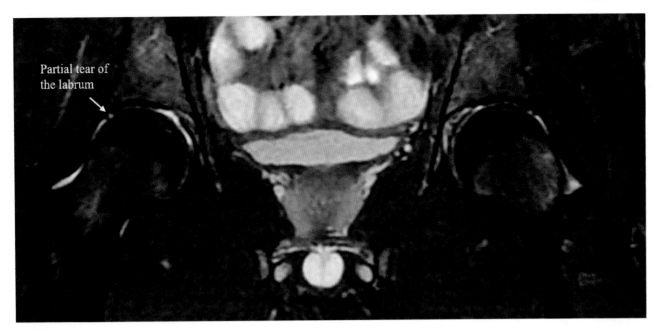

그림 14 우측 고관절 비구순의 부분파열

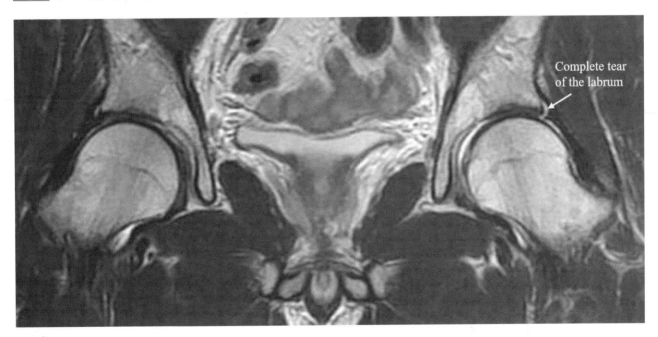

그림 15 좌측 고관절 비구순의 완전파열

이 인대가 주변 구조물을 잡아주고, 안정성을 증가시켜주는 역할을 하는지는 불명확하며, 근본적으로 기능이 거의 없거나 전혀 없는 배아기의 잔여물일 수도 있다. 이 인대의 손상으로 인한 고관절 통증은 관절경적 변연절제술로 줄일 수 있다고 생각되어 왔다. 이러한 이유로 MRI나 MRA를 이용하여 원형인대를 확인하는 것은 중요하며, 특히 비구순이나 연

골 손상이 없지만 관절 내 병변이 통증의 원인으로 의심되는 경우 매우 중요하다. MRA는 MRI보다 원형인대를 명확하게 보여주며, 이는 조영제를 통해 인대 섬유의 윤곽을 보여줌에 따라 섬유의 불규칙성이나 파열의 여부를 알 수 있게 해준다.

앞에서 설명한대로 원형인대는 비구의 밑이나 횡 인대에

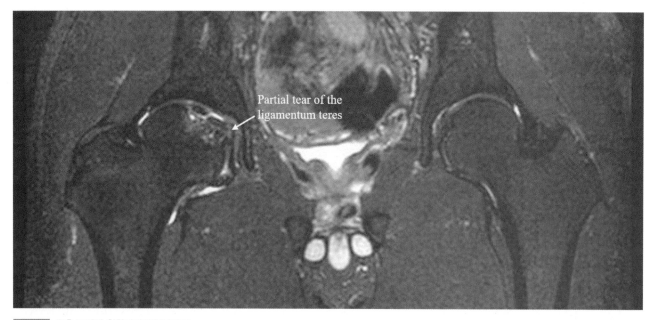

Partial tear of the ligamentum teres

그림 16 우측 고관절 원형인대의 부분파열

부분적 신호 강도의 증가와 비후된 인대가 관찰된다.

서 발생하여 대퇴골두와에 붙으며 작은 동맥을 포함하고 있다. 이 인대는 비구와에 붙는 두 개의 섬유다발로 이루어졌으나 MRI에서 쉽게 구별이 되지는 않는다. Gray와 Villar는 완전파열, 부분파열, 퇴행성 변화를 포함하는 원형인대의 손상에 대한 분류법을 관절경적 양상에 따라 제안하였다. 인대의 완전파열은 고관절의 탈구를 동반하고, 손상 후 시간에 따라 급성기에는 MRI에서 완전파열로 보여질 수도 있지만 손상 후 시간이 지난 경우에는 인대의 결손으로 보여질 수 있다. 부분파열 혹은 퇴행성 변화에서는 신호강도가 증가되고 인대가 부분적으로 비후된 것으로 보여질 수 있다(그림 16). 원형인대의 병리에 대한 우리의 인식이 증가하고 3T MRI의 사용이 증가함에 따라 수술 전 원형인대 손상의 진단은 증가할 것으로 보여진다.

References

1. Clohisy JC, Keeney JA, Schoenecker PL. Preliminary assessment and treatment guidelines for hip disorders in young adults. Clin Orthop Relat Res. 2005;441:168-79.

2. Millis MB, Kim YJ. Rationale of osteotomy and related procedures for hip preservation: a review. Clin Orthop Relat Res. 2002;405:108-21.

3. Peelle MW, Della Rocca GJ, Maloney WJ, Curry MC, Clohisy JC. Acetabular and femoral radiographic abnormalities associated with labral tears. Clin Orthop Relat Res. 2005;441:327-33.

4. Tannast M, Siebenrock KA, Anderson SE. Femoroacetabular impingement: radiographic diagnosis-what the radiologist should know. AJR Am J Roentgenol. 2007;188:1540-52.

5. Wenger DE, Kendell KR, Miner MR, Trousdale RT. Acetabular labral tears rarely occur in the absence of bony abnormalities. Clin Orthop Relat Res. 2004;426:145-50.

6. Beck M, Kalhor M, Leunig M, Ganz R. Hip morphology influences the pattern of damage to the acetabular cartilage: femoroacetabular impingement as a cause of early osteoarthritis of the hip. J Bone Joint Surg Br. 2005;87:1012-8.

7. Ganz R, Parvizi J, Beck M, Leunig M, Nötzli H,

Siebenrock KA. Femoroacetabu lar impingement: a cause for osteoarthritis of the hip. Clin Orthop Relat Res. 2003;417:112-20.

8. Lavigne M, Parvizi J, Beck M, Siebenrock KA, Ganz R, Leunig M. Anterior femo roacetabular impingement: part I. Techniques of joint preserving surgery. Clin Or thop Relat Res. 2004;418:61-6.

9. Murphy SB, Ganz R, Muller ME. The prognosis in untreated dysplasia of the hip. A study of radiographic factors that predict the outcome. J Bone Joint Surg Am. 1995;77:985-9.

10. Boniforti FG, Fujii G, Angliss RD, Benson MK. The reliability of measurements of pelvic radiographs in infants. J Bone Joint Surg Br. 1997;79:570-5.

11. Broughton NS, Brougham DI, Cole WG, Menelaus MB. Reliability of radiological measurements in the assessment of the child's hip. J Bone Joint Surg Br. 1989;71:6-8.

12. Kay RM, Watts HG, Dorey FJ. Variability in the assessment of acetabular index. J Pediatr Orthop. 1997;17:170-3.

13. Nelitz M, Guenther KP, Gunkel S, Puhl W. Reliability of radiological measurements in the assessment of hip dysplasia in adults. Br J Radiol. 1999;72: 331-4.

14. Omeroglu H, Biçimoglu A, Agus H, Tümer Y. Measurement of center-edge angle in developmental dysplasia of the hip: a comparison of two methods in patients under 20 years of age. Skeletal Radiol. 2002;31:25-9.

15. Spatz DK, Reiger M, Klaumann M, Miller F, Stanton RP, Lipton GE. Measurement of acetabular index intraobserver and interobserver variation. J Pediatr Orthop. 1997;17:174-5.

16. Wiberg G. Studies on dysplastic acetabula and congenital subluxation of the hip joint. With special reference to the complication of osteoarthritis. Acta Chir Scand. 1939;83(Suppl 58):28-38.

17. Heyman CH, Herndon CH. Legg-Perthes disease; a method for the measurement of the roentgenographic result. J Bone Joint Surg Am. 1950;32:767-78.

18. Nötzli HP, Wyss TF, Stoecklin CH, Schmid MR, Treiber K, Hodler J. The contour of the femoral head-neck junction as a predictor for the risk of anterior impingement. J Bone Joint Surg Br. 2002;84:556-60.

19. Tönnis D. Congenital dysplasia and dislocation of the hip in children and adults. Berlin: Springer; 1987.

20. Reynolds D, Lucas J, Klaue K. Retroversion of the acetabulum. A cause of hip pain. J Bone Joint Surg Br. 1999;81:281-8.

21. Eijer H, Leunig M, Mahomed M, Ganz R. Cross-table lateral radiograph for screening of anterior femoral head-neck offset in patients with femoroacetabular impingement. Hip Int. 2001;11:37-41.

22. Jamali AA, Mladenov K, Meyer DC, Martinez A, Beck M, Ganz R, Leunig M. Anteroposterior pelvic radiographs to assess acetabular retroversion: high validity of the "cross-over-sign". J Orthop Res. 2007;25:758-65.

23. Dunn DM. Anteversion of the neck of the femur; a method of measurement. J Bone Joint Surg Br. 1952;34:181-6.

24. Meyer DC, Beck M, Ellis T, Ganz R, Leunig M. Comparison of six radiographic projections to assess femoral head/neck asphericity. Clin Orthop Relat Res. 2006;445:181-5.

25. Clohisy JC, Nunley RM, Otto RJ, Schoenecker

PL. The frog-leg lateral radiograph accurately visualized hip cam impingement abnormalities. Clin Orthop Relat Res. 2007;462:115-21.

26. Laage H, Barnett JC, Brady JM, Dulligan PJ Jr, Fett HC Jr, Gallagher TF, Schneider BA. Horizontal lateral roentgenography of the hip in children; a preliminary report. J Bone Joint Surg Am. 1953;35:387-98.

27. Siebenrock KA, Kalbermatten DF, Ganz R. Effect of pelvic tilt on acetabular retroversion: a study of pelves from cadavers. Clin Orthop Relat Res. 2003;407:241-8.

28. Tannast M, Zheng G, Anderegg C, Burckhardt K, Langlotz F, Ganz R, Sieben rock KA. Tilt and rotation correction of acetabular version on pelvic radiographs. Clin Orthop Relat Res. 2005;438:182-90.

29. Kalberer F, Sierra RJ, Madan SS, Ganz R, Leunig M. Ischial spine projection into the pelvis: a new sign for acetabular retroversion. Clin Orthop Relat Res. 2008;466:677-83.

30. Mose K. Methods of measuring in Legg-Calvé-Perthes disease with special regard to the prognosis. Clin Orthop Relat Res. 1980; 150:103-9.

31. Weinstein SL. Legg-Calvé-Perthes disease. In: Morrissy RT, editor. Lovell and Winter's Pediatric Orthopaedics. 3rd ed. Philadelphia: Lippincott; 1990. p 867-8.

32. Yasunaga Y, Ikuta Y, Kanazawa T, Takahashi K, Hisatome T. The state of the articular cartilage at the time of surgery as an indication for rotational acetabular osteotomy. J Bone Joint Surg Br. 2001;83:1001-4.

33. Kim PS, Hwang DS, Kang C, Lee JB, Park JY. Arthroscopic analysis of the radiologic abnormalities of the hip associated with anterior femoroacetabular impingement. J Korean Hip Soc. 2011;23:15-24

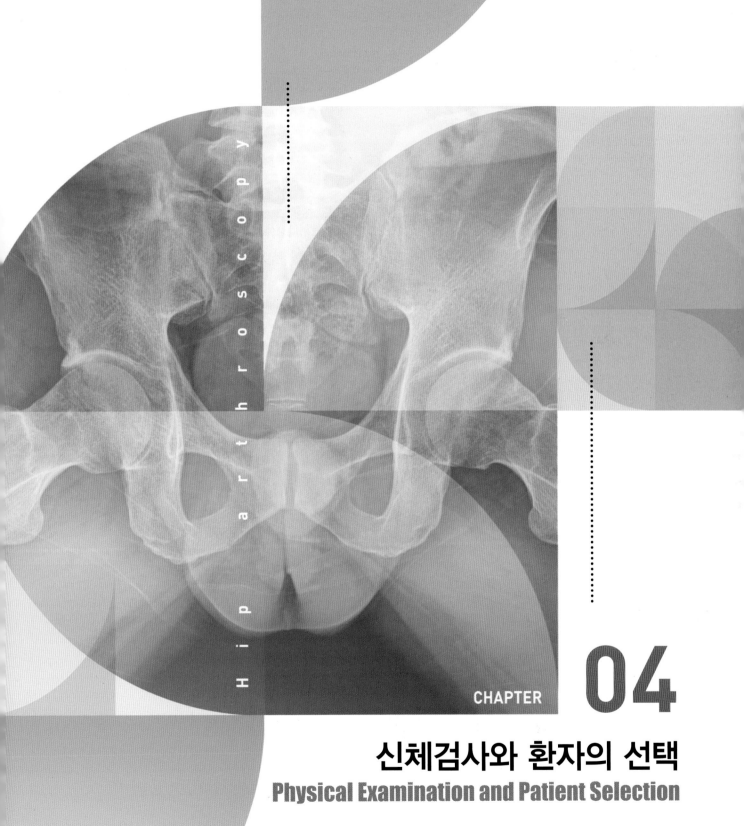

04

신체검사와 환자의 선택
Physical Examination and Patient Selection

CHAPTER 04

신체검사와 환자의 선택
Physical Examination and Patient Selection

백승훈

성공적인 고관절 관절경술을 위해서는 정확한 진단이 필수적이다. 그러나 고관절 부위 통증은 복부와 골반 뿐 아니라 유천추부 병변으로부터 발생할 수도 있으며, 고관절은 다른 관절에 비해 상대적으로 깊이 위치하고 다양한 주위 연부조직으로 둘러싸여 있어, 진단이 어려운 경우가 많다. 따라서, 주의 깊은 병력 청취와 면밀한 신체 검사를 통해 고관절의 병변 여부를 확인하는 것이 중요하다.

1. 병력 청취

정확한 병력 청취는 고관절 병변을 확인하는 첫 단계로 신체 검사와 함께 진단을 위한 효과적인 계획을 수립하는데 필수적이다. 병력 청취는 주 증상에 초점을 맞추어 시행하되, 환자의 전반적인 상황과 다른 의학적 문제에 대한 상세한 병력 청취가 함께 이루어져야 정확한 진단과 최상의 치료가 이루어질 수 있다.

고관절 질환을 가진 환자가 병원을 찾는 이유로는 통증, 강직, 보행 장애, 탄발음 등이 있으나 가장 흔하고 중요한 것은 통증이다. 따라서 병력 청취 시 통증의 강도와 위치, 발생

시기, 악화 및 완화 인자, 외상의 병력, 동반된 방사통의 유무 등에 대해서 상세하게 알아보도록 한다. 또한 환자의 직업, 일상 생활, 여가 생활 및 전반적인 삶의 질에 있어 통증이 영향을 미칠 수 있는 요인들에 대하여 판단하여야 하며, 이러한 요인들과 함께 환자의 연령, 전신적 건강 상태, 신체 검사 소견, 방사선학적 및 혈청학적 자료 등을 종합적으로 고려하여 합리적인 치료 계획을 세워야 한다.

1) 연령 및 성별

환자의 연령대와 성별에 따라 호발하는 질환에는 차이가 있다. 발달성 고관절 이형성증은 유아기 여아에서 호발하는 반면, Legg-Calvé-Perthes 병은 3세에서 12세 남아에서, 대퇴골두 골단분리증(slipped capital femoral epiphysis)은 10-16세의 비만한 남아에서 호발하고, 대퇴골두 골괴사(osteonecrosis of the femoral head)는 30-50대의 남자에서 호발하는 경향이 있다. 또한, pincer 형의 충돌증후군은 중년 여성에서, cam 형의 충돌증후군은 젊은 남성에서 호발하는 경향이 있다.

2) 과거 병력

상기 질환 이외에도 성장기에 발생한 화농성 관절염이나 소아마비 등의 질환, 외상 및 과도한 운동 병력 등은 성장이 완료된 성인기에 증상을 유발하는 경우가 있으므로, 환자들에게 어린 시절 고관절 부위에 문제가 있었는지 확인하는 것이 중요하다. 특히, 남자 환자에서 소아청소년기에 발생한 고관절 통증의 병력은 대퇴골두 골단분리증이나 Legg-Calve-Perthes 병 등의 진단의 단서가 될 수 있다

3) 외상 병력

고관절부 증상의 발현이 외상과 관련된 경우, 손상 기전을 파악하는 것이 진단과 치료에 도움이 된다. 대퇴경부 피로 골절의 경우 행군, 마라톤 등의 반복적인 체중 부하 활동 후 발생할 수 있으며, 평소 증상이 심하지 않은 경도의 고관절염이 비틀기 등의 경미한 외상으로 통증이 갑자기 악화될 수 있다. 수상 당시 상황에 대한 기억이 명확하지 않거나 환자가 잘 설명하지 못하는 경우에도 외상의 방향이나 수상 당시의 자세 등 세부사항에 대해 질문하여 최대한의 정보를 얻도록 한다.

4) 통증 양상

고관절의 해부학적 위치 및 다양한 주위 연부조직의 특징으로 인해, 고관절 질환에 의한 증상과 천장관절, 요천추부 및 내부 장기로부터 유발되는 증상을 감별하는 것이 중요하다. 고관절 병변에 의한 통증은 주로 서혜부와 둔부, 고관절 외측 및 대퇴 근위부의 전측 혹은 내측을 따라 나타나는 경우가 많으며, 요천추부 신경근 통증과 유사할 수 있어 요천추부의 문제에 대한 확인이 필요하다(표 1). 간혹 고관절보다 동측 슬관절의 연관통(referred pain)을 호소하는 경우가 있으므로, 슬관절의 이상 유무에 대한 확인이 필요한 경우도 있다.

고관절 질환인 경우 상세한 병력 청취와 신체 검사를 통해 증상의 원인이 고관절의 관절 내(intra-articular) 병변인지

표1 통증의 위치에 따른 고관절 관련 병변

통증의 위치	관련 병변
전방(anterior)	대퇴비구 충돌(femoroacetabular impingement) 장골극하 충돌(subspinal impingement) 장요근 충돌(iliopsoas impingement) 비구순 파열(labral tear) 대퇴골두 골괴사(osteonecrosis of femoral head) 고관절 골관절염(osteoarthritis) 원형인대 파열(ligamentum teres tear) 내부형 발음성 고관절(internal snapping hip) 장요근 점액낭염(iliopsoas bursitis) 대퇴직근 석회성 건염(calcific tendinitis of rectus femoris) 굴곡근 건병증(flexor tendinopathy) 스포츠 탈장(sports hernia, athletic pubalgia)
측방(lateral)	대전자부 통증 증후군(greater trochanteric pain syndrome) 외전근 건병증(abductor tendinopathy) 외전근 석회화 건염(calcific tendinitis of abductor) 전자부 점액낭염(trochanteric bursitis) 외부형 발음성 고관절(external snapping hip) 대퇴 감각이상증(meralgia paresthetica)
후방 (Posterior)	척추 병변(spinal disorder) 천장관절염(sacroiliitis) 장골 치밀화 골염(osteitis condensans ilii) 심부 둔부 증후군(deep gluteal syndrome) 좌골대퇴 충돌(ischiofemoral impingement) 이상근 증후군(piriformis syndrome) 외회전근 건병증(external rotator tendinopathy) 슬근 건병증(hamstring tendinopathy) 좌골 점액낭염(ischial bursitis)

혹은 관절 외(extra-articular) 병변인지 구분이 가능한 경우가 많다. 비구순 파열 등의 관절 내 병변은 서혜부의 통증과 함께 기계적인 통증을 호소하는 경우가 많다. 기계적인 통증은 체중 부하시 날카로운 통증(sharp pain), 고관절을 굴곡하면서 앉을 때 발생하는 불편감, 앉았다 일어설 때 통증이나 걸리는 듯한 느낌 등으로 호소할 수 있다. 간혹 환자들이 고관절 심부의 통증을 호소하며, 엄지는 대전자의 후외측에, 검지와 중지를 포함한 나머지 손가락들은 서혜부를 향해 손으로 C자를 만들면서 대전자부를 감싸 쥐는 경우(C-sign), 고관절부 병변의 진단에 도움이 될 수 있다(그림 1). 관절 외 병변으로 둔부와 근위 대퇴부 건염으로 인한 둔부나 대퇴부

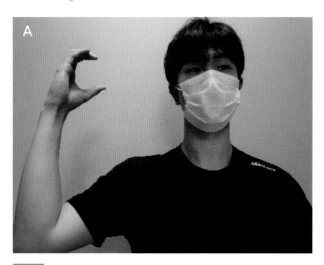

그림 1 C-sign

(A) 환자가 고관절 내부의 심부 통증을 호소하며 표현하는 경우가 많다.
(B) 엄지는 대전자부 후외측에, 검지와 중지를 포함한 나머지 손가락은 서혜부를 향해 손으로 C자를 만들면서 대전자부를 감싸 쥐는 경우 고관절 병변의 진단에 도움이 된다.

통증이 발생할 수 있고, 치골염에서는 하복부의 통증을 호소할 수 있다. 외부형 발음성 고관절에서는 대전자 주위의 통증과 탄발음을 호소할 수 있으며, 고관절이 빠진다고 호소하기도 하고, 육안으로 발음성 고관절이 관찰되기도 한다. 내부형 발음성 고관절은 청진이나 촉진으로 깊숙이 느껴질 수 있으며, 스포츠 탈장은 윗몸 일으키기와 같은 복압이 상승하는 활동에서 통증이 발생할 수 있다.

골반부 근골격계 이외의 질환이 고관절 부위의 통증으로 나타날 수 있으므로 주의를 요한다. 고관절 주위, 특히 둔부 통증이 요통이나, 방사통, 기침시 악화되는 통증이나 하지 근력 약화와 동반되는 경우 흉요추부 병변일 수 있다. 체성 통증(somatic pain)은 둔부 혹은 골반부의 내장 기관, 특히 난소낭종, 탈장, 허혈성 혈관 질환 등과 관련있을 수 있다. 만성 전립선염은 천골 부위의 통증과 동반되어 나타날 수 있으며, 정낭을 침범한 경우 동측 둔부와 대퇴의 방사통이 나타나기도 한다. 골반과 둔부에 발생한 원발성 혹은 전이성 종양으로 인해 고관절 주위 통증이 발생할 수도 있으므로 반드시 이들에 대한 감별 진단이 필요하다.

5) 기타 병력

다른 내외과적 병력에 대해서 확인하고, 악성종양, 응고

나 대사관련 질환, 류마티스 관절염 같은 염증성 질환 등의 전신 질환이 있는지 확인한다. 특히, 음주, 스테로이드 복용, 방사선 치료 등은 대퇴골두 골괴사의 위험인자가 될 수 있다.

고관절은 두꺼운 근육과 연부조직으로 둘러싸여 신체 검사 시행에 힘이 들고, 통증의 원인이 고관절 이외의 병변일 수 있다. 따라서, 정확한 진단을 위해서는 고관절과 하지 뿐만 아니라 전신에 대한 상세한 관찰이 이루어져야 하며, 시진과 촉진, 관절운동 범위, 근력과 하지 길이 측정 및 고관절 특수 검사를 일관성 있고 체계적으로 시행하도록 한다.

2

신체 검사

1) 시진

시진은 환자가 처음 진료실에 들어서는 순간부터 시작된다. 환자가 보행 보조기를 사용하는 경우, 보조기를 사용한 상태와 사용하지 않은 상태에서의 보행을 확인하면 좋다. 고관절에 통증이 있는 경우, 환측의 보폭이 짧아지면서 체중 부하 시간을 줄이기 위해 입각기(stance phase)가 짧아지

게 되는 진통성 보행(antalgic gait)를 보일 수 있다. 또한, 고관절의 신전으로 인한 관절막의 긴장을 피하기 위해 보행 시 고관절 굴곡 자세를 취하고, 충격 흡수를 위해 무릎은 약간 굽히게 된다. 또한, 환측 고관절에 가해지는 부하를 줄이기 위하여 상체를 환측으로 기울이게 되는 외전근 파행(abductor limping)을 보이기도 한다. 고관절 강직이 있는 경우, 체간과 환측 다리가 함께 크게 움직이게 된다.

기립한 상태에서 환자의 자세를 관찰한다. 기립자세에서 골반 경사가 관찰되는 경우, 앙와위에서 하지 길이를 측정하도록 한다. 고관절이나 척추부의 외과적 상처 여부를 관찰하고 체간, 둔부 및 대퇴부의 근 위축 여부도 확인한다. 기립한 상태에서 트렌델렌버그 검사(Trendelenburg test)를 시행하여 외전근 기능을 평가할 수 있다(그림 2). 트렌델렌버그

검사는 골반 안정화 근육인 고관절 외전근의 능력과 고관절 안정성을 평가할 수 있으며, 환자에게 검사방법을 효과적으로 이해시키기 위해 검사 시 건측부터 시행하는 것이 좋다.

2) 촉진

환자가 지시하는 증상 부위를 촉진하여 압통이나 종괴(mass)가 있는지 확인한다. 일반적으로 관절 내 병변은 촉진에 의한 압통이 없는 경우가 대부분이나, 장기간 지속된 경우 주위 근육이나 점액낭의 압통을 야기할 수도 있다. 고관절은 주위 연부조직이 두꺼운 관계로 골성 구조물의 촉진을 통한 해부학적 위치 파악은 관절 외 병변의 위치를 판단하는 데 도움이 된다.

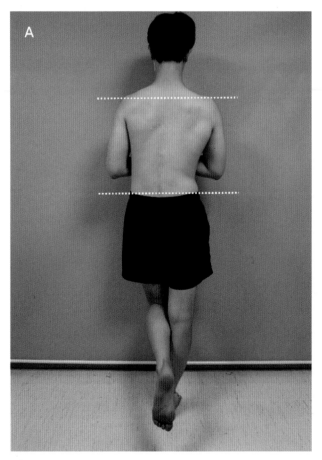
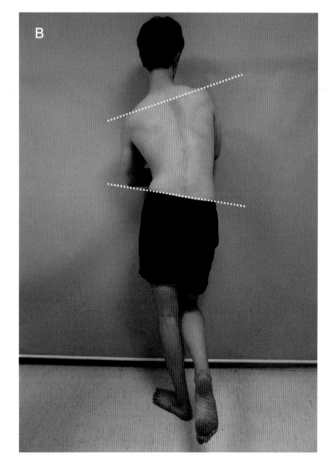

그림 2
(A) 정상 하지로 섰을 때 골반은 지면과 평행을 이루게 된다.
(B) 외전근 약화나 고관절 불안정성이 있는 경우, 골반의 평행을 유지하지 못하여 반대편 골반이 아래로 처지게 되고, 중심을 잡기 위해 상체는 환측으로 기울게 된다.

대전자 주위에서의 압통은 중둔근염 등의 대전자부 통증 증후군일 수 있다. 외부형 발음성 고관절의 경우, 일부 환자들은 탄발음에 대해 고관절이 빠진다고 호소하기도 하며, 고관절을 굴곡, 내회전시킬 때 대전자 표재에 위치한 장경대(iliotibial band)에서 탄발음을 촉지할 수 있다. 전상 장골극에서는 봉공근(sartorius)이, 전하 장골극에서는 대퇴직근(rectus femoris)이 기시하고, 이들은 소아청소년기 운동 선수에서 견열 골절이 잘 발생하는 부위로, 촉진시 압통을 확인한다. 전상 장골극 내측의 서혜부 인대 하부로 외측 대퇴피부신경이 주행하며 이 부위가 압박되는 경우 대퇴감각 이상증(meralgia paraesthetica)이 발생하여, 대퇴 전외측 근위부의 통증 및 이상 감각과 함께 전상 장골극 내측을 깊이 누를 때 압통이 발생할 수 있다. 치골 결합 주위의 압통은 치골염을 시사할 수 있고, 내전근의 반복적인 수축이 많은 운동선수에서 호발한다. 고관절을 굴곡한 상태에서 좌골 결절 촉진시 압통이 발생하면 급성에서는 슬근 견열골절 혹은 슬근 건염을, 만성에서는 퇴행성 변화에 따른 좌골 점액낭염 등의 심부 둔부 증후군을 고려할 수 있다.

3) 구축 및 관절 운동 범위 측정

고관절의 초기 병변에서는 경도의 내회전 제한만 발생하는 경우가 있으므로, 반드시 양측을 측정해서 비교해야 하며 먼저 정상 하지를 측정한 후 병변 측과 비교하도록 한다.

(1) 굴곡 및 신전

고관절 구축으로 인한 골반 및 요추에서의 보상성 운동을 배제하여 측정하는 것이 중요하다. 고관절 굴곡 구축을 평가하는 Thomas test를 시행하여, 요추 전만에 의한 보상성 신전을 제거한다(그림 3). 굴곡 구축이 없다면 검사하고자 하는 고관절은 곧게 펴진 상태를 유지하지만, 굴곡 구축이 있는 경우 환측의 고관절은 구부려져 슬와부가 검사대에 닿지 못하게 된다. 대퇴 직근 구축을 확인하기 위해 Ely's test를 복와위에서 시행하며 양측을 비교해서 기록하도록 한다(그림 4). 슬근 구축은 popliteal angle test를 시행하여 슬관절의 신전 정도로 슬근의 유연성을 평가한다(그림 5).

굴곡 범위 측정 시 슬관절은 굴곡하여 슬근 긴장에 의한 운동 범위 제한을 배제하도록 한다. 성인에서 정상 고관절 굴곡은 0°에서 110–135° 사이로, 비구순 파열 환자에서는 90° 이상 굴곡 시 통증이나 불편감을 호소하기도 한다. 고관절 신전은 복와위에서 측정하고 성인에서 정상 고관절 신전은 0°에서 15–30° 사이이다.

(2) 외전과 내전

대퇴근막 장근의 구축은 Ober test로 평가하며, 구축이 있는 경우에 하지는 외전 상태를 유지하거나, 하지가 내회전하게 된다(그림 6).

외전 범위의 측정은 앙와위에서 골반의 전상 장골극간 횡선과 하지가 이루는 각도가 직각이 되도록 하고 측정하며,

 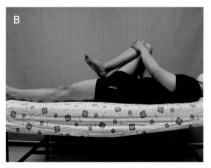 

그림 3 Thomas test

(A) 환자를 앙와위로 눕힌 상태에서 검사자가 환자의 고관절을 굴곡하여 양측 무릎을 가슴에 닿도록 하여 요추부의 보상성 전만을 제거한다.
(B) 환자 자신이 반대측 다리를 잡아 굴곡을 유지한 상태에서 환측 다리를 곧게 펴도록 한다. 굴곡 구축이 없다면 환측 고관절은 곧게 펴져 다리 전체가 바닥에 닿게 된다.
(C) 굴곡 구축이 있는 경우 고관절이 곧게 펴지지 않아 무릎이 검사대에 닿지 못하게 되고(화살표) 무릎을 누르면 요추 전만이 증가하게 되는데 이를 Thomas 검사 양성으로 한다.

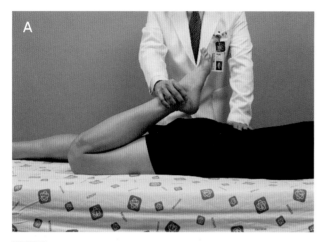
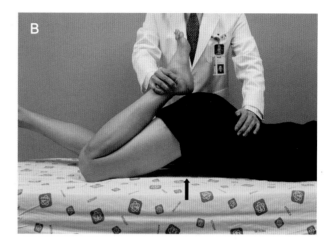

그림 4 Ely's test

대퇴직근의 구축을 확인하는 방법으로, 복와위에서 슬관절을 수동적으로 굴곡시킬 때, 대퇴 직근의 구축이 있는 경우 동측의 고관절이 동시에 굴곡하여 엉덩이가 바닥에서 들리게 된다(화살표). **(A)** 음성. **(B)** 양성.

그림 5 Popliteal angle test

(A) 슬괵근의 구축을 평가하는 방법으로 환자를 검사대에 바로 눕히고 고관절과 슬관절을 90° 굴곡시킨다.
(B) 고관절의 90° 굴곡은 유지한 상태에서 슬관절을 서서히 신전하여 슬와각(popliteal angle)을 측정한다.

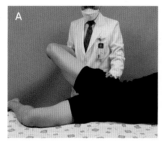

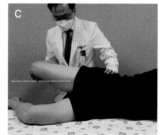
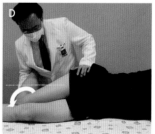

그림 6 Ober test

대퇴근막 장근이나 고관절 외전근의 구축을 평가하는 검사이다.
(A) 측와위에서 환자의 건측을 아래로 위치시키고 검사자는 한 손으로 환자의 골반을 고정시킨다. 검사자의 다른 한 손으로 환측의 슬관절을 90° 굴곡한 상태에서 동측 고관절을 수동적으로 외전 및 신전시킨다.
(B) 검사자는 서서히 힘을 풀면서 환측 하지가 내전되도록 한다. 외전근이나 대퇴근막장근의 구축이 없는 경우 고관절이 내전되어 환측 하지가 건측 하지에 닿게 된다.
(C) 구축이 있는 경우, 하지는 외전 상태를 유지되어 떨어지지 않거나, **(D)** 내회전되면서 떨어지게 된다.

최대 외전 도달 시 골반이 기울어지기 시작하므로 주의하도록 한다. 성인에서 고관절의 정상 외전 범위는 0°에서 40°이다. 내전은 반대측 하지를 위 또는 아래로 이동시켜 검사하고 정상 내전 범위는 0°에서 30°이다.

(3) 외회전과 내회전

대퇴 전염각의 증가는 내회전을 증가시키고 외회전을 감소시킨다. 고관절의 회전은 고관절 굴곡 혹은 신전위에서, 앙와위 혹은 복와위에서 측정할 수 있다. 앙와위에서 고관절을 90° 굴곡시켜 측정하는 경우 무릎을 직각으로 굴곡시켜 전상 장골극간 횡선과 대퇴가 이루는 각도가 직각이 되도록 고정한 후 측정한다. 성인에서 내회전 정상 범위는 0°에서 30-40° 사이이며, 외회전 정상 범위는 0°에서 40-60° 사이이다. 대퇴비구 충돌증후군을 가진 환자에서는 내회전 시 통증을 호소하는 경우가 많으므로 주의를 요한다.

4) 근력 검사

통증으로 인해 근력이 약화된 소견을 보일 수 있으며, 저항을 준 상태에서 근육을 수축시킬 때 발생하는 통증으로 병변의 위치를 확인할 수도 있다(active resistance muscle test). 가능한 모든 운동 방향에서의 근력을 검사하도록 한다.

(1) 굴곡근 및 신전근

고관절의 일차 굴곡근은 장요근(iliopsoas)으로 대퇴직근의 영향을 줄이기 위해 슬관절을 굴곡하거나 환자를 앉힌 상태에서 고관절을 굽히게 하면서 저항을 주어 근력을 측정한다. 고관절의 일차 신전근은 대둔근(gluteus maximus)으로 환자를 복와위로 눕히고 무릎을 90° 굽힌 상태에서 고관절을 펴게 하고 대퇴부에 저항을 주어 근력을 측정한다.

(2) 외전근 및 내전근

고관절의 외전근은 측와위에서 건측을 아래로 하고 환측의 하지에 저항을 준 상태에서 고관절을 외전하도록 하여 근력을 측정하며, 상기한 트렌델렌버그 검사로 외전근 약화

를 확인할 수도 있다. 내전근은 환자를 앙와위로 눕힌 후 대퇴부의 내측에 저항을 주고 고관절을 내전하도록 하여 근력을 측정한다.

5) 하지 길이의 측정

기립자세에서 장골능(iliac crest)과 후상 장골극(posterior superior iliac spine), 대전자를 촉지하여 골반 경사(obliquity)를 확인한다. 하지 길이 불일치(leg length discrepancy)는 명백한 골반 경사를 유발하며 단축된 하지에 블록을 받침으로써 교정될 수 있으나 척추변형으로 인한 고정된 골반 경사는 이러한 방법으로 교정되지 않는다. 골반 경사가 있는 경우, 앙와위에서 하지 길이를 측정하되, 하지 길이 측정 전 기능적 단축이 발생하지 않도록 골반을 평행하게 위치시켜 하지 균형을 맞추도록 한다. 하지 길이는 진성 하지 길이(true leg length)와 현성 하지 길이(apparent leg length)로 구분할 수 있다(그림 7).

(1) 진성 하지 길이

앙와위에서 고정된 골성 구조 사이의 거리로 측정하며, 일반적으로 전상 장골극에서 족관절 내과 사이의 거리로 측정한다. 진성 하지 길이의 차이는 골반 혹은 하지 골격 자체의 길이 변화가 원인으로, 이차적 변화로 골반 경사와 척추 측만이 발생하게 된다.

(2) 현성 하지 길이

현성 하지 길이는 검상돌기(xiphoid process) 혹은 배꼽에서 족관절 내과 사이의 거리로 측정한다. 진성 하지 길이의 차이가 없으면서 현성 하지 길이 차이만 있는 경우, 관절의 구축에 따른 자세 변화에 대한 보상으로 발생한 기능적 하지 길이 불일치로, 고관절 외전근 구축, 일측성 족부 회내전 및 척추 측만증 등에서 발생할 수 있다.

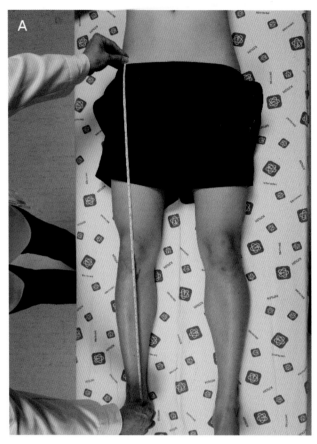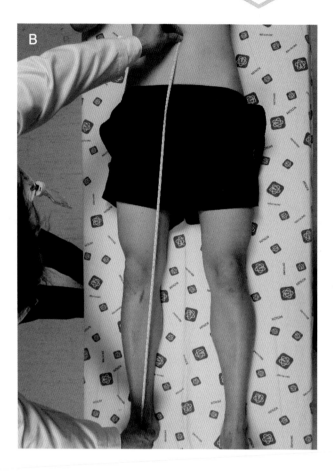

그림 7 하지 길이 측정 방법

하지는 골반에 대하여 서로 같은 자세로 놓여야 하며, 다리는 약 15–20 cm 가량 벌리고 평행하게 되도록 한다. 만일 환측 고관절이 내외전 혹은 굴곡 구축되어 있는 경우 건측 고관절도 동일한 자세로 측정하여야 정확한 길이를 측정할 수 있다. **(A)** 진성 하지 길이 측정, **(B)** 현성 하지 길이 측정.

6) 고관절 병변의 검사법

(1) 통나무 굴림 검사(log roll test)

고관절을 신전 혹은 약간 굴곡 상태에서 통나무를 굴리 듯 수동적으로 부드럽게 환자의 대퇴부를 내회전 및 외회전 시킨다. 이때 환자가 통증을 호소한다면 양성으로, 이는 관절 외 구조물의 자극을 최소화한 상태에서 관절막과 대퇴골 두만을 이동시켜 통증을 유발함으로써 관절 내 병변을 확인 하는 민감한 검사법으로 알려져 있다(그림 8).

(2) Patrick 검사(Patrick test)

고관절 병변과 운동 제한을 확인할 수 있고, 천장관절 질 환과 고관절 질환을 구분하는 데 도움이 된다. 앙와위에서 환자의 환측 발목을 반대측 무릎 위에 올리고, 천천히 환측 무릎을 검사대 쪽으로 내리면서 수동적으로 외전시킨다(그림

9). 이때 환측 고관절 구축에 의한 골반 회전이 일어나지 않 도록 검사자의 다른 손은 환자의 반대쪽 전상 장골극에 위 치시킨다. 정상의 경우, 환측 다리는 검사대와 평행해지거 나 그 이하로 내려간다. 검사 시 전방 서혜부 통증은 고관절 병변과, 후방 둔부 통증은 천장 관절 병변과 관련이 있을 수 있다. FABER (Flexion, ABduction, External Rotation) test라 고도 한다.

(3) 충돌 검사(impingement test)

고관절 비구순 병변의 진단에 유용한 검사로 고관절 충돌 증후군 이외의 관절 내 병변에도 민감한 검사이다. 전방 충 돌 검사(anterior impingement test)는 환자를 앙와위에서 고 관절을 부드럽게 수동적으로 굴곡하고 내전 및 내회전시킨 다(Flexion, ADduction and Internal Rotation, FADIR). 이때 통증이 유발되면 양성으로 판단한다(그림 10). 증상이 심한

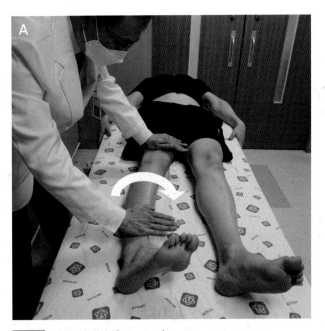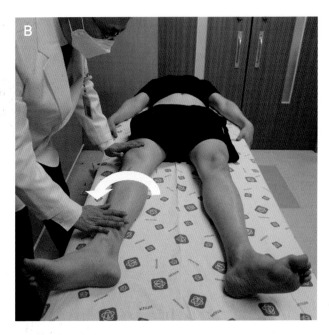

그림 8 통나무 굴림 검사(log roll test)
고관절을 신전 혹은 약간 굴곡 상태에서 통나무를 굴리듯 수동적으로 부드럽게 환자의 대퇴부를 내회전(A) 및 외회전(B)시킨다.

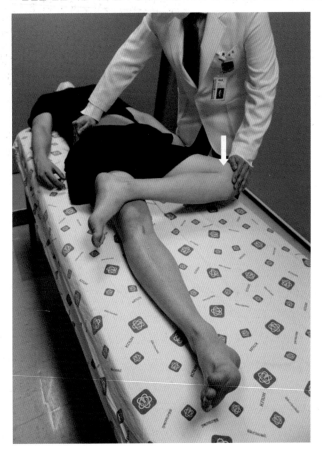

그림 9 Patrick 검사(Patrick test)
앙와위에서 검사자의 한 손을 환자의 반대쪽 전상 장골극에 위치시켜 골반을 고정하고, 환자의 환측 발목을 반대측 무릎 위에 올린다. 천천히 환측 무릎을 검사대 쪽으로 내리면서 수동적으로 외전시킨다(화살표).

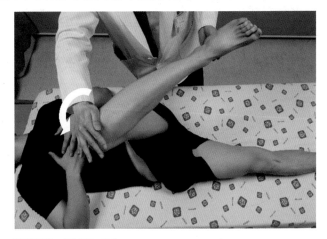

그림 10 전방 충돌 검사(anterior impingement test)
고관절을 부드럽게 수동적으로 굴곡하고 내전 및 내회전시켜 통증 발생을 확인한다.

경우, 굴곡만으로 통증이 유발되는 경우도 있다. 후방 충돌 검사(posterior impingement test)는 앙와위에서 골반을 진찰대 가장자리에 위치시킨 후 고관절을 수동적으로 최대한 외회전시키면서 외전 및 신전시킬 때 통증이 유발되면 양성으로 판단한다(그림 11). 비구순 후방 파열 이외에도 골두의 전방 전위로 인한 전방 불안정성이나 전방 비구순 파열과 같은 다양한 고관절 질환에서 양성으로 나타날 수 있으므로 주의하도록 한다.

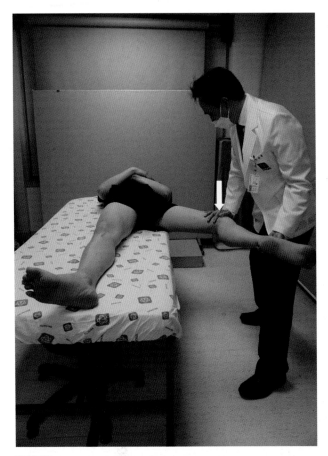

그림 11 후방 충돌 검사(posterior impingement test)

앙와위에서 골반을 진찰대 가장자리에 위치시킨 후 고관절을 수동적으로 최대한 외회전시키면서 외전 및 신전시켜(화살표) 통증이 유발되면 양성 소견이다.

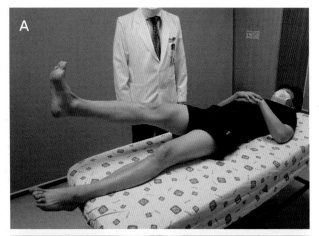

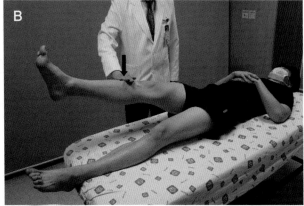

그림 12 Stinchfield 검사(저항 하지 직거상 검사; resisted straight leg raise test)

(A) 앙와위에서 환자가 슬관절을 신전시키고 고관절을 능동적으로 굴곡시킨다.
(B) 검사자가 환자의 슬개골 아래에 손으로 저항을 가할 때(화살표), 서혜부 통증이 유발되면 양성 소견이다.

(4) Stinchfield 검사 또는 저항 하지 직거상 검사 (resisted straight leg raise test)

Stinchfield 검사는 앙와위에서 환자가 슬관절을 신전시키고 고관절을 능동적으로 굴곡시킨 상태에서 검사자가 환자의 슬개골 아래에 손으로 저항을 가할 때 서혜부 통증이 유발되면 양성으로 판정한다(그림 12). Stinchfield 검사는 정상 보행보다 2-3배 많은 힘이 고관절의 관절면에 가해짐으로써 초기 병변을 발견하는 데 유용하고, 관절 내 병변 이외에도 고관절 굴곡건염이나 장요근 점액낭염 등의 관절외 병변의 발견, 고관절 굴곡근 및 장요근의 근력을 측정할 수 있다. 그러나, 감각 신경 분포에 따라 연관통이 발생할 수 있고, 고관절 주변부 외에 천장관절 또는 요추부에 압박이 가해질 수 있으므로, 통증 유발 부위를 면밀히 관찰하여 천장관절이

나 요추부의 병변과 감별하여야 한다.

(5) 이상근 검사(piriformis test)

Freiberg 징후, Pace 징후 및 FAIR 검사 등이 있다. Freiberg 징후는 앙와위 고관절 신전상태에서 검사자가 환자의 하지를 수동적으로 내회전할 때 통증이 발생하면 양성으로 판정한다(그림 13). Pace 징후는 환자를 앙와위에 위치시킨 후 고관절 굴곡 및 외전, 슬관절 굴곡 상태에서 검사자가 내전 저항을 가할 때 통증이 유발되면 양성 소견이다 (그림 14). 이는 앙와위 혹은 앉은 자세에서도 시행할 수 있다. FAIR (Flexion, Adduction, Internal Rotation) 검사는 측와위에서 검사자가 한 손으로 환자의 골반부를 고정하고 환측 고관절을 60°, 슬관절을 60-90° 굴곡시킨다. 검사자가 다른

한 손으로 환측 슬관절 부위를 아래로 눌러 고관절을 내전 및 내회전시킬 때, 이상근의 긴장으로 좌골신경을 압박하여 통증이 발생할 수 있으며, 이를 양성으로 판정한다(그림 15).

3
환자의 선택

성공적인 고관절 관절경술을 위해 적절한 환자의 선택은 필수적이다. 고관절 통증의 관절 내 원인으로는 비구순 파열, 연골 손상, 대퇴 비구 충돌, 고관절 이형성증과 불안정성, 원형인대 파열, 활액막염 등이 있고, 관절외 병변으로는 대전자부 통증증후군, 발음성 고관절, 고관절 굴곡근의 건염, 심부 둔부 증후군 등이 있다. 더욱이 고관절 부위 통증의 원인으로 복부와 골반 이외에도 요천추부의 병변에서 발생

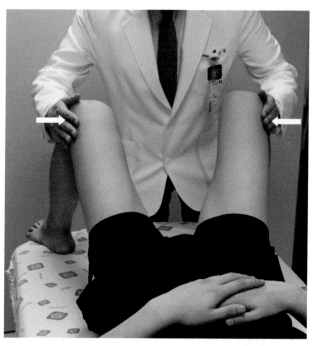

그림 14 **Pace 징후**

환자를 앙와위에 위치시킨 후 고관절 굴곡 및 외전, 슬관절 굴곡 상태에서 검사자가 내전 저항을 가할 때(화살표) 통증이 유발되면 양성 소견이다.

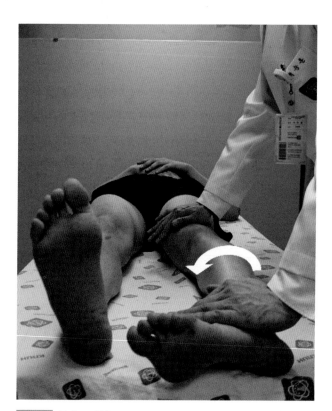

그림 13 **Freiberg 징후**

환자를 앙와위에 위치시키고 고관절 신전상태에서 검사자가 환자의 하지를 수동적 내회전할 때 통증이 발생하면 양성으로 판정한다.

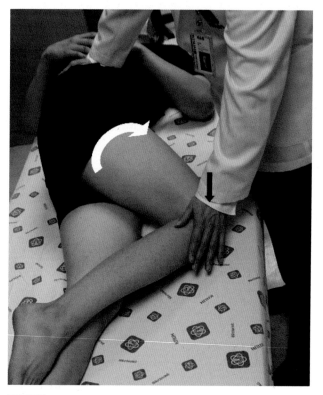

그림 15 **FAIR 검사**

측와위에서 검사자가 한 손으로 환자의 골반부를 고정하고 환측 고관절을 60°, 슬관절을 60–90° 굴곡시킨다. 검사자가 다른 한 손으로 환측 슬관절 부위를 아래로 눌러(화살표) 고관절을 내전 및 내회전시킬 때, 이상근의 긴장으로 좌골신경을 압박하여 통증이 발생할 수 있으며, 이를 양성으로 판정한다.

했을 가능성이 있으므로, 이를 배제하는 것이 필요하다. 따라서, 정확한 진단을 위해서는 주의 깊은 병력 청취, 면밀한 신체 검사와 단순 방사선 사진을 확인하여 고관절 병변을 확인하여야 한다. 그러나, 고관절은 다른 관절에 비해 상대적으로 깊이 위치하고, 주위에 다양한 연부조직이 존재하므로 신체 검사만으로는 정확한 진단이 힘들 때가 많으며, 단순 방사선 사진만으로도 정확한 진단 및 병변의 위치를 확인하기 힘든 경우가 있으므로, 전산화단층촬영이나 자기공명영상 검사 등의 특수 검사가 필요한 경우가 많다. 또한, 신체 검사상 관절 내 병변이 의심되나 자기공명영상 등에서 명확치 않은 경우, 장기간 호전되지 않는 고관절 통증을 가진 환자에서 관절경술 자체가 관절 내 병변을 확인하기 위한 진단 목적의 검사로 사용될 수도 있다.

관절경술은 기존의 관혈적 수술보다 덜 침습적인 장점이 있어 두꺼운 연부 조직으로 둘러싸인 고관절에서 특히 효과적이며, 최근 고관절 질환에 대한 이해도가 높아지고, 재현성이 뛰어난 진단 방법의 도입으로 관절염 외의 질환들에 대한 관심 역시 증가하고 있다. 과거 해부학적, 기술적 제약으로 관절경을 이용한 고관절 질환의 치료는 제한적이었으나, 최근 향상된 수술기법과 영상 진단 기술 및 관절경 기구의 발달로 안전하고 효과적인 고관절 관절경술이 가능해짐으로써 그 치료 대상도 확대되고 있다. 그러나, 다른 관절과 마찬가지로 관절연골의 퇴행성 변화 및 50세 이상의 연령 등은 고관절 관절경술 후 만족스럽지 못한 결과의 예측 인자로 제시되고 있으므로 환자 선택에 주의를 요한다.

References

1. 서유성, 최우석. 고관절 진단학. 대한고관절학회지 2006;18(4):218-225.

2. 임군일, 태석기, 오종수, 김지영. 고관절 진단학. 대한고관절학회지 2009;21(2):107-115.

3. Battaglia PJ, D'Angelo K, Kettner NW. Posterior, Lateral, and Anterior Hip Pain Due to Musculoskeletal Origin: A Narrative Literature Review of History, Physical Examination, and Diagnostic Imaging. 2016 J Chiropr Med 2016;15(4):281-293.

4. Burnett RS, Della Rocca GJ, Prather H, Curry M, Maloney WJ, Clohisy JC. Clinical presentation of patients with tears of the acetabular labrum. J Bone Joint Surg Am 2006;88(7):1448-1457.

5. Byrd JW, Jones KS. Diagnostic accuracy of clinical assessment, magnetic resonance imaging, magnetic resonance arthrography, and intra-articular injection in hip arthroscopy patients. Am J Sports Med 2004;32:1668-1674.

6. Egerton T, Hinman RS, Takla A, Bennell KL, O'Donnell J. Intraoperative cartilage degeneration predicts outcome 12 months after hip arthroscopy. Clin Orthop Relat Res 2013;471(2):593-599.

7. Katz K, Rosenthal A, Yosipovitch Z. Normal ranges of popliteal angle in children. J Pediatr Orthop 1992;12(2):229-231.

8. Lee YK, Ha YC, Hwang DS, Koo KH. Learning curve of basic hip arthroscopy technique: CUSUM analysis. Knee Surg Sports Traumatol Arthrosc 2013 Aug;21(8):1940-1944.

9. Martin HD, Kelly BT, Leunig M, Philippon MJ, Clohisy JC, Martin RL, Sekiya JK, Pietrobon R, Mohtadi NG, Sampson TG, Safran MR. The pattern and technique in the clinical evaluation of the adult hip: the common physical examination tests of hip specialists. Arthroscopy. 2010;26(2):161-172.

10. Martin HD, Shears SA, Palmer IJ. Evaluation of the hip. Sports Med Arthrosc Rev 2010;18(2):63-75.

11. Martin RL, Kelly BT, Leunig M, Martin HD, Mohtadi NG, Philippon MJ, Sekiya JK, Safran MR. Reliability of clinical diagnosis in intraarticular hip diseases. Knee Surg Sports Traumatol Arthrosc 2010;18(5):685-690.

12. Philippon MJ, Briggs KK, Carlisle JC, Patterson DC. Joint Space Predicts THA After Hip Arthroscopy in Patients 50 Years and Older. Clin Orthop Relat Res. 2013;471(8):2492-2496.

13. Reiman MP, Mather RC 3rd, Cook CE. Physical examination tests for hip dysfunction and injury. Br J Sports Med 2015;49(6):357-61.

14. Trofa DP, Mayeux SE, Parisien RL, Ahmad CS, Lynch TS. Mastering the Physical Examination of the Athlete's Hip. Am J Orthop 2017;46(1):10-16.

15. Wenger DE, Kendell KR, Miner MR, Trousdale RT. Acetabular labral tears rarely occur in the absence of bony abnormalities. Clin Orthop Relat Res. 2004;426:145-150.

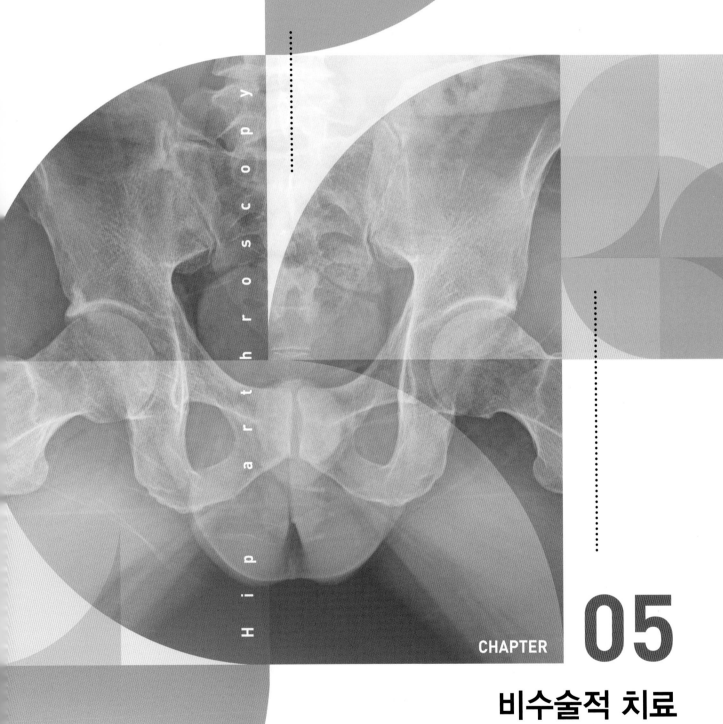

CHAPTER 05

비수술적 치료
Non-operative Treatment

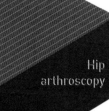

Hip
arthroscopy

CHAPTER 05

비수술적 치료
Non-operative Treatment

조영호

1
고관절 통증에 대한 비수술적 치료

고관절 통증은 젊은 연령의 환자들에서 흔히 발생하며, 특히 스포츠 활동 인구가 늘어남에 따라 빈도가 증가하는 추세이다. 최근 들어 단순 방사선 촬영에 대한 이해의 증가와 자기 공명 영상의 발달로 고관절 내부 병변이나 관절 외 질환의 작은 부분까지도 진단이 가능해짐으로써 고관절 통증을 가진 환자들의 삶의 질을 향상 시키는데 많은 기여를 하고 있다. 만성 서혜부 통증을 가진 환자들의 34%에서 한 가지 이상의 원인들을 가지고 있었는데, 이는 정확한 진단의 어려움을 말해준다. 고관절의 정상적인 생체역학은 안정되고 congruent한 비구와 대퇴골 두를 둘러싸고 있는 잘 조화된 근육들의 정상적인 활동들에 의해 이루어진다. 이런 복잡한 구조물 가운데 하나의 손상은 불균형을 초래하고 정상적인 활동이 이루어지지 못하는 원인이 된다. 또한 다른 조직에 비정상적인 부하를 초래할 수 있으며, 이와 같은 이차적인 손상이 임상적으로 발견되기도 한다. 장요근 관련 통증은 통증의 가장 흔한 이차적 원인으로, 장요근은 주요 고관절 굴곡근으로서의 역할 및 요부와 골반의 안정성에 중요한 기능을 한다. 이 단원에서는 이러한 고관절 동통에 대한 물리

치료, 약물치료, 관절 내 주사와 같은 다양한 비수술적 치료에 대해 기술하고자 한다.

1) 물리치료

적절한 물리치료는 고관절 통증을 가진 환자들을 효과적으로 관리하기 위한 초석이며, 운동의 목적은 특정 활동의 선택 또는 회피를 통해 기능과 통증을 개선하는 것이다.

(1) 대퇴 비구 충돌

대퇴 비구 충돌은 대퇴골 근위부(cam 형)와 비구부(pincer 형)가 고관절 굴곡 시 비정상적인 접촉이 일어날 때 진단된다. 이로 인해 운동 범위의 감소가 일어날 수 있으며, 비구부 혹은 대퇴부 연골 손상을 초래할 수 있고, 고관절 동통과 관련된 비구순 파열을 초래하게 된다. 이러한 충돌 발생의 골성 병변이 통증을 유발하는 경우도 있고 그렇지 않은 경우도 있으므로 방사선 촬영만으로 환자를 진단해서는 안 된다.

임상의는 충돌을 유발하는 자세에 대해 충분히 숙지하고 있어야 하며, 환자들의 일상 생활이나 스포츠 활동에서 이러한 자세를 피할 수 있도록 해야 한다. 단거리 육상 선수들의 경우, 스타팅 블럭에서 고관절의 과도한 굴곡 후 첫 몇 발을

딛는 동안, 그리고 주행 동안 발생하는 내회전으로 인해 전단력이 발생할 수 있다. 이러한 자세들을 훈련 시 줄이는 것이 충돌로 인한 동통을 줄일 수 있다. 근육 강화 운동은 고관절의 회전이 일어나는 동안 감속기를 향상 시킴으로써 연골 및 비구순에 가해지는 힘을 줄이는 방법의 일환으로 시행되어야 한다.

고관절은 정상적으로 90° 굴곡 상태에서 30-40° 정도의 내회전 및 외회전이 일어나는데, 대퇴 비구 충돌이 있는 경우 내회전은 15° 이내로 제한되는 경우가 흔하다. 운동 치료 시 제한된 운동 범위를 임의로 늘리려는 치료는 관절에 미세 손상을 증가시킬 수 있으므로 권장되지 않는다. 일반적인 보행 시에도 고관절 굴곡과 외전의 감소가 일어난다는 운동 역학에 대한 연구가 있다. 고관절 관절염이 있는 환자에서도 비슷한 변화가 일어나며, 이는 대퇴 비구 충돌이 고관절 관절염의 발생에 일정한 역할이 있음을 암시한다. 대퇴 비구 충돌에서 생체 역학이 변화되는데 이는 고관절 근력 약화로 발생할 수 있다. 대퇴 비구 충돌을 가진 환자에서 고관절의 내전, 외전, 외회전 및 내회전에서 약 16% 정도의 근육 수축 강도 감소가 확인되기도 했다. 이 근육들 가운데, 특히 외회전근 및 외전근의 약화는 활동 중 고관절의 전 내측 골 접촉 스트레스를 증가시키는 것으로 확인되었다. 이러한 특정 근육 강화 및 조정 프로그램으로 대퇴 비구 충돌 환자의 증상 및 기능 개선을 기대할 수 있다.

증상이 있는 대퇴 비구 충돌에서 수술과 동반되지 않은 순수한 운동 치료의 효과에 대해 현재까지의 결과는 제한적이며 향후 추가적인 연구가 필요한 상태이다.

(2) 비구순 병변

비구순 파열은 고관절 동통과 기능장애의 원인이 된다. 비구순은 충격 흡수, 윤활 작용을 하며 관절의 안정성에 기여를 하고 고관절에 가해지는 힘을 분산시키는 역할을 한다. 비구순 파열과 조기 관절염의 발병 사이에는 관련성이 알려져 있다. 비구순 파열은 외상, 대퇴 비구 충돌, 고관절 이형성증, 및 관절낭 이완 등과 관련되어 발생할 수 있으며, 고관절에 가해지는 반복적 회전 운동이 축적되어 발생하는 경우도 있다. 이러한 반복적 회전 운동은 고관절 관절낭과 관절

막에 부하가 지속적으로 축적되어 고관절 자체의 회전 불안정성을 초래하게 하게 되어 전상방의 비구순에 과도한 압력이 가해지게 된다. 고관절 외회전을 많이 필요로 하는 발레, 골프, 축구 등의 운동은 비구순 파열과 관련이 있다.

이론적으로 운동 요법은 비구순에 가해지는 반복적인 부하를 줄이는 방법으로 이루어져야 한다. 고관절에 가해지는 부하를 줄이고 보행 기능의 향상을 위해 활동 중 과도한 고관절 신전을 줄이고 장요근과 고관절 외전근 및 외회전근 강화 운동이 소개되어 있지만, 이의 효과에 대해서는 아직 추가적인 연구를 필요로 한다.

(3) 초기 골관절염

초기 골관절염에서 관절 연골 변성, 연골 하골 재형성 및 관절 내 활막염은 모두 임상 증상의 진행과 관련이 있다. 통증은 중심 증상이며, 종종 관절 강직, 관절 운동 범위 감소, 불안정성 및 근력 약화 등과도 관련이 있다. 관절염의 증상이 악화되면서 일상 생활의 활동을 제한하고 삶의 질을 저하시키는 신체적, 정신적 장애가 환자에게 발생할 수 있다. 운동은 전통적으로 초기 고관절 관절염의 관리에 중요한 역할을 하며 근육의 힘, 운동 범위, 관절 안정성을 향상시키는 데 목표를 두고 있다. 운동의 목표는 통증을 줄이고 신체 기능을 개선하며 일상 생활 및 레크리에이션 활동에 참여할 수 있도록 하는 것이다. 이러한 일반적인 목표는 고관절 통증을 가진 노인 환자에게도 적용 할 수 있지만 초기 기능 제한이 심각한 정신 사회적 문제를 유발할 수 있는 젊은 환자들에게도 똑같이 적용할 수 있다. 비록 운동이 고관절 관절염의 증상 완화는 얻을 수 있지만, 병의 진행을 막을 수 있다는 증거는 없다. Hernandez-Molina 등에 의한 메타 분석에 의하면 수 치료법(hydrotherapy)을 포함하여 근력 강화운동을 함께 했을 때 물리치료가 고관절 관절염에 대한 효과적인 치료라고 보고하였다. 임상에서 운동 치료는 약물치료 등과 함께할 때 효과가 있는 것으로 보는 견해가 더 지배적이다.

고관절 관절염에서 운동 요법은 병의 원인과 이에 따른 특정 활동의 제한이 어느 정도인지 등에 대한 평가를 한 후 환자 중심으로 개별화된 처방이 이루어져야 한다. 예를 들어, 조기 관절염을 동반한 대퇴 비구 충돌 환자에서는 고관

절 전내측에 부하를 줄이는 근육 강화 및 조절을 통해 증상의 완화와 관절 기능을 향상시킬 수 있다. 전문적인 운동 치료사와 함께하는 운동 프로그램 이 더 좋은 결과를 보인다는 보고도 있으므로 운동 요법의 효과를 높이기 위해서는 혼자서 하는 것 보다는 전문가의 조언을 구하고 감독 하에 함께 하는 것이 좋은 결과를 가져올 수 있다.

(4) 비만

과체중(BMI: 25-30) 혹은 비만(BMI>30)은 고관절 관절염의 잘 알려진 위험인자이며, 이를 줄이려는 노력이 반드시 필요하다. 렙틴(leptin)은 체지방에 비례하여 순환하는 지방 유래 호르몬이기 때문에 비만에서 과다 발현된다. 이것은 활액에 존재하며 생리 조건 하에서 관절 연골 세포에서 렙틴 수용체와 결합하여 IGF-1과 TGF β-1의 합성을 자극한다. 이러한 매개체는 연골 세포의 증식과 세포 외 기질 합성에 중요하며 연골 기질 생성을 증가시켜 관절에 긍정적인 동화 작용을 일으킨다. 그러나 병적으로 높은 농도에서 렙틴은 관절 연골에 대한 이화 작용을 매개한다. 렙틴은 PGE 2, IL-6, IL-8, NO (nitric oxide)를 포함한 여러 가지 염증 전구물질의 합성을 증가시킨다. 높은 NO 농도는 세포외 기질 합성을 줄이고 파괴를 증가시키며, 연골 세포의 자가사멸(apoptosis)의 증가를 유발한다. 또한 proteoglycans과 다른 연골 성분을 분해하는 효소인 matrix metalloproteinases (MMP)의 합성을 유도하여 연골의 구조적 손상도 초래한다. 이러한 인자들은 렙틴에 의해 매개되는 비만이 연골 세포의 자가사멸과 세포외 기질의 분해를 유도해 수 있음을 시사한다. 그러므로 비만은 생체 역학적으로 관절에 과부하를 줄 뿐 아니라 세포 수준에서 유해한 대사 효과의 결과를 보여주므로 관절염의 상태를 호전시킬 수 있는 조절 가능한 위험인자라 할 수 있다. 이러한 근거는 체중을 줄이는 것이 관절염에 어떠한 영향을 줄 수 있는지를 보여주는 좋은 연구라 할 수 있다.

2) 약물치료

(1) Paracetamol

Paracetamol은 해열제와 함께 널리 사용되는 단순 진통제이다. 이것은 특별한 항염(anti-imflammatory) 효과가 없지만 조기 관절염 치료에 있어서 많이 권장되고 있다. 하루 최대 용량은 1일 4 g이며, 고용량에서는 간독성이 있으므로 간질환이 있는 환자들에서는 피해야 한다. 고관절 병변에서 효과적인 진통제의 사용은 전반적인 관절염의 관리 계획과 관련하여 특히 중요한데 통증이 조기에 관리된다면 관절이나 주변 연부조직에 가해지는 2차적인 악영향을 막을 수 있다.

경증에서 중등도의 관절염에 대해서는 paracetamol이 통증 완화에 효과적이지만 진행된 관절염에서는 비스테로이드성 항염제(NSAIDs)가 paracetamol에 비해 통증 개선 효과가 현저하게 우월하다고 알려져 있다. 퇴행성 관절염도 일종의 염증성 관절 질환으로 받아 들여지고 있으므로, 염증 반응을 줄이면 통증이 크게 개선될 것으로 예상된다.

(2) 비스테로이드성 항염제(non-steroidal anti-inflammatory drugs)

고관절 관절염 치료에 비스테로이드성 항염제를 사용하는 것은 널리 이용되는 치료법이다. 이는 Cyclo-Oxygenase (COX) 억제를 통해 프로스타글란딘 합성을 감소시켜 중추 및 말초 모두에 작용을 하여 염증을 줄이고 통증에 대한 감각 수용체를 감소시키는 역할을 한다.

경구용 NSAIDs는 본질적으로 COX-2 억제에 선택적인 것들과 COX-1 및 COX-2에 대하여 비선택적인 것들로 분류된다. 비선택적 COX 억제가 위 점막을 보호하는 특정 프로스타글란딘의 합성을 감소시키기 때문에 위장 출혈 및 궤양 위험을 줄이기 위해 선택적 COX-2 억제 NSAID가 개발되었다. 출혈이나 천공과 같은 중요한 위장관 합병증은 비선택적 NSAIDs를 복용한 경우 2%로 보고되어 있지만, 선택적 COX-2 억제 NSAID를 복용한 환자에서는 0.2% 정도 발생하는 것으로 알려져 있다. 그러나 일부 선택적 COX-2 억제제(rofecoxib와 valdecoxib)는 심혈관 질환의 잠재적인 위험을 높이는 것으로 알려져 시장에서 철수되었다. NSAIDs는 또한 신장 기능에 악영향을 줄 수 있으며, 뼈와 힘줄 치유에 악영향을 미칠 수 있다. Paracetamol만으로는 증상을 조절할 수 없거나 임상적으로 염증 징후가 있는 경우 NSAIDs가 일반적으로 관절염 환자들에 권장되는데, 가장 낮은 유효 용량으로 사용해야 하며 프로톤 펌프 억제제나 misoprostol과 같은 위장관 보호제와 병용 투여하는 것을 고려해야 한다.

관절염이 없는 고관절 병변에서 NSAIDs를 사용하는 이유는 수반되는 염증 때문이다. 비구순 파열 혹은 대퇴 비구 충돌에서 수반되는 활액막의 염증을 줄이기 위해 사용되는 NSAIDs는 단기적으로 효과를 나타낸다. 퇴행성 관절염은 과거에는 염증성 관절염과 동의어가 아니었지만 관절염 초기에 연골과 활액 조직에서 연골 변성에 관여하는 여러 가지 염증 매개 물질들이 발현되는 것이 확인된 후 NSAIDs의 사용은 그 근거를 마련하였으며, 특히 질환의 경과를 변화시킬 수 있다고 받아들여지고 있다.

(3) Codeine based medication

마약성 진통제는 관절 질환과 관련된 통증 치료에 효과가 있지만 오심, 현기증, 변비 등의 부작용이 있으므로 젊은 환자들의 치료에는 그 이용이 제한적이며 단기적으로 통증 완화를 위해 사용할 수는 있으나 장기적 사용은 금해야 한다.

3) 관절 내 주사 요법

(1) 스테로이드제

코르티코 스테로이드는 혈관 투과성 감소 및 백혈구 활성화 억제를 통해 염증 반응을 제한하는 강력한 항염 약제이다. 또한 프로스타글란딘, matrix metalloproteinase (MMP) 및 인터루킨과 같은 염증 매개체를 억제한다. MMP는 연골 기질 분해와 관련된 물질이며 IL1과 IL6는 염증성 및 퇴행성 관절 질환에서 발견되며 퇴행성 관절염의 진행 초기에 연골 파괴에 관여하는 것으로 알려져 있다.

반복된 관절 내 스테로이드 주사의 영향에 대한 연구를 보면 스테로이드는 섬유 아세포 및 콜라겐 생성을 억제하고 골 재형성에 관여하는 조골 세포와 파골 세포에도 악영향을 미친다. 또한 관절 연골에 낭종성 변화를 초래하기도 하며 연골의 두께가 얇아지는 등의 변화도 유발하여 연골의 파괴를 가속화할 뿐만 아니라 연골의 탄성도 감소시킨다는 보고도 있다. 국소 마취제와 병용하는 경우 연골 세포에 대한 독성이 알려져 있으므로 반복적인 주사로 연골과 연골 세포에

비가역적인 악영향을 줄 수 있음을 알아야 한다. 그러므로 젊은 환자의 관절에 스테로이드를 주입하는 것은 주의 깊게 판단되어야 하며, 스테로이드 주사 후 일상 생활과 스포츠 활동으로의 조기 복귀가 장기적으로 관절 연골에 더 악영향을 줄 수도 있다는 것을 고려해야 한다. 짧은 기간 동안의 반복적 주사에 의한 대퇴골두 무혈성 괴사에 대한 보고도 있으며 급속한 고관절 파괴(rapidly destructive coxarthrosis) 등의 심각한 합병증에 대한 보고도 있는데, 이는 골수 부종이 심하거나 연골 하 골로의 미세 균열이 있는 경우에서 발생하였다. 화농성 관절 감염은 또 다른 심각한 합병증이며 적절한 피부 소독과 무균적 기술이 필수적이다. 고관절에 대한 모든 주사는 방사선 혹은 초음파 등을 통해 관절 내 정확한 주입이 되는지를 확인하며 시행하는 것이 중요하다.

다수의 전문가 의견에 따르면 치료 목적으로 통증 경감을 위해 또는 젊은 연령으로 인해 인공 고관절 전 치환술의 대상이 아닌 환자에서 스테로이드 주사의 역할을 인정하고 있다. 스테로이드 주사는 6-12주 동안 통증 경감에 효과가 있는 것으로 알려져 있으며, 관절 기능의 향상에도 일정 부분 기여하는 것으로 보고하고 있다.

급성 외상에 의한 비구순 파열 혹은 염증 감소가 필요한 활액막염 또는 점액낭염 등에서는 스테로이드 주사가 효과적인 치료일 수 있다. 또한 대퇴 비구 충돌에서 관절 주변에 발생한 염증의 완화를 위한 목적으로도 사용될 수 있다. 그러나 통증보다는 제한된 운동성이 가장 중요한 증상이라면 수술적 고려에 앞서 관절 내 히알루론산 주사가 단기적인 개선에 더 도움을 준다는 보고도 있다.

(2) Viscosupplementation

Viscosupplementation은 히알루론산의 관절 내 주사를 의미하며 20년 전 치료 목적으로 사용된 것이 처음 발표되었다. 히알루론산은 약 1×10^7 Da의 분자량을 가지며 연골 세포와 활막 세포에 의해 생성되는 다당류이다. 이것은 활액의 주성분이며 연골의 세포외 기질 및 활막의 중요 구성 성분이다. 히알루론산은 연골의 구조적 및 기능적 완전성(integrity)을 직접적으로 유지하고, 정상적인 관절 운동성 및 효과적인 충격 흡수를 가능하게 하는 데 중요한 역할을 하

다. 슬관절에서의 연구에 의하면 퇴행성 관절염에서는 활액의 점탄성이 감소하며 이로 인해 관절 연골 손상의 위험이 증가한다. 관절염 상태에서 히알루론산의 평균 분자량도 약 2×10^5 Da로 감소한다. 또한, 관절 운동과 연골 건강에 있어 히알루론산의 역할은 염증 반응의 조절을 통해 관절 내 항상성을 유지하는 중요한 역할을 한다. 히알루론산은 아라키돈산(arachidonic acid)과 IL1의 방출을 억제하는 기능도 알려져 있는데 IL1은 염증 조직에서 발견되고, 연골 분해를 일으키며, 초기 관절염에서 확인되는 염증 유발 인자인 프로스타글란딘 E2(PGE2)의 생성도 증가시킨다.

히알루론산 주사 후 구심성 통각수용체(afferent nociceptor)의 활성을 즉각적으로 감소시킴으로 단기간의 통증 완화를 얻을 수 있으며 PGE2, IL-1 및 다른 염증성 사이토카인의 감소를 통해 항염 효과를 조절할 수 있다. 이러한 기전을 통해 히알루론산은 통증과 염증이 있는 관절의 통증을 완화하고 궁극적으로 연골 보존에 대한 잠재력도 가진다. 그러나 무릎 골관절염에 대한 많은 메타 분석에서 일반적으로 약효가 나타나는데 4주 정도의 지연이 있음도 확인되었다.

히알루론산을 관절 내 주입하면 활액 세포를 자극하여 내인성 히알루론산의 합성을 촉진한다는 연구도 있다. 이것은 관절 내 주사한 히알루론산이 단기간 관절 내에 있지만 주사 후 장기 효과에 대한 하나의 잠재적 기전일 수 있다. 고분자량의 히알루론산은 상대적으로 저분자량의 히알루론산에 비해 관절 내에 머무르는 기간이 길며, 슬관절 골관절염이 있는 환자에서 통증 완화에 더 효과적이라는 연구 결과가 있다. 하지만 다른 연구에서는 분자량에 따른 효과의 차이는 없었다는 보고도 있다. 고분자량의 히알루론산은 생물학적으로 더 활동적이며 내인성 히알루론산과 유사하여 관절의 운동성을 증가시키는 효과는 크지만, 활막의 세포외 기질로의 침투가 약해 활막 염증을 감소시키는 효과는 적은 것으로 알려져 있다. 실험적인 연구에 의하면 히알루론산은 연골 세포의 농도를 증가시키며 관절 연골 구조를 향상시킨다는 결과가 있지만, 이러한 결과를 뒷받침하는 임상적인 연구 결과는 없으므로 골관절염의 장기적인 치료제로는 인정되지 않는다.

References

1. LaBan MM, Meerschaert JR, Taylor RS, Tabor HD. Symphyseal and sacroiliac joint pain associated with pubic symphysis instability. Arch Phys Med Rehabil. 1978;59:470–2.
2. Willson JD, Dougherty CP, Ireland ML, Davis IM. Core stability and its relationship to lower extremity function and injury. J Am Acad Orthop Surg. 2005;13:316–25.
3. Andersson E, Oddsson L, Grundstrom H, Thorstensson A. The role of the psoas and iliacus muscles for stability and movement of the lumbar spine, pelvis and hip. Scand J Med Sci Sports.1995;5:10–6.
4. Kennedy MJ, Lamontagne M, Beaule PE. Femoroacetabular impingement alters hip and pelvic biomechanics during gait walking biomechanics of FAI. Gait Posture. 2009;30:41–4.
5. Rylander JH, Shu B, Andriacchi TP, Safran MR. Preoperative and postoperative sagittal plane hip kinematics in patients with femoroacetabular impingement during level walking. Am J Sports Med. 2011;39(Suppl):36S–4242.
6. Casartelli NC, Leunig M, Item-Glatthorn JF, Lepers R, Maffiuletti NA. Hip flexor muscle fatigue in patients with symptomatic femoroacetabular impingement. Int Orthop. 2012;36(5):967–73.
7. Yazbek PM, Ovanessian V, Martin RL, Fukuda TY. Nonsurgical treatment of acetabular labrum tears: a case series. J Orthop Sports Phys Ther. 2011;41:346–53.
8. McCarthy J, Noble P, Aluisio FV, Schuck M, Wright J, Lee JA. Anatomy, pathologic features, and treatment of acetabular labral tears. Clin Orthop Relat Res. 2003;406:38–47.

9. Lewis CL. Walking in greater hip extension increases predicted anterior hip joint reaction forces. In: XXth Congress of the International Society of Biomechanics, 2005 July 31–August 5; Cleveland, OH; 2005.

10. Hernandez-Molina G, Reichenbach S, Zhang B, Lavalley M, Felson DT. Effect of therapeutic exercise for hip OA pain: results of a meta-analysis. Arthritis Rheum. 2008;59:1221–8.

11. Casartelli NC, Maffi uletti NA, Item-Glatthorn JF, et al. Hip muscle weakness in patients with symptomatic femoroacetabular impingement. Osteoarthritis Cartilage. 2011;19:816–21.

12. Mazieres B, Thevenon A, Coudeyre E, Chevalier X, Revel M, Rannou F. Adherence to, and results of, physical therapy programs in patients with hip or knee OA. Development of French clinical practice guidelines. Joint Bone Spine. 2008;75:589–96.

13. McCarthy CJ, Mills PM, Pullen R, Roberts C, Silman A, Oldham JA. Supplementing a home exercise programme with a class- based exercise programme is more effective than home exercise alone in the treatment of knee OA. Rheumatology (Oxford). 2004;43:880–6.

14. Pottie P, Presle N, Terlain B, Netter P, Mainard D, Berenbaum F. Obesity and OA: more complex than predicted! Ann Rheum Dis. 2006;65:1403–5.

15. Jerosch J. Effects of glucosamine and chondroitin sulfate on cartilage metabolism in OA: outlook on other nutrient partners especially omega-3 fatty acids. Int J Rheumatol. 2011;2011:969012.

16. Blaney Davidson EN, van der Kraan PM, van den Berg WB. TGF beta and OA. Osteoarthritis Cartilage. 2007;15:597–604.

17. Otero M, Lago R, Lago F, Reino JJ, Gualillo O. Signalling pathway involved in nitric oxide synthase type II activation in chondrocytes: synergistic effect of leptin with interleukin-1. Arthritis Res Ther. 2005;7:R581–91.

18. Sasaki K, Hattori T, Fujisawa T, Takahashi K, Inoue H, Takigawa M. Nitric oxide mediates interleukin-1-induced gene expression of matrix metalloproteinases and basic fibroblast growth factor in cultured rabbit articular chondrocytes. J Biochem. 1998;123:431–9.

19. Zhang W, Moskowitz RW, Nuki G, et al. OARSI recommendations for the management of hip and knee OA, part II: OARSI evidence-based, expert consensus guidelines. Osteoarthritis Cartilage. 2008;16:137–62.

20. Towheed TE, Maxwell L, Judd MG, Catton M, Hochberg MC, Wells G. Acetaminophen for OA. Cochrane Database Syst Rev. 2006;25(1):CD004257.

21. Sycha T, Gustorff B, Lehr S, Tanew A, Eichler HG, Schmetterer L. A simple pain model for the evaluation of analgesic effects of NSAIDs in healthy subjects. Br J Clin Pharmacol. 2003;56:165–72.

22. Layton D, Heeley E, Hughes K, Shakir SA. Comparison of the incidence rates of selected gastrointestinal events reported for patients prescribed rofecoxib and meloxicam in general practice in England using prescription-event monitoring data. Rheumatology (Oxford). 2003;42:622–31.

23. Dahners LE, Mullis BH. Effects of nonsteroidal anti- infl amatory drugs on bone formation and soft-tissue healing. J Am Acad Orthop Surg. 2004;12:139–43.

24. Avouac J, Gossec L, Dougados M. Effi cacy and safety of opioids for OA: a meta-analysis of randomized controlled trials. Osteoarthritis Cartilage. 2007;15:957–65.

25. Habib GS, Saliba W, Nashashibi M. Local effects of intra-articular corticosteroids. Clin Rheumatol. 2010;29:347–56.

26. Attur MG, Palmer GD, Al-Mussawir HE, et al. F-spondin, a neuroregulatory protein, is up-regulated in OA and regulates cartilage metabolism via TGF-beta activation. FASEB J. 2009;23:79–89.

27. McDonough AL. Effects of corticosteroids on articular cartilage: a review of the literature. Phys Ther. 1982;62:835–9.

28. Papacrhistou G, Anagnostou S, Katsorhis T. The effect of intraarticular hydrocortisone injection on the articular cartilage of rabbits. Acta Orthop Scand Suppl. 1997;275:132–4.

29. Kuhn K, D'Lima DD, Hashimoto S, Lotz M. Cell death in cartilage. Osteoarthritis Cartilage. 2004;12:1–16.

30. Yamamoto T, Schneider R, Iwamoto Y, Bullough PG. Rapid destruction of the femoral head after a single intraarticular injection of corticosteroid into the hip joint. J Rheumatol. 2006;33: 1701–4.

31. Robinson P, Keenan AM, Conaghan PG. Clinical effectiveness and dose response of image-guided intra-articular corticosteroid injection for hip OA. Rheumatology (Oxford). 2007;46:285–91.

32. Bagga H, Burkhardt D, Sambrook P, March L. Longterm effects of intraarticular hyaluronan on synovial fl uid in OA of the knee. J Rheumatol. 2006;33:946–50.

33. Gomis A, Pawlak M, Balazs EA, Schmidt RF, Belmonte C. Effects of different molecular weight elastoviscous hyaluronan solutions on articular nociceptive afferents. Arthritis Rheum. 2004;50: 314–26.

34. Brocq O, Tran G, Breuil V, Grisot C, Flory P, Euller-Ziegler L. Hip OA: short-term effi cacy and safety of viscosupplementation by hylan G-F 20. An open-label study in 22 patients. Joint Bone Spine. 2002;69:388–91.

35. Smith MM, Ghosh P. The synthesis of hyaluronic acid by human synovial fi broblasts is infl uenced by the nature of the hyaluronate in the extracellular environment. Rheumatol Int. 1987;7:113–22.

36. Wobig M, Bach G, Beks P, et al. The role of elastoviscosity in the efficacy of viscosupplementation for OA of the knee: a comparison of hylan G-F 20 and a lower-molecular-weight hyaluronan. Clin Ther. 1999;21:1549–62.

37. Tikiz C, Unlu Z, Sener A, Efe M, Tuzun C. Comparison of the efficacy of lower and higher molecular weight viscosupplementation in the treatment of hip OA. Clin Rheumatol. 2005;24:244–50.

38. Ghosh P, Guidolin D. Potential mechanism of action of intraarticular hyaluronan therapy in OA: are the effects molecular weight dependent? Semin Arthritis Rheum. 2002;32:10–37.

39. Van Den Bekerom MP, Mylle G, Rys B, Mulier M. Viscosupplementation in symptomatic severe hip OA: a review of the literature and report on 60 patients. Acta Orthop Belg. 2006;72:560–8.

40. Migliore A, Granata M, Tormenta S, et al. Hip viscosupplementation under ultra-sound guidance reduces NSAID consumption in symptomatic hip OA patients in a long follow-up. Data from Italian registry. Eur Rev Med Pharmacol Sci. 2011;15:25–34

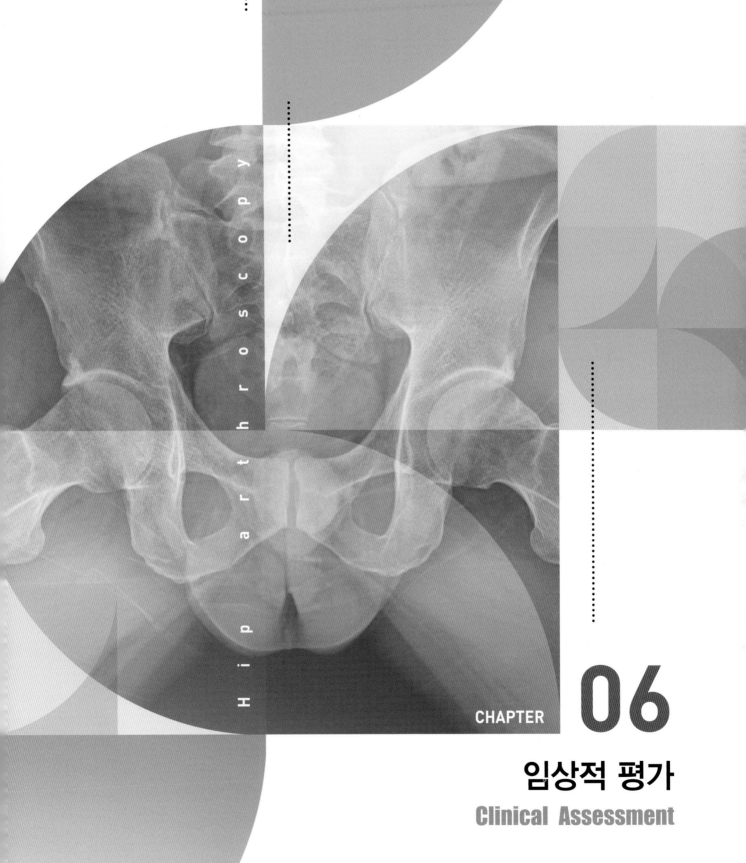

Hip arthroscopy

CHAPTER 06

임상적 평가

Clinical Assessment

CHAPTER 06

임상적 평가
Clinical Assessment

이영균

고관절은 다른 관절과 달리 볼(ball)과 소켓 형태의 관절로 깊숙이 위치해 있으며, 관절 주변에 중요한 신경혈관 다발이 가깝게 위치하여 기술적으로 관절경 시술이 쉽지 않았다. 그러던 중 1931년 Burman에 의해 사체에서 고관절에 대한 첫 관절경 시도가 시행되었다. 이후 고관절의 정상 해부학적 구조와 병태생리에 대한 이해가 높아지고, 비침습적인 검사 장비 및 영상기술의 발달로 고관절 관절경 또한 발전하게 되었다.

고관절 부위 통증은 고관절 자체의 병변 이외에도 관절 주위 및 척추에서 발생하는 방사통 등이 원인이 될 수 있어 감별이 중요하다. 관절 내 원인으로는 비구순 파열, 연골 손상, 원형인대 파열, 유리체, 대퇴 비구 충돌, 고관절 이형성증과 불안정성 등이 있고, 관절 주위 병변으로는 대전자 점액낭염, 탄발음성 고관절, 고관절 굴곡근 및 슬와근의 염좌와 건염, 이상근 증후군, 중둔근 건염과 파열 등이 있다. 더욱이 고관절 통증 시에는 복부와 골반뿐 아니라 척추 병변으로 인한 방사통 및 연관통의 가능성이 있으므로 이를 배제하는 것이 중요하다. 따라서 정확한 진단을 위해서는 주의 깊은 병력 청취, 신체 검진과 단순 방상선 촬영을 통해 고관절 병변을 확인하여야 하며, 자기공명영상 검사나 자기공명 관절조영술 같은 고가의 검사를 이용하여 도움을 받을 수

있다. 일부의 환자에서는 관절경 자체가 고관절 내 병변을 진단하기 위한 도구로 사용된다.

고관절 관절경은 최소 침습 수술 기법으로써, 손상을 최소화하면서 고관절 질환 및 손상에 대한 치료 방법의 하나로 이용될 수 있다. 한편 고관절 관절경술 후 만족할 만한 임상적 결과를 얻기 위해서는 정확한 진단 및 임상적 평가를 하는 것이 중요하며, 최근의 환자 중심의 결과 보고를 고려하면 관절경술 이후에도 임상적 평가가 중요하다.

1
임상적 평가

• 병력 청취

고관절 병변을 확인하는 첫 단계로 철저한 병력 청취가 가장 중요하다. 통증의 위치, 발생시기, 기간과 강도 등의 통증 발생 양상과 외상 유무를 통해서도 어느 정도 진단을 할 수 있으며, 특히 통증의 악화 및 완화와 관련된 인자를 확인한다. 과거에 어떠한 치료를 받았는지, 평소 취미와 체육활동에 대해서도 조사하는 것이 도움이 된다. 유아기에 비구 이형성증 등으로 치료받은 적이 있는지 확인한다. 청소년기

의 고관절 통증 병력은 Legg–Calve–Perthes 병이나 대퇴골두 골단 분리증 후유증 등의 단서가 될 수 있다.

통증의 위치와 양상으로 증상의 원인이 고관절 내 병변인지 예측해 볼 수 있다. 일반적으로 연골손상과 비구순 파열 같은 관절 내 병변은 서혜부의 통증과 기계적인 통증을 호소한다. 간혹 환자들이 엄지는 서혜부, 중지는 후외측으로 향하여 손으로 C자를 만들어(C-sign) 고관절 서혜부를 감싸 쥐는 경우가 있어 진단에 도움이 될 수 있다.

고관절의 기계적인 통증을 나타내는 관절 내 병변은 체중부하 시 날카로운 통증(sharp pain)과 굴곡하면서 앉을 때 불편감, 그리고 앉았다 일어설 때 통증이나 걸리는 듯한 느낌을 호소한다. 보행 시 catching, clicking, popping 또는 잠김 현상을 호소하는 경우도 있을 수 있으나 관절 내 병변에 덜 특이적이다.

관절 외 병변으로는 둔부와 근위 대퇴부 근육이 기원하는 대퇴부나 둔부의 통증, 요추에서 발생하는 방사통이 있다. 하복부나 adductor tubercle에 통증이 있는 경우 athletic pubalgia나 osteitis pubis를 의심해 볼 수 있다. 외부형 탄발음성 고관절에서는 대전자 주위의 통증과 탄발음을 호소하며 고관절이 빠지는 것 같다고 호소하기도 하며, 육안으로 snapping이 관찰될 수도 있다. 내부형 탄발음성 고관절은 깊숙이 느껴지는 것으로 청진이나 촉진으로 확인할 수도 있다.

하지 근력 약화나 저림, 요통과 동반될 경우, 기침 시 악화되는 통증은 흉요추의 병변일 가능성이 높다. Athletic pubalgia 환자는 윗몸 일으키기를 할 때 통증이 있다. 고관절의 병변이 슬관절 통증으로 나타날 때도 있으므로 슬관절 통증을 호소하는 경우에도 고관절 병변 유무를 확인해야 한다.

다른 내과적 또는 외과적 병력에 대해서도 확인하여야 하며, 악성종양, 응고관련 질환, 류마티스 관절염 같은 염증성 질환 등의 전신 질환이 있는지도 물어본다. 응고와 대사 장애(지방, 갑상선, homocyteine, 응고 장애)는 대퇴골두 혈액 공급에 장애를 준다. 대퇴골두 무혈성 괴사의 위험 인자로는 음주, 스테로이드 복용, 흡연 등이 있다.

• 환자 자가 기입 임상 평가(임상 설문 검사)

건강과 관련하여 대표적인 자가 기입 임상 평가로는 SF–36이나 EQ5–D 등이 있는데, 이러한 자가 기입 설문지는 관절의 상태에 대한 설문이라기 보다는 전반적인 건강에 대한 상태를 묻는 항목들로 이루어져 있어서 고관절의 상태를 직접적으로 평가하기에는 부족하며, 부수적으로 이용할 수 있다. 고관절의 상태를 직접 평가하기 위한 자가 기입 임상 평가를 위해서는 Harris Hip Score (HHS)나 Western Ontario and McMaster Universities Osteoarthritis Index (WOMAC) 등이 가장 널리 사용되어 왔다. 하지만 이들 설문의 경우 외상 후 관절염이나 진행된 관절염 환자에서 인공관절 수술 및 관절보존술 수술 이전이나 수술 이후 임상 결과를 평가하기 위해 개발되었다. 따라서 상당히 진행된 고관절 관절염의 임상 기능을 평가하기 위해 최적화된 설문이라고 할 수 있다.

하지만 고관절 관절경을 받는 대부분의 환자들은 관절염이 상당히 진행된 경우라기보다는 활동성이 높은 젊은 연령대의 환자들로 관절염 발생 이전에 해당하므로 기존의 자가 기입 임상 설문을 적용하는 것이 부적합할 수 있어, 고관절 관절경을 평가하기 위한 새로운 자가 기입 임상 평가의 개발이 필요하였다.

이에 좀 더 젊은 연령대의 환자를 대상으로 하며, 설문 내용이 기존의 HHS 나 WOMAC에서 다루는 질문보다 운동 활동이나 기계적 증상에 좀 더 초점을 맞추기 위한 자가 기입 설문으로 Hip Disability and Osteoarthritis Outcome Score (HOOS), Hip outcome Score (HOS), iHOT-12 등이 개발되어 그 타당성이 증명되고 여러 나라 언어로 번역되었으며, 최근에는 국문으로도 번역되어 우리나라에서도 사용할 수 있게 되었다.

1) VAS (visual analogue scale)

VAS는 가장 간단하게 통증에 대해 평가할 수 있는 대표적인 방법으로, 예를 들어 0점에서 10점까지 그 통증 정도 (severity)를 연속형 변수로 평가할 수 있다(그림 1).

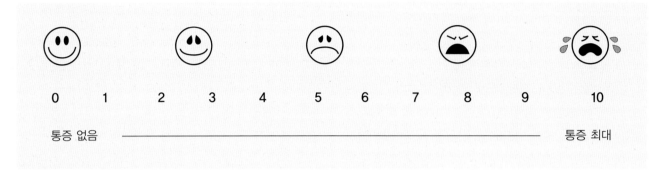

그림 1 VAS (visual analogue scale)

2) Hip Disability and Osteoarthritis Outcome Score (HOOS)

HOOS는 과거 관절염에 특이적으로 사용되는 WOMAC 설문을 기반으로 높은 신체적 기능을 필요로 하는 젊고 활동적인 환자들에서 고관절의 상태를 평가하기 위하 목적으로 개발되었다(http://www.koos.nu). 증상(Symptoms), 강직(Stiffnes), 통증(Pain), 기능-일상생활(Activity of Daily Living, ADL), 기능-운동과 여과활동(Sports/Recreation) 그리고 삶의 질(Quality of Life, QoL) 총 5개의 분야로 이루어져 있다.

기존의 WOMAC의 증상과 통증 분야 항목을 그대로 이용하면서 강직과 통증 분야에 각각 3개와 5개의 항목이 추가되었다. 기능-일상생활 분야는 기존 WOMAC의 기능 분야 17개 문항에 해당하며, 기능-운동과 여과활동. 그리고 삶의 질 분야가 새롭게 추가 개발되었다. 각 문항마다 5단계의 리커트 척도(Likert scale)로 표시하도록 하였으며, WOMAC과 달리 제일 나쁜 상태가 0점, 제일 좋은 상태가 100점으로 환산되도록 하였다.

3) Hip Outcome Score (HOS)

HOS는 처음부터 고관절 관절경 수술을 받는 환자들을 대상으로 임상 결과를 평가하기 위해서 개발되었으며, 그 타당성이 입증된 자가 기입 임상 평가 설문이다.

환자가 지난 한 주 동안 지내면서 느낀 고관절 상태에 대해 일상생활에서 느끼는 점에 대해 5단계의 리커트 척도

로 이루어진 19개의 문항과 현재 일상생활에서 고관절 기능을 0점에서부터 100점으로 환산하여 기입하도록 하는 질문이 있다. 그리고 지난 한 주 동안 운동 중에 느끼는 고관절 상태에 대해 5단계의 리커트 척도로 이루어진 9개의 문항과 현재 운동중의 고관절 기능을 0점에서부터 100점으로 환산하여 기입하도록 하는 마지막 질문이 있다(https://static-content.springer.com/esm/art%3A10.1007%2Fs00167-014-2946-0/MediaObjects/167_2014_2946_MOESM1_ESM.pdf).

4) Non Arthritis Hip Score (NAHS)

NAHS 또한 처음부터 고관절 관절경 수술을 받는 환자들을 대상으로 임상 결과를 평가하기 위해서 개발되었으며, 그 타당성이 입증된 자가 기입 임상 평가 설문이다.

NAHS는 지난 48시간 동안 느끼는 고관절의 통증 정도를 묻는 5단계의 리커트 척도로 이루어진 5개의 문항과 증상에 대한 염려를 묻는 4문항, 그리고 신체적 기능에 대해 묻는 5개의 문항이 있으며, 추가로 지난 한달 동안의 통증의 정도에 대해 묻는 6개의 문항으로 구성되어 있다. 제일 나쁜 상태가 0점, 제일 좋은 상태가 80점으로 환산된다.

5) International Hip Outcome Tool (iHOT-12)

iHOT-12은 젊은 성인을 대상으로 고관절의 기능을 평가하는 자가 기입 임상 평가 설문으로 총 12개의 질문으로 구

성되어 있다. 각 질문에 대해 지난 한달 동안의 고관절 상태에 대해 NRS로 0점에서 10점까지 답하도록 되어 있으며, 최근 고관절 관절경의 수술 평가를 위해 가장 많이 사용되고 있는 임상 평가 방법 중 하나이다.

• 시술 후 평가

관절경 수술을 통해 환자를 치료한 이후에는 객관적이고 타당한 임상적 지표를 이용하여 그 효과를 평가하고 입증할 수 있다. 전신적인 건강 상태에 대해서 SF-36나 EQ5-D 등의 도구를 이용할 수 있겠으나, 고관절의 상태에 대해 고관절 특이적인 자가 기입 설문 도구인 HHS, WOMAC, HOOS, HOS, NAHS, iHOT-12 등 관절 상태와 관련한 평가 도구를 사용하여 평가할 수 있다. 즉 수술 전 시행한 임상 평가와 동일한 임상 평가를 이용하여 수술 전과 비교 평가할 수 있다.

References

1. Lee YK, Chung CY, Koo KH, Lee KM, Lee DJ, Lee SC, Park MS. Transcultural adaptation and testing of psychometric properties of the Korean version of the Hip Disability and Osteoarthritis Outcome Score (HOOS). Osteoarthritis Cartilage 2011;7:853

2. Lee YK, Ha YC, Martin RL, Hwang DS, Koo KH. Transcultural adaptation of the Korean version of the Hip Outcome Score. Knee Surg Sports Traumatol Arthrosc 2015;11:3426

3. Christensen CP, Althausen PL, Mittleman MA, Lee JA, McCarthy JC. The nonarthritic hip score: reliable and validated. Clin Orthop Relat Res. 2003;(406):75-83.

4. Griffin DR, Parsons N, Mohtadi NG, Safran MR (2012) A short version of the International Hip Outcome Tool (iHOT-12) for use in routine clinical practice. Arthroscopy 28:611–616; quiz 616–618

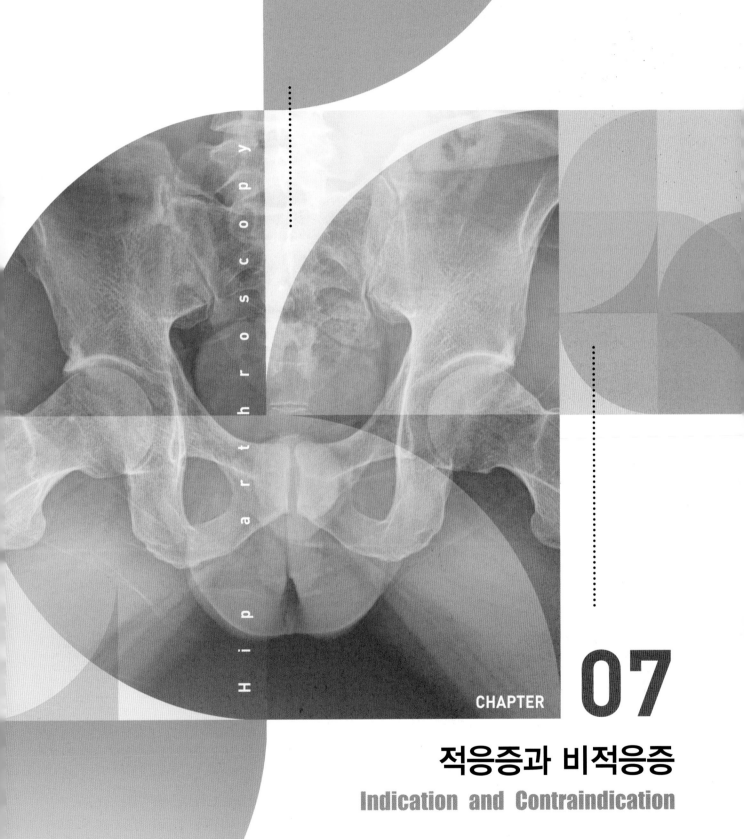

CHAPTER **07**

적응증과 비적응증
Indication and Contraindication

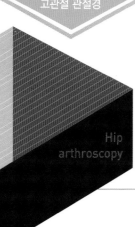

CHAPTER 07

Hip arthroscopy

적응증과 비적응증
Indication and Contraindication

문남훈

1 관절경 수술의 적응증

고관절 관절경의 술기가 발달하고 대중화되면서 고관절 관절경의 적응증은 과거에 비해 다양해지고 있다(표 1). 그럼에도 불구하고 구면성(sphericity)을 가지는 대퇴골두의 해부학적 특징과 두꺼운 관절낭 및 관절을 둘러싸는 근육들로 인하여 고관절 관절경은 여전히 술기 면에서 까다로운 수

술로 받아들여지고 있으며, 모든 고관절 질환에 적용하기에는 아직 한계가 있다. 또한 고관절 관절경 수술의 예후는 환자가 술 전에 가지고 있는 관절염의 정도와 밀접한 상관관계가 있으므로 수술을 시작하기에 앞서 철저한 방사선학적 평가를 시행하는 것이 중요하다. Domb 등은 2 mm 이상의 관절간격 협소 소견이 있거나 1단계 이상의 Tönnis grade 인 경우에는 예후가 나쁠 수 있다는 점을 보고한 바가 있으며, Philippon 등은 2 mm 이하의 관절 간격을 보이는 50세

표 1 고관절 관절경 수술의 적응증

관절 내 병변(intraarticular pathology)	관절 외 병변(extraarticular pathology)
• 중심 구획(central compartment) 　비구순 파열(labral tear) 　연골 손상(chondral pathology) 　원형인대 손상(ligamentum teres pathology) 　세균성 관절염(septic arthritis) 　관절 내 유리체(loose bodies) 　대퇴골두 무혈성 괴사(femoral head osteonecrosis)	• 전자주위 구획(peritrochanteric compartment) 　외측 발음성 고관절(external snapping) 　석회성 건염(calcific tendinitis)
• 변연 구획(peripheral compartment) 　대퇴비구 충돌(femoroacetabular impingement) 　장골극하 충돌 증후군(subspinal impingement) 　활액막 병변(synovial disorders) 　관절낭 병변(capsular disorder) 　장요근건 병변(psoas tendon disorders)	• 심부 둔부 구획(deep gluteal compartment) 　좌골 대퇴 충돌 증후군(ischiofemoral impingement) 　햄스트링 견열(hamstring avulsion) 　좌골 신경 병변(sciatic nerve disorders)

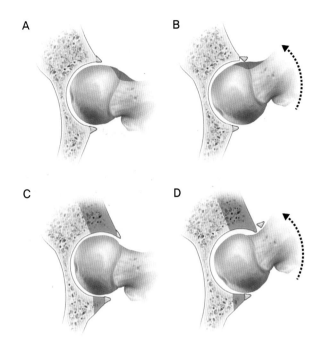

그림 1 (A) 대퇴골두와 대퇴경부 사이에서 비구면성(asphericity)을 보이는 병변에 의한 cam 형의 충돌. (B) Cam 형의 충돌은 관절 연골에 전단력(shearing force)과 압박력으로 작용하여 비구-연골 접합부위(chondrolabral junction)에서 섬유연골 분리(fibrocatilagious dissociation)를 초래할 수 있다. (C) 과성장된 비구의 가장자리에 의한 pincer 형의 충돌. (D) Pincer 형의 충돌은 비구순에 압박력으로 작용하여 비구순 파열을 초래할 수 있으며, 지렛대 작용에 의해 반대쪽 비구순에 병변을 만들기도 한다.

이상의 환자의 경우 2 mm 이상의 관절 간격을 보이는 환자에 비해서 인공관절전치환술을 받을 가능성이 12배나 높은

것으로 보고한 바가 있다. 이에 고관절 관절경 수술을 시행하는 경우에는 분명한 적응증을 바탕으로 충분한 술 전 평가를 통해서 환자의 병변과 통증의 양상을 분석하고 문제가 되는 병변을 관절경을 이용하여 해결이 가능한지 여부를 확인하는 것이 중요하다.

1) 관절 내 병변

(1) 대퇴비구 충돌증후군(femoroacetabular impingement)

대퇴비구 충돌증후군은 활동적인 젊은 환자에서 관절 내 비구순 파열 및 연골 손상을 야기하여 고관절 통증을 발생시킬 수 있다. 많은 문헌을 통해서 pincer 혹은 형태의 비구 혹은 대퇴골의 형태학적 변형이 관절운동 시 관절의 불일치나 부분적으로 관절의 과도한 접촉 부하를 일으킬 수 있고, 이러한 문제가 고관절의 점진적인 퇴행성 변화를 야기하여 조기 골관절염을 발생시킬 수 있다고 보고하고 있다(그림 1).

환자들은 대개 쪼그리고 앉거나 관절의 움직임에 의해 발생하는 서혜부 통증을 호소하며 통증의 위치를 물어보면 손을 "C"자 모양으로 만들어 고관절 부위를 붙잡는 C증후(C sign)를 보인다. 뿐만 아니라 고관절을 굴곡, 내전, 내회전(flexion, adduction, internal rotation [FADIR] test)시키는 전

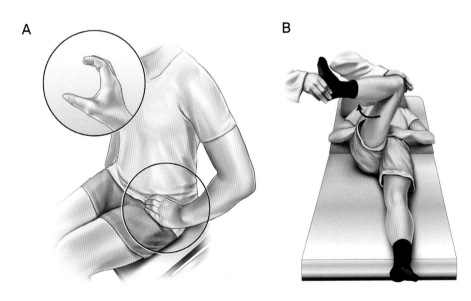

그림 2 C증후(A)와 선방고관질 충돌검사(B)

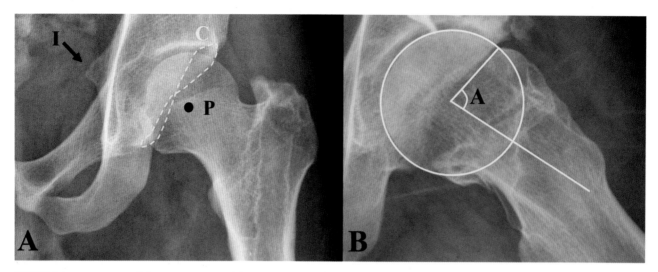

그림 3 **(A)** Cross over sign (C), posterior wall sign (P), ischail spine sign (I).
(B) Alpha angle.

방고관절 충돌 검사(anterior impingement test)에서 통증이 유발된다(그림 2). 관절의 운동범위 제한이 확인되는 경우는 드물지만 coxa profunda, protrusio acetabuli, os acetabuli 와 같은 심한 pincer 형 충돌이 있는 경우에는 고관절 굴곡이 제한될 수 있으며, 대퇴골의 골성 돌출(bump)이 커서 대퇴골의 두경부가 비구내로 충분히 들어가지 못하는 경우에는 고관절이 굴곡됨에 따라 대퇴부가 외전되는 Drehmann 증후가 있을 수 있다.

영상학적 검사는 X-ray를 기본으로 시작하며 pelvis AP, false profile, cross-table lateral, frog-leg lateral, Dunn view 를 포함해야 한다. Pelvis AP는 미골의 끝부분이 치골결합 (symphysis pubis)의 약 1-2 cm 가량 상방에 오도록 중심을 맞추어야 한다. 먼저 pincer 형의 충돌을 야기할 수 있는 coxa profunda, protrusion acetabuli 등이 있는지를 확인한다. 대퇴골두중심에서 비구의 외측 끝부분을 연결한 선과 대퇴골두중심에서 골반의 수평축과 직각으로 그은 선이 이루는 center-edge angle을 측정하여 39°를 초과하는 경우 비구의 over-coverage를 의심할 수 있다. 비구 후염전이 있는 경우에는 비구 전벽의 상방이 비구의 후벽 보다 외측에 위치하여 비구 전연과 후연의 음영이 교차하는 cross over sign이 확인될 수 있고, 비구의 후염전으로 인하여 대퇴골두의 중심이 비구후벽의 외측에 위치하는 posterior wall sign과 ischial spine이 pelvic brim의 내측으로 튀어나오는

ischial spine sign을 확인할 수 있다. Cam 형의 충돌을 야기하는 형태학적 변형을 확인하기 위해 권총 손잡이형 변형 (pistol grip deformity)이나 대퇴골두의 비구면성(asphericity) 를 평가한다. 대퇴골두의 비구면성은 Dunn view에서 측정하는 것이 좋으며, 대퇴골두중심에서 경부의 중심을 연결하는 선과 대퇴골두에서 골두경부 연결 지점까지 그은 선이 이루는 각을 측정한 후 55°를 초과하는 경우 Cam 형의 충돌을 의심할 수 있다(그림 3). 추가적인 영상 검사로 3차원 전산화단층촬영 및 자기공명영상을 관절 조영검사와 함께 촬영할 수 있다. 3차원 전산화단층촬영은 수술 전 대퇴근위부나 비구 가장자리의 돌출과 같은 변형을 3차원적으로 평가하는데 도움이 되고 자기공명영상은 관절 내 비구순 파열 및 연골면의 손상 여부, 관절 내 활액막 등의 상태를 평가하는데 도움이 된다.

과거 대퇴비구 충돌증후군의 치료는 Ganz 등이 보고하였던 관혈적 고관절 탈구를 통해 비구와 대퇴골 주위의 병변을 제거하는 수술이 기본 술기였으나 최근에는 관절경을 이용하여 대퇴성형술 및 비구성형술을 시행함으로써 대퇴비구 충돌을 감소시킬 수 있다(그림 4). 이러한 술기는 관혈적 수술에 비해서 환자의 회복이 빠르고 술 후 합병증 및 재수술율이 낮다는 장점이 있는 것으로 보고되고 있다.

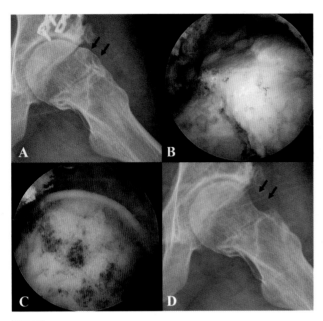

그림 4 관절내시경을 이용한 대퇴성형술

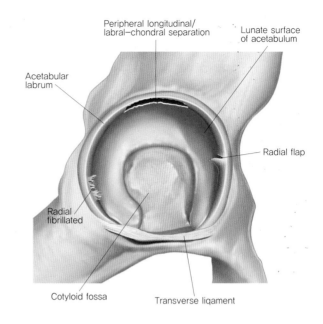

그림 5 비구순 파열의 분류

(2) 비구순 파열(labral tear)

비구순은 섬유연골성 구조물로 비구의 주위를 둘러싸고 있고 횡비구인대에 부착되어 있다. 이는 대퇴골두를 비구 관절 안으로 밀착시켜 고관절의 안정성을 증가시키고, 관절액의 유출을 막는 역할을 한다. 비구순 파열이 있으면 이러한 기능을 상실하게 되어 관절의 접촉부하를 증가시킴으로써 퇴행성 변화를 일으킬 수 있다. 파열 위치에 따라서 관

절 부착 부위에서 비구순이 파열되는 경우(labral-chondral separation)와 비구순 실질 내에서 여러 형태로 파열되는 경우(intrasubstance tear)로 분류하기도 하고, 관절경을 이용한 형태학적 분류법을 통해서 radial flap tears, radial fibrillated tears, longitudinal peripheral tears, unstable tears 로 분류하기도 한다(그림 5). 최근에는 비구순 파열의 형태와 관절의 기능적 혹은 형태학적 이상과의 관련성이 언급된

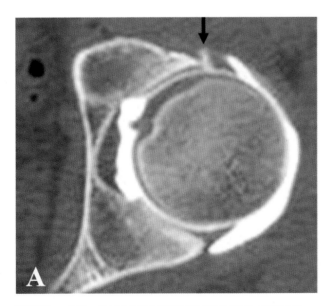

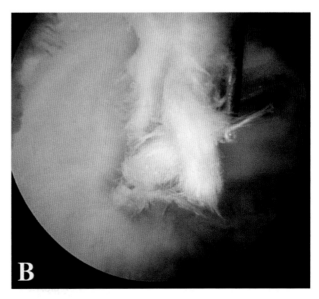

그림 6 CT 관절 조영술(A)과 관절내시경(B)을 이용한 비구순 파열의 진단

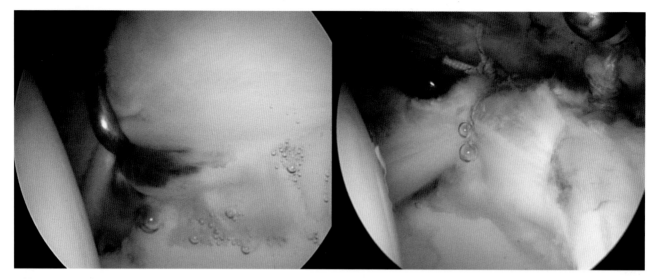

그림 7 관절경을 이용한 비구순 봉합

바가 있다. 이 보고에서는 labral-chondral separation은 주로 Cam 형의 대퇴비구 충돌증후군과 관련이 되어 있으며, intrasubstance tear는 pincer 형와 관련성이 더 높다고 언급하고 있다.

서혜부 통증의 대표적인 원인 중 하나인 비구순 파열은 대퇴비구 충돌증후군, 외상, 비구 이형성증, 선천적 이완성과 같은 4가지 주요 원인과 관련되어 발생하는 것으로 알려져 있다. 환자는 C 증후를 보이며 앉아 있거나 운전을 할 때, 신발을 신거나 양반다리를 할 때와 같이 특정 동작에서 통증을 호소할 수 있다. 전방 충돌징후는 비구순 파열에 있어 가장 중요한 진단적 검사로 90° 굴곡, 15° 내전한 상태에서 내회전 시키면서 고관절에 압박을 주었을 때 통증이 유발되는지를 확인하며, 비구순 파열과 같은 고관절의 전방부 손상이 있을 때 특징적으로 나타난다. 컴퓨터단층촬영 관절조영술 및 자기공명 관절조영술을 이용하여 영상학적 진단이 가능하며 가장 정확한 검사는 고관절 관절경이다(그림 6).

비구순 파열과 관련되어 발생하는 통증은 대개 관절 내 기계적인 자극에 의한 것으로 알려져 있다. 먼저 휴식, 약물치료, 물리치료와 같은 보존적 치료를 시행하며, 보존적 치료에 효과가 없는 경우 관절경을 이용하여 봉합하거나 부분제거를 하여 증상을 완화할 수 있다(그림 7). 비구순은 변연부 1/3의 혈액 공급이 내측 2/3에 비해서 더 좋은 것으로 알려져 있는데, 이러한 해부학적 특성은 비구 내측부위에서 비구

성형술을 시행한 후 골성 출혈을 유발시켜 비구순의 봉합을 할 때 비구순의 치유를 촉진시킬 수 있는 이론적 배경을 제공한다. 그러나 비구순의 수술적 치료에 앞서 무엇보다도 중요한 것은 비구순 파열에 대한 정확한 원인을 술 전에 분석하는 것이며, 비구 이형성증이 있거나 골관절염이 진행되어 있는 경우, 나이가 많은 경우에는 수술적 결과가 나쁠 수 있으므로 수술적 치료를 결정하는 데 있어 주의를 필요로 한다. 봉합이 불가능한 비구순 파열이 있거나 비구순의 결손이 큰 경우에는 비구순 재건술을 고려해볼 수 있다. 그러나 사용되는 이식재가 다양하고 표준화된 술식이 아니며 관련된 임상 보고 역시 제한적이다.

(3) 연골손상

고관절 내 단독으로 발생한 연골 혹은 골연골 손상을 치료하는 것은 술기적으로 매우 어렵다. 고관절 내 연골 손상은 대퇴비구 충돌증후군, 비구 이형성증, 대퇴골두골괴사, 박리성 골연골염, 관절 내 유리체, 대퇴골두 골단분리증, 외상 등의 원인으로 발생하고 이중에서 대퇴비구 충돌증후군이 가장 흔한 원인이며, 고관절 관절염의 발생과 연관성이 있다고 알려져 있다. Ellis 등은 대퇴비구 충돌증후군으로 고관절 관절경을 시행할 때 67.3%에서 연골병변이 확인되는 것으로 보고한 바가 있다. 슬관절과는 달리 고관절에서 손상된 관절연골을 복원하는 술기 및 수술 결과에 대한 정보는

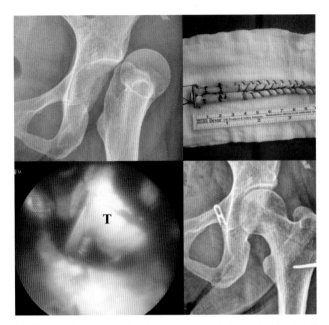

그림 8 고관절의 전방 불안정성을 보이는 환자에서 동종 경골건(T)을 이용한 원형인대 재건술을 시행할 수 있다.

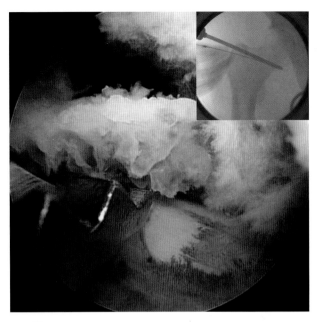

그림 9 Pipkin type I의 대퇴골두골절 환자에서 관절 내 감입된 골편을 관절경으로 제거할 수 있다.

여전히 부족한 실정이며, 시행되고 있는 술기 역시 슬관절 영역에서 발달되어 온 이론적 배경과 술기를 바탕으로 하고 있다. 그러나 최근 관절경을 이용한 여러 가지 관절 보존 술기가 발달함에 따라 미세천공술, 자가연골세포이식술, 동종 골연골 이식술, 골수간염 줄기세포의 관절 내 주사 등 다양한 시도가 시행되고 있다.

(4) 원형인대 손상

원형인대는 비구와(acetabular fossa)의 후하연과 횡비구 인대에서 기시하여 대퇴골두에 부착하는 피라미드 모양의 인대로 얇은 활액막으로 싸여 있으며, 일부 대퇴골두로 가는 혈관을 포함하고 있다. 부분적으로 고관절의 안정성에 기여하고 통각 기능 및 고유수용감각 기능을 가지고 있는 것으로 보고되고 있다. 고관절 관절경 수술에서 원형인대 손상이 확인되는 빈도는 5–51%까지 다양한데, 이것은 최근 관절경 술기의 발달 및 부분 원형인대손상의 인지 여부와 관련된 것으로 생각된다. 원형인대가 파열되면 서혜부 통증, 탄발음, 파행, 잠김(locking) 혹은 무력감(giving way) 등의 증상을 호소할 수 있으며 통증에 의한 관절 운동제한을 보이기도 한다. 그러나 임상적으로 파열을 진단하는 특별한 방법은 없으며 관절경 수술 시 우연히 발견되는 경우가 대부분이다.

현재까지 원형인대손상의 표준 치료는 관절경을 이용하여 변연절제 또는 수축(shrinkage)을 시행하는 것이다. Byrd 등은 23명의 원형인대 손상 환자를 대상으로 관절경하 변연절제술을 시행한 후 좋은 결과를 보고한 바가 있다. Simpson과 Villar 등은 인공이식편과 Endo button을 사용한 원형인대 재건술을 보고한 바가 있으나 원형인대가 고관절의 생역학적 안정성에 기여하는 역할에 대해서는 여전히 논란이 많기 때문에 원형인대 재건술의 적응증은 아직 명확하게 정립된 바가 없고 원형인대의 완전 파열이 단독으로 발생한 환자에서 고관절 불안정성과 통증이 지속되는 일부 제한된 경우에 한하여 고려해볼 수 있다(그림 8).

(5) 관절 불안정성

관절 불안정성은 일반적으로 통증과 관절의 불안정감을 수반하는 비정상적인 고관절의 움직임으로 정의하며, 주로 외상이나 의인성으로 발생한다. 최근에는 젊은 환자에서 고관절 통증을 야기하는 원인 중 하나로 고관절의 미세 불안정성이라는 개념이 소개된 바가 있으나 뚜렷한 임상 증상이 없기 때문에 아직은 명확한 개념이 정립되지 못한 상태이다. 고관절 주위 근력 강화운동 등을 포함하는 보존적 치료에 실패하는 경우 수술적 치료를 고려해볼 수 있으며 관절경을 이용한 관절낭 수축 또는 관절낭 중첩술을 시행하여 관절낭의 용적을 줄임으로써 고관절 안정성을 증가시켜줄 수 있다.

(6) 관절 내 유리체

관절 내 유리체는 작은 골편조각이나 연골, 활막 조직 등으로 구성되며, 관절 내를 돌아다니면서 탄발음이나 걸림증상(catching), 잠김과 같은 기계적 증상을 야기할 수 있다. 대개 퇴행성 변화나 외상으로 발생하는 경우가 많으며, 관절 내 유리체 자체가 퇴행성 변화를 초래할 수 있기 때문에 관절 내 유리체를 제거하는 것은 고관절 관절경 수술의 좋은 적응증이 된다(그림 9).

(7) 활액막 병변

활액막은 외상이나 반복되는 스트레스, 활액막 연골종증, 색소침착성 융모결절 윤활막염와 같은 염증성 관절질환 등에 의해서 퇴행성 변화를 보일 수 있다. 고관절 관절경은 비침습적으로 고관절 내 활액막에 접근이 가능하므로 활액막 병변을 육안적으로 확인하거나 조직검사를 시행함으로써 활액막 병변을 진단하는 데 유용하게 사용할 수 있다. 특히 활액막성 연골종증은 고관절 관절경 수술의 좋은 적응증으로 작은 골연골편을 직접 확인하면서 제거가 가능한 동시에 손상받은 연골을 치료할 수도 있다(그림 10). 색소침착성 융모결절 윤활막염은 관절, 점액낭, 건막에 존재하는 활액막을 침범하는 양성, 증식성 병변으로 보통 슬관절에 발생하나

15%의 빈도로 고관절에도 발생할 수 있으며, 관절염의 진행과 밀접한 관련이 있는 것으로 알려져 있다. 전활막절제술이 표준 치료로 알려져 있으나 최근 관절경의 술기 향상으로 말미암아 고관절 관절 내시경을 이용한 활액막 절제술의 낮은 술 후 합병증 발생률과 좋은 장기 추시 결과가 보고되고 있다(그림 11). 그러나 이러한 활액막 병변을 관절경을 이용하여 치료할 때는 여전히 관절 내에서 관절경이 도달되지는 못하는 부위가 존재하므로 수술을 시행하기 전 병변의 위치를 정확하게 파악해두는 것이 중요하다.

(8) 류마티스 관절염

류마티스 관절염은 활액막 비후, 관절연골의 소실, 진행성 관절 파괴를 특징으로 하는 전신적인 자가면역질환이다. 약물에 잘 반응하지 않는 지속적인 단일 관절염에서 시도해볼 수 있으며 단기간의 증상 호전을 기대할 수 있다.

(9) 초기 골관절염

고관절 관절염이 있는 환자에서 관절경 수술과 비수술적 치료의 결과를 직접적으로 비교한 연구가 현재까지 존재하지 않고, 몇몇 연구에서 고관절 관절경 수술을 시행함에 있어 관절염이 있는 경우 인공관절 치환술로의 전환율이 높다는 바를 보고하고 있기 때문에 고관절 관절염에 대한 관절경 수술의 적응은 다소 제한적일 수 있다. 다만 관절염의 진행이 대퇴비구 충돌과 연관되어 발생한 경우에는 좋은 적응

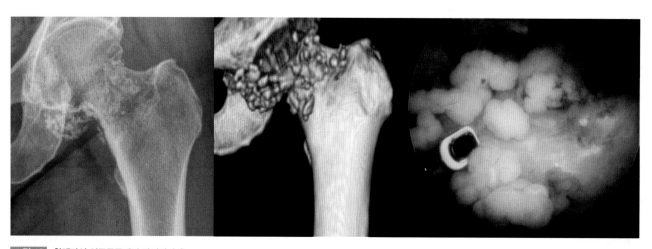

그림 10 활액막성 연골종증에서 관절경 수술

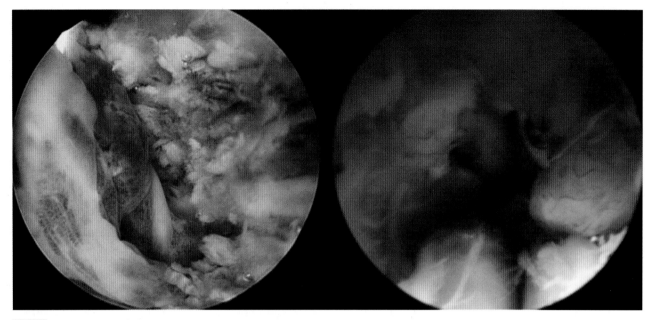

그림 11 미만형(diffuse type) 색소침착성 융모결절 윤활막염에서 관절경 소견

이 될 수 있다. 특히 Cam 형의 대퇴비구 충돌이 단독으로 있는 경우에는 관절 연골의 상태와 무관하게 통증과 기능적 측면에서 향상된 결과를 얻을 수도 있다고 보고된 바가 있다. 반면, cam과 pincer가 함께 있는 혼합 형태의 대퇴비구 충돌이 있는 환자에서는 관절염이 존재하거나 연골 손상이 확인되는 경우에 인공관절치환술로의 전환 비율이 높았다고 하였다. 또한 나이가 많거나 관절연골의 손상이 심한 경우가 예후가 좋지 못한 경우에 해당하므로 초기 관절염환자에서 수술적 치료를 결정할 때는 보다 신중할 필요가 있다.

(10) 세균성 관절염

세균성 관절염은 고관절 내 감염이 존재하는 경우로 급성 연골용해를 통한 비가역적인 관절 연골의 손상이 발생하고, 치료하지 않는 경우 골수염이나 패혈증, 궁극적으로는 관절염으로 진행하게 되므로 진단이 되자마자 즉각적인 치료가 이루어져야 합병증의 발생을 최소화할 수 있다. 과거에는 개방적 관절낭 절개술을 통해서 충분한 변연 절제와 세척을 시행하는 것이 표준 술식이었으나 현재는 관절경 술기의 발달로 말미암아 관절경적 배농술이 개방적 관절낭 절개술을

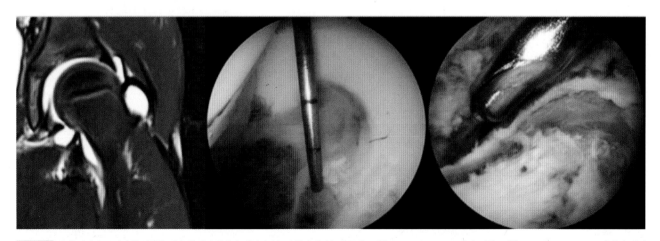

그림 12 7세 여아의 고관절에 발생한 세균성 관절염에서 변연절제술과 활막제거술이 중심 구획(central compartment)과 변연 구획(peripheral compartment)에서 각각 시행되고 있다

대체하는 술기로 자리잡고 있다(그림 12). 몇몇 비교 연구에서 관절경적 배농술을 시행하였을 때 개방적 관절낭 절개술에 비해 회복이 빠르고 재수술의 빈도가 더 낮았다는 결과를 보고한 바가 있다. 다만 아급성 세균성 관절염 환자에서 감염이 관절 외로 확산되어 있는 경우에는 개방적 접근이 더 나은 치료 방법이 될 수 있으므로 관절 천자 및 영상검사를 통해서 술 전에 적절한 수술적 치료방법을 결정하는 것이 중요하다.

(11) 대퇴골두 골괴사

관절표면이 붕괴된 대퇴골두 골괴사가 없는 표준 치료는 인공관절 치환술이지만, 관절표면의 붕괴 대퇴골두 골괴사에서는 핵심 감압술이나 다발성 천공술 등을 통해서 괴사된 부위의 혈류를 개선하고 골 내 압력을 감소시켜 증상완화 및 기능향상을 도모할 수 있다. 특히 핵심 감압술을 시행하는 경우에는 괴사부위 내로 골이식을 시행하거나 bone morphogenetic proteins (BMP), Platelet-rich plasma (PRP), peripheral blood stem cell (PBSCc), bone marrow mononuclear cell과 같은 세포를 기반으로 한 치료를 추가함으로써 병변의 재생을 촉진시킬 수 있는데, 이때 관절경 수술을 적용할 수 있다. 관절경은 핵심감압술을 시행할 때 X-ray 선 투시장치와 함께 괴사부위의 정확한 위치선정을 위한 부가적인 술식으로 사용될 수 있고, 천공된 골수강을 통해서 주사된 물질이 괴사범위에 적절히 위치하였는지를 확인할 수 있다. 관절 내에서는 기계적 증상을 나타내는 유리체나 비구순의 상태를 확인할 수 있고, 붕괴 초기 대퇴골두를 덮고 있는 관절연골의 상태, 주위 활액막 등을 확인하여 인공관절 치환술의 필요성을 판단하는 데 도움이 될 수 있다(그림 13).

(12) 대퇴골두 골절

Pipkin 제1형 골절에서 전위가 없는 경우는 보존적 치료를 시행할 수 있으나 전위가 된 골편은 개방적 접근을 통한 제거가 필요할 수 있다. 개방적 골편 제거술은 관절낭 절개가 필수적이므로 이와 관련된 여러 가지 합병증의 발생 가능성이 있을 수 있으며 대퇴골두로 가는 혈류를 손상시켜 이미

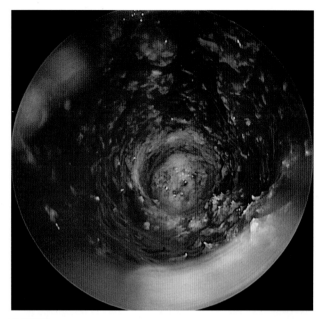

그림 13 대퇴골두 골괴사에서 핵심감압술을 시행할 때 괴사 부위의 정확한 위치선정 및 주사된 물질이 괴사 범위에 적절히 위치하였는지를 관절경을 이용하여 확인할 수 있다.

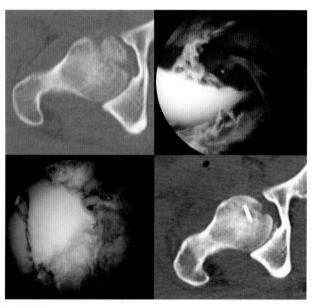

그림 14 대퇴골두 골절에서 관절경을 이용하여 골절을 정복하고 금속 나사를 이용한 고정을 시행할 수 있다.

탈구에 의해 손상된 관절 주위 혈류에 추가적인 손상을 가하게 된다. 고관절 관절경 수술은 이러한 합병증을 최소화하여 골편을 제거하거나 전위된 골편을 고정할 수 있다. 윤 등은 전위된 Pipkin 제1형 대퇴골두 골절을 수상한 프로 농구 선수에서 관절경을 이용한 고정술을 시행한 후 좋은 결과를

보였음을 보고한 바가 있다(그림 14).

2) 관절 외 병변

(1) 외측 발음성 고관절(external snapping)

외측 발음성 고관절은 후방장경대가 대전자 부위에 부딪히고 튕겨짐에 의해서 발생하며, 소리가 나는 경우뿐만 아니라 심한 경우에는 눈으로 보이거나 만져지기도 하며 대전자 주위 점액낭염과 병발하는 경우에는 통증을 수반하기도 한다. 환자들은 주로 고관절이 빠진다고 표현하는데 고관절을 내전 및 내회전 상태에서 굴곡 및 신전을 시켜보면 심해지는 경향을 보이며, 장경대의 긴장으로 인하여 Ober 검사가 양성으로 확인될 수도 있다. 대게 통증이나 장애를 수반하지는 않으며, 환자에게 병에 대한 교육을 하고 탄발을 유발하는 동작을 피하면 증상이 호전되기 때문에 보존적 치료를 먼저 시행한다. 보존적 치료에 실패하거나 지속적으로 통증을 호소하고 기능제한이나 보행 시 증상 악화가 지속되는 경우에 한하여 수술적 치료를 고려해 볼 수 있다. 개방적 접근을 통한 Z 또는 H 성형술을 이용하여 장경대의 길이를 연장시키는 것이 표준 술식이나 최근에는 관절경을 이용한 장경대 유리술을 시행할 수 있으며, 대전자 주위 점액낭염이

있는 경우 이를 함께 제거할 수도 있다(그림 15).

(2) 내측 발음성 고관절(internal snapping)

장요 인대는 고관절을 굴곡할 때 장치골융기(iliopectineal eminence)의 외측에 위치하지만 고관절을 신전하게 되면 내측으로 이동하게 된다. 내측 발음성 고관절은 장요근의 건–인대 결합부위가 고관절을 굴곡 및 신전함에 따라 대퇴골두나 장치골 융기(iliopectineal ridge), 장요 점액낭, 장대퇴인대 등과 같은 고관절 전방 구조물과 부딪히고 튕겨짐에 의해서 발생하는 것으로 알려져 있다. 이러한 현상은 인공 고관절 전치환술 후에도 발생할 수 있는데 비구 이형성증과 같은 비구의 해부학적 변이 또는 비구컵이 위치 이상으로 인하여 비구컵이 비구골에 의해 완전히 덮이지 못하고 앞쪽으로 튀어나오는 경우가 발생할 수 있다. 특히 최근에는 탈구의 예방에 효과가 있는 것으로 알려진 큰 인공 대퇴골두가 빈번하게 사용되면서 비구컵뿐만 아니라 큰 인공 대퇴골두도 장요인대 충돌의 원인으로 대두되고 있다. 환자는 대개 통증을 수반하지 않는 서혜부의 '뚝'하는 느낌을 호소하나, 드물게 통증을 수반하는 경우도 있으며, 환자 스스로 탄발을 유발시켜 검사자로 하여금 확인을 가능하게 한다. 고관절을 굴곡, 외전, 외회전한 상태에서 신전, 내전, 내회전시키

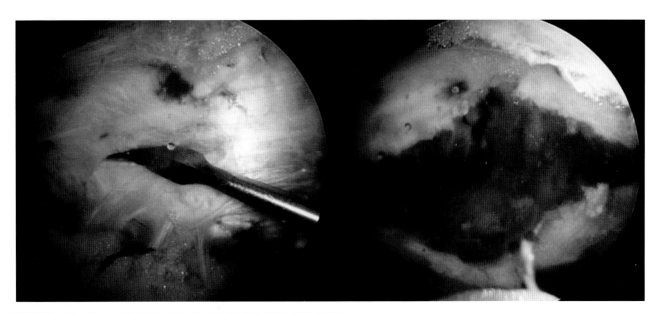

그림 15 외측 발음성 고관절에서 관절경을 이용하여 장경대 유리술을 시행할 수 있다.

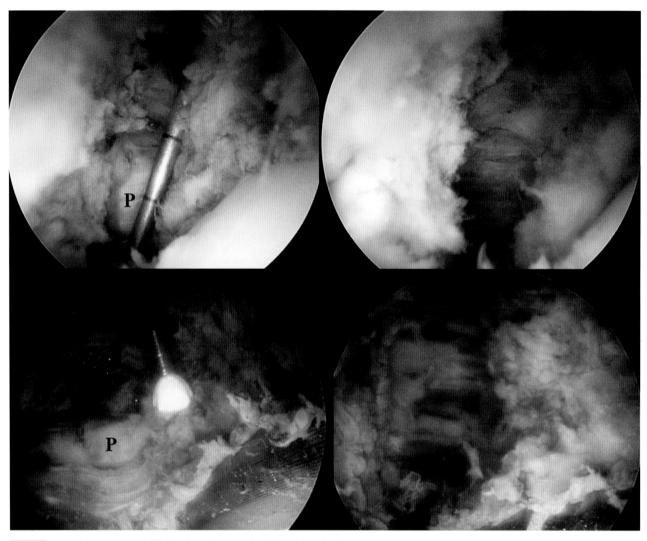

그림 16 장요근(P)의 충돌에 의한 내측 발음성 고관절에서 관절경을 이용하여 중심구획에서 장요근의 건절제를 시행할 수 있다.

면 약 30-45° 굴곡하였을 때 탄발음을 확인할 수 있다. 역동성 초음파를 이용하여 장요인대의 움직임을 확인할 수 있으나 다른 영상 검사를 통해서 얻을 수 있는 정보는 제한적이다. 단, 관절 내 병변이 동반되는 경우가 많고 장요 점액낭염이 있는 동반되는 경우에는 점액낭의 크기를 파악하고 관절과의 연결성을 확인할 수 있기 때문에 자기공명영상검사가 도움이 될 수도 있다. 관절경을 이용한 장요인대 유리술 혹은 연장술은 중심구획에서 전방 관절낭을 절제한 후 시행할 수도 있고, 변연구획에서 시행할 수도 있으며 많은 연구에서 만족스러운 결과를 보고하고 있다(그림 16).

(3) 장골극하 충돌 증후군(subspinal impingement)

전하방장골극(anterior inferior iliac spine)은 전방 비구의 상방에서 위치하는 bony prominence로, 위쪽은 대퇴직근의 직접두(direct head)가 부착하고 아래쪽은 관절낭의 일부가 부착한다. 전하방장골극의 위치나 형태는 다양하게 나타나는데, 전방비구 가장자리에서 전하방장골극까지의 거리는 4.6-21 mm, 수직 길이는 3.5-10 mm, 수평길이는 8.5-16.1 mm로 보고된다. 따라서 전하방장골극이 관절 바깥쪽에 위치함에도 불구하고 비구부 가장자리 혹은 그 원위부까지 연장되어 있는 경우에는 고관절 운동 시 기계적 충돌을 야기하여 고관절 굴곡과 내회전을 감소시킬 수 있다. 이와 같이 전하방장골극과 대퇴골 원위 경부와의 충돌로 장골극과 비

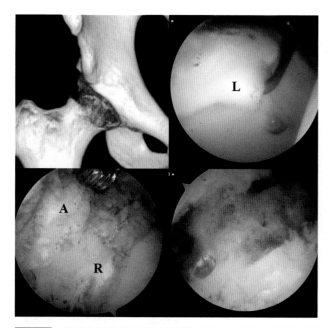

그림 17 장골극하 충돌 증후군에서 관절경을 이용하여 비구순 파열(L)을 확인한 후, 비구순 봉합(R)과 장골극하 감압술(A)을 시행할 수 있다.

구 경계부 사이에 존재하는 대퇴직근과 전방 관절낭의 손상이 유발되고 통증이 발생하는 현상을 장골극하 충돌이라고 한다. Hetsroni 등은 3차원 컴퓨터 단층촬영을 이용하여 전하방장골극의 위치에 따라 장골극하 충돌증후군을 비구 경계 근위부에 존재하는 I형, 비구 경계선에 위치하는 II형, 비구 경계 원위부까지 돌출되는 III형으로 분류하였다. 그들은 II형과 III형은 고관절 굴곡과 내회전의 감소와 관계되어 있으며, 장골의 전하방골극 감압이 필요한 것으로 언급하고 있다. 그러나 이러한 형태의 전하방장골극을 가지는 빈도는 전체 인구의 30% 가량으로 보고되고 있어 단순히 형태와 위치만으로 장골극하 충돌증후군을 진단하지는 않는다. 전하방장골극의 높이에서 전방 비구순에 충돌과 관련된 충혈 혹은 울혈 소견이 관찰되거나 소위 "wave" 증후로 불리우는 연골-비구순 결합부위의 단절 소견이 함께 확인될 때 장골극하 충돌증후군을 의심할 수 있다. 증상이 있는 환자에서는 관절경을 이용한 장골극하 감압술을 시행할 수 있다(그림 17).

(4) 심부 둔부 증후군(deep gluteal syndrome)

좌골신경은 제4, 5번 요추 및 제1, 2, 3번 천추부에서 기시한 신경근으로 이루어지며 골반 내에서 단일 신경다발을 구성한 후 이상근(piriformis muscle) 이래의 좌골 절흔(sciatic

notch)을 통해서 골반 밖으로 빠져나간다. 좌골신경은 심부 둔부 공간에서 대둔근에 덮인 상태로 좌골 결절과 대퇴골의 대전자 사이를 지나가게 되며, 이때 고관절의 후방관절낭에 가깝게 위치하게 된다. 이상근의 근위부에는 상둔신경과 하둔신경이 존재하며 원위부에는 대퇴 방형근, 아래쌍둥이근과 내폐쇄근/위쌍둥이근으로 가는 신경이 존재한다. Miller 등에 의한 시체 해부 연구에 따르면 좌골신경은 좌골결절의 가장 외측에서부터 평균적으로 약 1.2 cm 가량 떨어져 있으며, 정상적인 상태에서 고관절을 굴곡할 때 약 28 mm 가량의 유동성을 가짐으로써 고관절의 움직임과 관련되어 발생하는 신경 변형이나 압박에 대한 적응을 할 수 있다.

심부 둔부 공간에서는 혈관을 포함하는 섬유막이나 이상근 혹은 둔근, 햄스트링과 같은 근육 및 인대에 의하여 좌골신경의 주행에 영향을 주거나 신경 포착이 발생할 수 있는데 이러한 경우를 심부 둔부 증후군이라고 한다. 환자들은 엉덩이 통증 및 오래 앉아 있을 때의 불편감, 하지 방사통, 요추부 통증, 하지의 이상감각 및 저림 증상 등을 호소할 수 있으나 대부분의 증상들이 비특이적이므로 척추병변 등에 의한 방사통과 감별하는 것이 중요하다. 적용 가능한 이학적 검사로는 능동적 이상근 검사(active piriformis test)와 좌식 이상근 신장 검사(seated piriformis stretch test)가 있다. 환자를 옆으로 돌려 눕힌 상태에서 검사자가 환자의 발 뒤꿈치를 밀고 이상근을 촉지하면서 환자에게 저항을 준 상태로 고관절을 외전 및 외회전하도록 할 때 환자가 해당부위의 압통을 느끼는 경우에는 능동적 이상근 검사 양성으로 판정할 수 있고, 환자를 앉힌 상태에서 무릎을 펴고 관절을 수동적으로 내전 및 내회전 시킬 때 환자가 해당부위의 통증을 호소하는 경우에는 좌식 이상근 신장검사 양성으로 판정할 수 있다. 이 두 가지 검사에서 모두 양성을 보이는 경우 내시경적 좌골 신경 포착의 민감도와 특이도는 각각 91%, 80%로 보고된다.

우선 물리치료 및 약물치료를 이용한 보존적 치료를 시행하며 국소마취제나 스테로이드를 이용한 병변 내 주사를 통해 증상을 호전시킬 수 있다. 이러한 보존적 치료가 실패하는 경우에는 수술적 방법을 이용한 좌골신경의 감압을 시도해 볼 수 있다(그림 18). 내시경을 이용한 좌골신경 감압술은

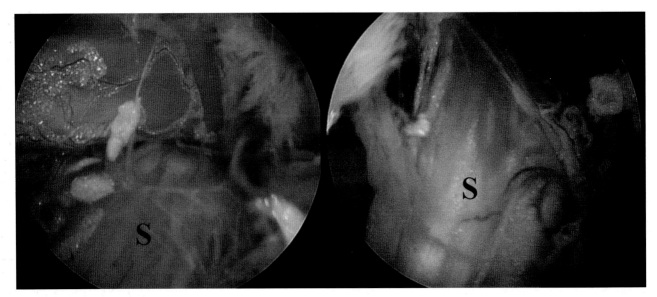

그림 18 심부 둔근 증후군에서 좌골 신경(S)이 압박을 받는 경우 관절경을 이용하여 좌골 신경 감압술을 시행할 수 있다.

Dezawa 등이 처음으로 보고한 이후 Martin 등이 35례의 심부 둔부 증후군 환자를 대상으로 내시경적 신경 감압술을 시행한 후 좋은 결과를 보고한 바가 있으며, 우리나라에서는 황 등이 내시경을 이용한 좌골 신경 주위 낭종에 대한 감압과 이상근 주위 유착 박리술을 시행한 후 호전된 임상 결과를 보고한 바가 있다.

(5) 석회화 건염(calcific tendinitis)

견관절과 달리 고관절 주위에서 발생하는 석회화 건염의 자연경과에 대해서는 아직 명확하게 밝혀진 바가 없다. 그러나 심한 고관절 주위 통증과 고관절 운동장애를 주소로 내원한 환자 중에서 급성 석회성 건염이 발견되는 경우를 자주 접할 수 있다. 고관절은 견관절 다음으로 석회화 건염이 빈번하게 발생하는 것으로 알려져 있다. 대개 대퇴골의 대전자 주위 중둔근과 소둔근이 부착하는 부위에서 발견되며 드물게 대퇴직근, 이상근, 장요근, 관절낭의 부착 부위에서 발견되기도 한다. 석회성 병변의 크기는 임상 증상과의 연관성이 낮아서 병변이 작더라도 심한 통증을 호소할 수 있으며, 병변이 큰 경우에도 증상이 미미할 수도 있다. 고관절의 세균성 관절염, 건활막염, 통풍성 관절염 등과 유사한 증상을 보이지만 혈액 및 관절 천자 검사와 자연 호전되는 임상 경과를 통해서 감별이 가능하다.

물리치료 및 약물치료를 이용한 보존적 치료를 통하여 통증을 줄이고 관절의 구축을 예방할 수 있으며 초음파를 이용한 국소 스테로이드 주사가 효과적일 수 있다. 거의 대부분의 환자들이 이러한 보존적 치료를 통하여 효과를 보이나 드물게 이러한 보존적 치료에 실패하는 경우에 한하여 수술적 치료를 시도해 볼 수 있다(그림 19). 박 등은 29명의 고관절 석회화 건염 환자를 대상으로 1년 이상 추시한 연구에서 4명 환자가 보존적 치료에 실패하여 관절경적 석회제거술을 시행한 후 좋은 결과를 얻었음을 보고한 바가 있다.

(6) 좌골대퇴 충돌증후군(ischiofemoral impingement)

좌골대퇴 충돌증후군은 소전자와 좌골결절 사이에서 발생하는 충돌 혹은 두 구조물에 의한 대퇴 방형근의 압박에 의해 통증이 발생하는 경우를 일컫는다. 소전자는 고관절을 중립에 둔 상태에서 외회전할 때 가장 가까워지고 내회전할 때 가장 멀어지며 중립위에서 장골대퇴 간 거리는 평균 2.8 cm 가량 되는 것으로 보고된다. 좌골대퇴 충돌증후군은 이학적 검사와 영상학적 검사 소견을 기반으로 진단할 수 있다. 환자는 옆으로 돌아누운 상태에서 고관절을 신전 및 내전, 외회전 할 때 충돌과 관련된 증상이 발생하며 이러한 증상이 고관절을 외전 및 내회전할 때 호전되는 양상을 보일 수 있다. 자기 공명영상 검사에서는 장골과 소전자간 거리가

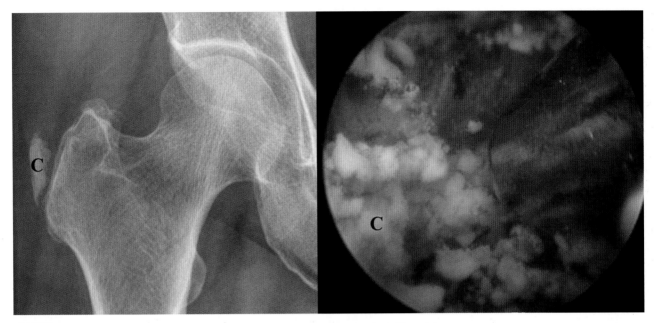

그림 19 대전자 주위에 발생한 석회성 건염(C)에서 관절경을 이용하여 감압술 및 석회제거술을 시행할 수 있다.

15 mm 이하로 좁아져 있으며 대퇴 방형근 내로 부종을 동반하는 염증 소견이 확인될 수 있다. 약물치료 및 물리치료와 같은 보존적 치료를 먼저 시행하며 초음파 또는 CT하 대퇴 방형근 내 국소주사치료가 효과적일 수 있다. 보존적 치료가 실패하는 경우 관절경을 이용한 소전자 절제술을 고려해 볼 수 있으나 표준화 된 술식은 아니며 관련된 임상 보고 역시 제한적이다(그림 20). 일부 문헌에서 관절경을 이용하여 후방접근을 통해 소전자에 부착된 장요근을 분리한 후 연마기(burr)를 이용하여 골성형술을 시행하여 장골 대퇴 간 거리를 확보하여 증상의 호전을 도모할 수 있는 것으로 보고 된 바가 있다.

(7) 햄스트링 견열(hamstring avulsion)

2 cm 이상 수축이 발생한 견열골절이나 수축이 없더라도 3개의 건 모두가 파열이 된 경우, 보존적 치료에 실패한 부분 파열인 경우 수술적 치료의 적응이 된다. 개방적 술기를 통한 봉합술이 표준 술식이나 최근 관절경을 이용한 술식이 소개되고 있다. 수술은 앙와위로 시행하며 투시검사를 이용하여 둔부주름(gluteal fold)에서 후방 portal 또는 후측방 portal을 통해서 접근할 수 있다. 내시경으로 햄스트링의 기시부위를 확인하고 anchor를 이용하여 건입대 봉합을 시행한다

2

관절경 수술의 비적응증

고관절 관절경은 비교적 최근에 소개되고 있는 술기이며 짧은 시간동안 다양한 경험의 축적으로 말미암아 그 적용범위가 계속해서 넓어지고 있다. 그럼에도 불구하고 고관절 관절경 수술은 술기적으로 한계가 있기 때문에 성공적인 수술을 위해서는 관절경 수술의 한계와 수술의 금기증을 인지하고 주의 깊게 환자를 선택하는 것이 매우 중요하다.

심한 고관절의 강직은 가장 명확한 관절경 수술의 금기증이라고 할 수 있다. 진행된 관절섬유화로 인한 관절강직 또는 골성 관절 강직이 있는 경우에는 관절경 수술을 위한 기구가 들어갈 수 있는 공간을 확보할 수 없다. 따라서 이전에 수 차례 수술을 받은 경우나 술 전에 환자의 고관절 운동범위가 상당히 줄어들어 있는 경우는 수술을 선택함에 있어 매우 주의해야 한다. 비슷한 이유로 고관절의 주위 연부조직에 이소성 골화가 있는 경우에도 관절경의 접근이 불가능하므로 수술의 금기가 된다.

관절연골의 파괴가 심한 진행된 고관절의 관절염이 있는 경우도 명확한 관절경의 수술적 금기증 중 하나이다. 많은 연구를 통해서 2 mm 이상 또는 50% 이상의 관절간격 협소가 단순 방사선 영상에서 확인되는 경우는 수술적 결과가

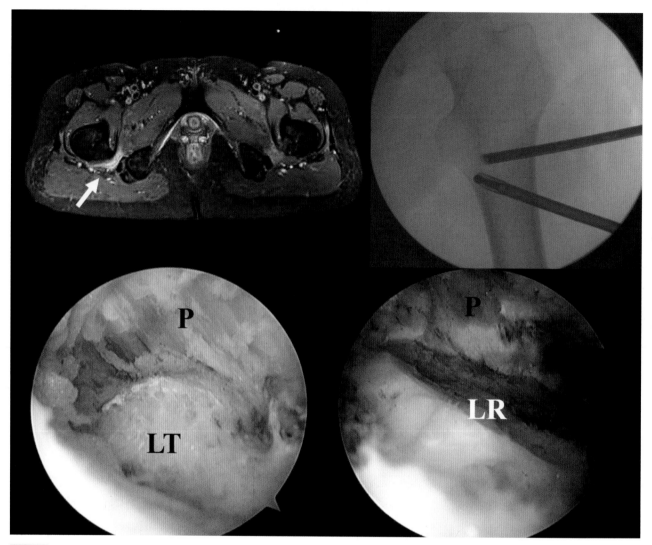

그림 20 좌골대퇴 충돌증후군(화살표)에서 관절경을 이용하여 소전자(LT)에 부착된 장요근(P)을 분리한 후 소전자 절제술(LR)을 시행할 수 있다.

나쁘고 인공관절 치환술로 전환율이 높음을 보고하고 있기 때문에 이러한 환자에서는 일차 인공관절 치환술을 우선적으로 고려하는 것이 좋다.

심한 또는 진행된 비구 이형성증에서 고관절 관절경을 이용한 단일치료는 추천되지 않는다. 1 cm 이상 대퇴골두의 전위가 있거나 Shenton line의 연속성이 없어진 경우에는 구조적 불안정이 크기 때문에 관절경 수술 단독으로 병변을 치료하는데 한계가 있다. 외측 또는 전방 CE angle이 20° 이하인 경우, Tönnis angle이 15° 이상인 경우에는 회전 비구 절골술을 먼저 고려할 필요가 있고 심한 비구후염전으로 과도한 비구성형술이 필요한 경우에는 술 후 고관절의 불안정성을 야기할 수 있기 때문에 전염 비구 회전절골

술(anteverting pelvis rotational osteotomy)을 고려하는 것이 좋다.

최근 관절경 수술의 술기 발달로 인하여 절대적 관절경 수술의 금기증이라고 할 수는 없으나 여전히 술기상의 어려움과 한계점이 존재하는 만큼 SCFE나 LCP병과 같은 소아 고관절 질환의 휴유증으로 인한 매우 심한 변형으로 인해 대퇴비구 충돌증후군이 야기된 경우에도 개방적 수술적 치료를 고려할 필요가 있다. 특히 고관절의 해부학적 특징 때문에 여전히 고관절 후방부에 발생한 병변은 관절경으로 접근이 어렵다. 따라서 후방 대퇴비구 충돌이 발생한 경우에는 개방적 접근방법을 고려할 필요가 있다.

환자의 고관절 주위로 개방성 상처, 궤양성 병변, 표재성

감염이 확인되는 경우에는 이차적인 화농성 관절염의 위험이 있으므로 관절경 수술의 금기가 되며, 심한 비만 환자에서는 긴 관절경 기구가 없는 경우 관절까지 도달하는 것이 불가능할 수 있어 금기가 될 수 있다. 그 밖에도 수술을 위한 견인을 하는 과정에서 외측 회음 신경과 좌골 신경 손상, 외측 대퇴 피부 신경 손상, 국소성 화골성 근염, 회음부의 혈종 등과 같은 합병증이 발생할 수 있고 드물게 관절 세척액의 복강 내 유출에 의한 급성 복통 및 심정지의 예도 보고되고 있는 만큼, 이와 관련된 환자의 전반적인 상태를 평가하여 수술을 결정하는 것 또한 중요하다고 하겠다.

References

1. Domb BG, Chaharbakhshi EO, Rybalko D, Close MR, Litrenta J, Perets I. Outcomes of Hip Arthroscopic Surgery in Patients With Tonnis Grade 1 Osteoarthritis at a Minimum 5-Year Follow-up: A Matched-Pair Comparison With a Tonnis Grade 0 Control Group. Am J Sports Med. 2017;45:2294-302.

2. Schairer WW, Nwachukwu BU, McCormick F, Lyman S, Mayman D. Use of Hip Arthroscopy and Risk of Conversion to Total Hip Arthroplasty: A Population-Based Analysis. Arthroscopy-the Journal of Arthroscopic and Related Surgery. 2016;32:587-93.

3. Schairer WW, Nwachukwu BU, McCormick F, Lyman S, Mayman DJ. Regarding "Use of Hip Arthroscopy and Risk of Conversion to Total Hip Arthroplasty: A Population-Based Analysis" Reply. Arthroscopy-the Journal of Arthroscopic and Related Surgery. 2016;32:1493-4.

4. Philippon MJ, Maxwell RB, Johnston TL, Schenker M, Briggs KK. Clinical presentation of femoroacetabular impingement. Knee Surg Sports Traumatol Arthrosc. 2007;15:1041-7.

5. Clohisy JC, Baca G, Beaule PE, et al. Descriptive Epidemiology of Femoroacetabular Impingement A North American Cohort of Patients Undergoing Surgery. American Journal of Sports Medicine. 2013;41:1348-56.

6. Wylie JD, Kim YJ. The Natural History of Femoroacetabular Impingement. Journal of Pediatric Orthopaedics. 2019;39:S28-S32.

7. Vail TP. CORR Insights(A (R)): The John Charnley Award: Redefining the Natural History of Osteoarthritis in Patients With Hip Dysplasia and Impingement. Clinical Orthopaedics and Related Research. 2017;475:351-2.

8. Reid GD, Reid CG, Widmer N, Munk PL. Femoroacetabular impingement syndrome: an underrecognized cause of hip pain and premature osteoarthritis? J Rheumatol. 2010;37:1395-404.

9. Beck M, Kalhor M, Leunig M, Ganz R. Hip morphology influences the pattern of damage to the acetabular cartilage: femoroacetabular impingement as a cause of early osteoarthritis of the hip. J Bone Joint Surg Br. 2005;87:1012-8.

10. Ganz R, Parvizi J, Beck M, Leunig M, Notzli H, Siebenrock KA. Femoroacetabular impingement: a cause for osteoarthritis of the hip. Clin Orthop Relat Res. 2003:112-20.

11. Konan S, Rayan F, Meermans G, Witt J, Haddad FS. Validation of the classification system for acetabular chondral lesions identified at arthroscopy in patients with femoroacetabular impingement. Journal of Bone and Joint Surgery-British Volume. 2011;93B:332-6.

12. Kamegaya M, Saisu T, Nakamura J, Murakami R, Segawa Y, Wakou M. Drehmann Sign and Femoro-acetabular Impingement in SCFE. Journal of Pediatric Orthopaedics. 2011;31:853-7.

13. Clohisy JC, Carlisle JC, Beaule PE, et al. A Systematic Approach to the Plain Radiographic Evaluation of the Young Adult Hip. Journal of Bone and Joint Surgery-American Volume. 2008;90A:47-66.

14. Buchler L, Schwab JM, Whitlock PW, Beck M, Tannast M. Intraoperative Evaluation of Acetabular Morphology in Hip Arthroscopy Comparing Standard Radiography Versus Fluoroscopy: A Cadaver Study. Arthroscopy-the Journal of Arthroscopic and Related Surgery. 2016;32:1030-7.

15. Siebenrock KA, Kalbermatten DF, Ganz R. Effect of pelvic tilt on acetabular retroversion: A study of pelves from cadavers. Clinical Orthopaedics and Related Research. 2003:241-8.

16. Tannast M, Langlotz U, Siebenrock KA, Wiese M, Bernsmann K, Langlotz F. Anatomic referencing of cup orientation in total hip arthroplasty. Clinical Orthopaedics and Related Research. 2005:144-50.

17. Albers CE, Wambeek N, Hanke MS, Schmaranzer F, Prosser GH, Yates PJ. Imaging of femoroacetabular impingement-current concepts. Journal of Hip Preservation Surgery. 2016;3:245-61.

18. Tonnis D, Heinecke A. Acetabular and femoral anteversion: Relationship with osteoarthritis of the hip. Journal of Bone and Joint Surgery-American Volume. 1999;81A:1747-70.

19. Murphy SB, Ganz R, Muller ME. The Prognosis in Untreated Dysplasia of the Hip - a Study of Radiographic Factors That Predict the Outcome. Journal of Bone and Joint Surgery-American Volume. 1995;77A:985-9.

20. Tannast M, Hanke MS, Zheng GY, Steppacher SD, Siebenrock KA. What Are the Radiographic Reference Values for Acetabular Under- and Overcoverage? Clinical Orthopaedics and Related Research. 2015;473:1234-46.

21. Reynolds D, Lucas J, Klaue K. Retroversion of the acetabulum - A cause of hip pain. Journal of Bone and Joint Surgery-British Volume. 1999;81B:281-8.

22. Kalberer F, Sierra RJ, Madan SS, Ganz R, Leunig M. Ischial spine projection into the pelvis. Clinical Orthopaedics and Related Research. 2008;466:677-83.

23. Beaule PE, Grammatopoulos G, Speirs A, et al. Unravelling the hip pistol grip/cam deformity: Origins to joint degeneration. Journal of Orthopaedic Research. 2018;36:3125-35.

24. Ross JR, Bedi A, Stone RM, et al. Intraoperative Fluoroscopic Imaging to Treat Cam Deformities: Correlation With 3-Dimensional Computed Tomography. Am J Sports Med. 2014;42:1370-6.

25. Khan M, Habib A, de Sa D, et al. Arthroscopy Up to Date: Hip Femoroacetabular Impingement. Arthroscopy. 2016;32:177-89.

26. Nwachukwu BU, Rebolledo BJ, McCormick F, Rosas S, Harris JD, Kelly BT. Arthroscopic Versus Open Treatment of Femoroacetabular Impingement: A Systematic Review of Medium- to Long-Term Outcomes. Am J Sports Med. 2016;44:1062-8.

27. Haefeli PC, Albers CE, Steppacher SD, Tannast M, Buchler L. What Are the Risk Factors for Revision Surgery After Hip Arthroscopy for Femoroacetabular Impingement at 7-year Followup? Clinical Orthopaedics and Related Research. 2017;475:1169-77.

28. Byrd JWT. CORR Insights (R): Labral Reattachment in Femoroacetabular Impingement Surgery Results in Increased 10-year Survivorship Compared With Resection. Clinical Orthopaedics and Related Research. 2017;475:1189-91.

29. Steppacher SD, Anwander H, Zurmuhle CA,

Tannast M, Siebenrock KA. Eighty Percent of Patients With Surgical Hip Dislocation for Femoroacetabular Impingement Have a Good Clinical Result Without Osteoarthritis Progression at 10 Years. Clinical Orthopaedics and Related Research. 2015;473:1333-41.

30. Bsat S, Frei H, Beaule PE. The acetabular labrum: a review of its function. Bone Joint J. 2016;98-B:730-5.

31. Ferguson SJ, Bryant JT, Ganz R, Ito K. An in vitro investigation of the acetabular labral seal in hip joint mechanics. J Biomech. 2003;36:171-8.

32. Ferguson SJ, Bryant JT, Ganz R, Ito K. The influence of the acetabular labrum on hip joint cartilage consolidation: a poroelastic finite element model. J Biomech. 2000;33:953-60.

33. Lage LA, Patel JV, Villar RN. The acetabular labral tear: an arthroscopic classification. Arthroscopy. 1996;12:269-72.

34. McCarthy J, Noble P, Aluisio FV, Schuck M, Wright J, Lee JA. Anatomy, pathologic features, and treatment of acetabular labral tears. Clinical Orthopaedics and Related Research. 2003:38-47.

35. Li AE, Jawetz ST, Greditzer HG, Burge AJ, Nawabi DH, Potter HG. MRI for the preoperative evaluation of femoroacetabular impingement. Insights into Imaging. 2016;7:187-98.

36. Beck M, Kalhor M, Leunig M, Ganz R. Hip morphology influences the pattern of damage to the acetabular cartilage - Femoroacetabular impingement as a cause of early osteoarthritis of the hip. Journal of Bone and Joint Surgery-British Volume. 2005;87B:1012-8.

37. Beck M, Leunig M, Parvizi J, Boutier V, Wyss D, Ganz R. Anterior femoroacetabular impingement Part II. Midterm results of surgical treatment. Clinical Orthopaedics and Related Research. 2004:67-73.

38. Kivlan BR, Martin RL, Sekiya JK. Response to diagnostic injection in patients with femoroacetabular impingement, labral tears, chondral lesions, and extra-articular pathology. Arthroscopy. 2011;27:619-27.

39. Kalhor M, Horowitz K, Beck M, Nazparvar B, Ganz R. Vascular supply to the acetabular labrum. J Bone Joint Surg Am. 2010;92:2570-5.

40. Kelly BT, Shapiro GS, Digiovanni CW, Buly RL, Potter HG, Hannafin JA. Vascularity of the hip labrum: a cadaveric investigation. Arthroscopy. 2005;21:3-11.

41. Trivedi NN, Sivasundaram L, Su CA, et al. Indications and Outcomes of Arthroscopic Labral Reconstruction of the Hip: A Systematic Review. Arthroscopy-the Journal of Arthroscopic and Related Surgery. 2019;35:2175-86.

42. Beaule PE, Bleeker H, Singh A, Dobransky J. Defining modes of failure after joint-preserving surgery of the hip. Bone Joint J. 2017;99-B:303-9.

43. Fayad TE, Khan MA, Haddad FS. Femoroacetabular impingement: an arthroscopic solution. Bone Joint J. 2013;95-B:26-30.

44. Leunig M, Ganz R. The evolution and concepts of joint-preserving surgery of the hip. Bone & Joint Journal. 2014;96B:5-18.

45. Ellis HB, Briggs KK, Philippon MJ. Innovation in hip arthroscopy: is hip arthritis preventable in the athlete? Br J Sports Med. 2011;45:253-8.

46. Nakano N, Gohal C, Duong A, Ayeni OR, Khanduja V. Outcomes of cartilage repair techniques for chondral injury in the hip-a systematic review. Int Orthop. 2018;42:2309-22.

47. Wenger D, Miyanji F, Mahar A, Oka R. The

mechanical properties of the ligamentum teres: a pilot study to assess its potential for improving stability in children's hip surgery. J Pediatr Orthop. 2007;27:408-10.

48. Sarban S, Baba F, Kocabey Y, Cengiz M, Isikan UE. Free nerve endings and morphological features of the ligamentum capitis femoris in developmental dysplasia of the hip. Journal of Pediatric Orthopaedics-Part B. 2007;16:351-6.

49. Leunig M, Beck M, Stauffer E, Hertel R, Ganz R. Free nerve endings in the ligamentum capitis femoris. Acta Orthopaedica Scandinavica. 2000;71:452-4.

50. Botser IB, Martin DE, Stout CE, Domb BG. Tears of the ligamentum teres: prevalence in hip arthroscopy using 2 classification systems. Am J Sports Med. 2011;39 Suppl:117S-25S.

51. Chang CY, Gill CM, Huang AJ, et al. Use of MR arthrography in detecting tears of the ligamentum teres with arthroscopic correlation. Skeletal Radiol. 2015;44:361-7.

52. Chahla J, Soares EA, Devitt BM, et al. Ligamentum Teres Tears and Femoroacetabular Impingement: Prevalence and Preoperative Findings. Arthroscopy. 2016;32:1293-7.

53. Byrd JWT, Jones KS. Traumatic rupture of the ligamentum teres as a source of hip pain. Arthroscopy-the Journal of Arthroscopic and Related Surgery. 2004;20:385-91.

54. Philippon MJ, Pennock A, Gaskill TR. Arthroscopic reconstruction of the ligamentum teres TECHNIQUE AND EARLY OUTCOMES. Journal of Bone and Joint Surgery-British Volume. 2012;94B:1494-8.

55. Simpson JM, Field RE, Villar RN. Arthroscopic Reconstruction of the Ligamentum Teres. Arthroscopy-the Journal of Arthroscopic and Related Surgery. 2011;27:436-41.

56. Shu B, Safran MR. Hip Instability: Anatomic and Clinical Considerations of Traumatic and Atraumatic Instability. Clinics in Sports Medicine. 2011;30:349-+.

57. Boykin RE, Anz AW, Bushnell BD, Kocher MS, Stubbs AJ, Philippon MJ. Hip Instability. Journal of the American Academy of Orthopaedic Surgeons. 2011;19:340-9.

58. Domb BG, Philippon MJ, Giordano BD. Arthroscopic Capsulotomy, Capsular Repair, and Capsular Plication of the Hip: Relation to Atraumatic Instability. Arthroscopy-the Journal of Arthroscopic and Related Surgery. 2013;29:162-73.

59. Domb BG, Stake CE, Lindner D, El-Bitar Y, Jackson TJ. Arthroscopic Capsular Plication and Labral Preservation in Borderline Hip Dysplasia Two-Year Clinical Outcomes of a Surgical Approach to a Challenging Problem. American Journal of Sports Medicine. 2013;41:2591-8.

60. Philippon MJ. The role of arthroscopic thermal capsulorrhaphy in the hip. Clinics in Sports Medicine. 2001;20:817-+.

61. Shindle MK, Ranawat AS, Kelly BT. Diagnosis and management of traumatic and atraumatic hip instability in the athletic patient. Clinics in Sports Medicine. 2006;25:309-+.

62. Kalisvaart MM, Safran MR. Hip instability treated with arthroscopic capsular plication. Knee Surgery Sports Traumatology Arthroscopy. 2017;25:24-30.

63. Krebs VE. The role of hip arthroscopy in the treatment of synovial disorders and loose bodies. Clinical Orthopaedics and Related Research. 2003:48-59.

64. Tibbo ME, Wyles CC, Rose PS, Sim FH, Houdek

MT, Taunton MJ. Long-Term Outcome of Hip Arthroplasty in the Setting of Synovial Chondromatosis. Journal of Arthroplasty. 2018;33:2173-6.

65. Lee JB, Kang C, Lee CH, Kim PS, Hwang DS. Arthroscopic Treatment of Synovial Chondromatosis of the Hip. American Journal of Sports Medicine. 2012;40:1412-8.

66. Vastel L, Lambert P, De Pinieux G, Charrois O, Kerboull M, Courpied JP. Surgical treatment of pigmented villonodular synovitis of the hip. Journal of Bone and Joint Surgery-American Volume. 2005;87A:1019-24.

67. Tibbo ME, Wyles CC, Rose PS, Sim FH, Houdek MT, Taunton MJ. Long-Term Outcome of Hip Arthroplasty in the Setting of Pigmented Villonodular Synovitis. Journal of Arthroplasty. 2018;33:1467-71.

68. Saleh KJ, Kurdi AJ, El-Othmani MM, et al. Perioperative Treatment of Patients with Rheumatoid Arthritis. J Am Acad Orthop Surg. 2015;23:e38-48.

69. Ashberg L, Yuen LC, Close MR, et al. Clinical Outcomes After Hip Arthroscopy for Patients With Rheumatoid Arthritis: A Matched-Pair Control Study With Minimum 2-Year Follow-Up. Arthroscopy. 2019;35:434-42.

70. Egerton T, Hinman RS, Takla A, Bennell KL, O'Donnell J. Intraoperative cartilage degeneration predicts outcome 12 months after hip arthroscopy. Clin Orthop Relat Res. 2013;471:593-9.

71. Kemp JL, Collins NJ, Makdissi M, Schache AG, Machotka Z, Crossley K. Hip arthroscopy for intra-articular pathology: a systematic review of outcomes with and without femoral osteoplasty. British Journal of Sports Medicine. 2012;46:632-43.

72. Philippon MJ, Briggs KK, Yen YM, Kuppersmith DA. Outcomes following hip arthroscopy for femoroacetabular impingement with associated chondrolabral dysfunction MINIMUM TWO-YEAR FOLLOW-UP. Journal of Bone and Joint Surgery-British Volume. 2009;91B:16-23.

73. Ng VY, Arora N, Best TM, Pan XL, Ellis TJ. Efficacy of Surgery for Femoroacetabular Impingement A Systematic Review. American Journal of Sports Medicine. 2010;38:2337-45.

74. Nicholls AS, Kiran A, Pollard TCB, et al. The Association Between Hip Morphology Parameters and Nineteen-Year Risk of End-Stage Osteoarthritis of the Hip A Nested Case-Control Study. Arthritis and Rheumatism. 2011;63:3392-400.

75. Haviv B, Singh PJ, Takla A, O'Donnell J. Arthroscopic femoral osteochondroplasty for cam lesions with isolated acetabular chondral damage. Journal of Bone and Joint Surgery-British Volume. 2010;92B:629-33.

76. Ilizaliturri VM, Nossa-Barrera JM, Acosta-Rodriguez E, Camacho-Galindo J. Arthroscopic treatment of femoroacetabular impingement secondary to paediatric hip disorders. Journal of Bone and Joint Surgery-British Volume. 2007;89B:1025-30.

77. Horisberger M, Brunner A, Herzog RF. Arthroscopic Treatment of Femoral Acetabular Impingement in Patients With Preoperative Generalized Degenerative Changes. Arthroscopy-the Journal of Arthroscopic and Related Surgery. 2010;26:623-9.

78. Byrd JWT, Jones KS. Arthroscopic Management of Femoroacetabular Impingement: Minimum 2-Year Follow-up. Arthroscopy-the Journal of Arthroscopic and Related Surgery. 2011;27:1379-88.

79. Lee YK, Park KS, Ha YC, Koo KH. Arthroscopic

treatment for acute septic arthritis of the hip joint in adults. Knee Surgery Sports Traumatology Arthroscopy. 2014;22:942-5.

80. Kim SJ, Choi NH, Ko SH, Linton JA, Park HW. Arthroscopic treatment of septic arthritis of the hip. Clinical Orthopaedics and Related Research. 2003:211-4.

81. de Sa D, Cargnelli S, Catapano M, et al. Efficacy of Hip Arthroscopy for the Management of Septic Arthritis: A Systematic Review. Arthroscopy-the Journal of Arthroscopic and Related Surgery. 2015;31:1358-70.

82. Beck DM, Park BK, Youm T, Wolfson TS. Arthroscopic treatment of labral tears and concurrent avascular necrosis of the femoral head in young adults. Arthrosc Tech. 2013;2:e367-71.

83. Marker DR, Seyler TM, Ulrich SD, Srivastava S, Mont MA. Do modern techniques improve core decompression outcomes for hip osteonecrosis? Clinical Orthopaedics and Related Research. 2008;466:1093-103.

84. Govaers K, Meermans G, Bortier H, Londers J. Endoscopically assisted core decompression in avascular necrosis of the femoral head. Acta Orthopaedica Belgica. 2009;75:631-6.

85. Guadilla J, Fiz N, Andia I, Sanchez M. Arthroscopic management and platelet-rich plasma therapy for avascular necrosis of the hip. Knee Surg Sports Traumatol Arthrosc. 2012;20:393-8.

86. Ruch DS, Satterfield W. The use of arthroscopy to document accurate position of core decompression of the hip. Arthroscopy. 1998;14:617-9.

87. Lansford T, Munns SW. Arthroscopic treatment of Pipkin type I femoral head fractures: a report of 2 cases. J Orthop Trauma. 2012;26:e94-6.

88. Matsuda DK. A rare fracture, an even rarer treatment: the arthroscopic reduction and internal fixation of an isolated femoral head fracture. Arthroscopy. 2009;25:408-12.

89. Park MS, Her IS, Cho HM, Chung YY. Internal fixation of femoral head fractures (Pipkin I) using hip arthroscopy. Knee Surgery Sports Traumatology Arthroscopy. 2014;22:898-901.

90. Kekatpure A, Ahn T, Lee SJ, Jeong MY, Chang JS, Yoon PW. Arthroscopic Reduction and Internal Fixation for Pipkin Type I Femoral Head Fracture: Technical Note. Arthrosc Tech. 2016;5:e997-e1000.

91. Govaert LHM, van der Vis HM, Marti RK, Albers GHR. Trochanteric reduction osteotomy as a treatment for refractory trochanteric bursitis. Journal of Bone and Joint Surgery-British Volume. 2003;85B:199-203.

92. Voos JE, Rudzki JR, Shindle MK, Martin H, Kelly BT. Arthroscopic anatomy and surgical techniques for peritrochanteric space disorders in the hip. Arthroscopy-the Journal of Arthroscopic and Related Surgery. 2007;23.

93. Baker CL, Massie V, Hurt WG, Savory CG. Arthroscopic bursectomy for recalcitrant trochanteric bursitis. Arthroscopy-the Journal of Arthroscopic and Related Surgery. 2007;23:827-32.

94. Farr D, Selesnick H, Janecki C, Cordas D. Arthroscopic bursectomy with concomitant iliotibial band release for the treatment of recalcitrant trochanteric bursitis. Arthroscopy. 2007;23:905 e1-5.

95. de Sa D, Alradwan H, Cargnelli S, et al. Extra-articular hip impingement: a systematic review examining operative treatment of psoas, subspine, ischiofemoral, and greater trochanteric/pelvic impingement. Arthroscopy. 2014;30:1026-41.

96. Sutter R, Pfirrmann CW. Atypical hip impingement. AJR Am J Roentgenol. 2013;201:W437-42.

97. Ilizaliturri VM, Villalobos FE, Chaidez PA, Valero FS, Aguilera JM. Internal snapping hip syndrome: Treatment by endoscopic release of the iliopsoas tendon. Arthroscopy-the Journal of Arthroscopic and Related Surgery. 2005;21:1375-80.

98. Winston P, Awan R, Cassidy JD, Bleakney RK. Clinical examination and ultrasound of self-reported snapping hip syndrome in elite ballet dancers. American Journal of Sports Medicine. 2007;35:118-26.

99. Domb BG, Shindle MK, McArthur B, Voos JE, Magennis EM, Kelly BT. Iliopsoas impingement: a newly identified cause of labral pathology in the hip. HSS J. 2011;7:145-50.

100. Ilizaliturri VM, Jr., Chaidez C, Villegas P, Briseno A, Camacho-Galindo J. Prospective randomized study of 2 different techniques for endoscopic iliopsoas tendon release in the treatment of internal snapping hip syndrome. Arthroscopy. 2009;25:159-63.

101. Ilizaliturri VM, Jr., Villalobos FE, Jr., Chaidez PA, Valero FS, Aguilera JM. Internal snapping hip syndrome: treatment by endoscopic release of the iliopsoas tendon. Arthroscopy. 2005;21:1375-80.

102. Amar E, Druckmann I, Flusser G, Safran MR, Salai M, Rath E. The anterior inferior iliac spine: size, position, and location. An anthropometric and sex survey. Arthroscopy. 2013;29:874-81.

103. Hapa O, Bedi A, Gursan O, et al. Anatomic footprint of the direct head of the rectus femoris origin: cadaveric study and clinical series of hips after arthroscopic anterior inferior iliac spine/subspine decompression. Arthroscopy. 2013;29:1932-40.

104. Hetsroni I, Poultsides L, Bedi A, Larson CM, Kelly BT. Anterior inferior iliac spine morphology correlates with hip range of motion: a classification system and dynamic model. Clin Orthop Relat Res. 2013;471:2497-503.

105. Morales-Avalos R, Leyva-Villegas JI, Sanchez-Mejorada G, et al. A new Morphological Classification of the Anterior Inferior Iliac Spine. Relevance in Subspine Hip Impingement. International Journal of Morphology. 2015;33:626-31.

106. Amar E, Warschawski Y, Sharfman ZT, Martin HD, Safran MR, Rath E. Pathological findings in patients with low anterior inferior iliac spine impingement. Surgical and Radiologic Anatomy. 2016;38:569-75.

107. Michal F, Amar E, Atzmon R, et al. Subspinal impingement: clinical outcomes of arthroscopic decompression with one year minimum follow up. Knee Surg Sports Traumatol Arthrosc. 2018.

108. McCrory P, Bell S. Nerve entrapment syndromes as a cause of pain in the hip, groin and buttock. Sports Medicine. 1999;27:261-74.

109. Miller SL, Gill J, Webb GR. The proximal origin of the hamstrings and surrounding anatomy encountered during repair - A cadaveric study. Journal of Bone and Joint Surgery-American Volume. 2007;89A:44-8.

110. Martin HD, Shears SA, Johnson JC, Smathers AM, Palmer IJ. The Endoscopic Treatment of Sciatic Nerve Entrapment/Deep Gluteal Syndrome. Arthroscopy-the Journal of Arthroscopic and Related Surgery. 2011;27:172-81.

111. Martin HD, Kelly BT, Leunig M, et al. The Pattern and Technique in the Clinical Evaluation of the Adult Hip: The Common Physical Examination Tests of Hip Specialists. Arthroscopy-the Journal of Arthroscopic and Related Surgery. 2010;26:161-72.

112. Dezawa A, Kusano S, Miki H. Arthroscopic release of the piriformis muscle under local anesthesia for piriformis syndrome. Arthroscopy-the Journal of

Arthroscopic and Related Surgery. 2003;19:554-7.

113. Hwang DS, Kang C, Lee JB, Cha SM, Yeon KW. Arthroscopic treatment of piriformis syndrome by perineural cyst on the sciatic nerve: a case report. Knee Surgery Sports Traumatology Arthroscopy. 2010;18:681-4.

114. Park SM, Baek JH, Ko YB, Lee HJ, Park KJ, Ha YC. Management of Acute Calcific Tendinitis Around the Hip Joint. American Journal of Sports Medicine. 2014;42:2659-65.

115. Tosun O, Algin O, Yalcin N, Cay N, Ocakoglu G, Karaoglanoglu M. Ischiofemoral impingement: evaluation with new MRI parameters and assessment of their reliability. Skeletal Radiology. 2012;41:575-87.

116. Kivlan BR, Martin RL, Martin HD. Ischiofemoral impingement: defining the lesser trochanter-ischial space. Knee Surgery Sports Traumatology Arthroscopy. 2017;25:72-6.

117. Singer AD, Subhawong TK, Jose J, Tresley J, Clifford PD. Ischiofemoral impingement syndrome: a meta-analysis. Skeletal Radiology. 2015;44:831-7.

118. Viala P, Vanel D, Larbi A, Cyteval C, Laredo JD. Bilateral ischiofemoral impingement in a patient with hereditary multiple exostoses. Skeletal Radiology. 2012;41:1637-40.

119. Safran M, Ryu J. Ischiofemoral impingement of the hip: a novel approach to treatment. Knee Surgery Sports Traumatology Arthroscopy. 2014;22:781-5.

120. Jones CW, Biant LC, Field RE. Dislocation of a total hip arthroplasty following hip arthroscopy. Hip International. 2009;19:396-8.

121. de Sa D, Alradwan H, Cargnelli S, et al. Extra-Articular Hip Impingement: A Systematic Review Examining Operative Treatment of Psoas, Subspine, Ischiofemoral, and Greater Trochanteric/

Pelvic Impingement. Arthroscopy-the Journal of Arthroscopic and Related Surgery. 2014;30:1026-41.

122. Perets I, Rybalko D, Mu BH, Friedman A, Morgenstern DR, Domb BG. Hip Arthroscopy: extra-articular Procedures. Hip Int. 2019;29:346-54.

123. Larson CM, Giveans MR, Taylor M. Does Arthroscopic FAI Correction Improve Function with Radiographic Arthritis? Clinical Orthopaedics and Related Research. 2011;469:1667-76.

124. Philippon MJ, Briggs KK, Carlisle JC, Patterson DC. Joint Space Predicts THA After Hip Arthroscopy in Patients 50 Years and Older. Clinical Orthopaedics and Related Research. 2013;471:2492-6.

125. Matsuda DK. Protrusio Acetabuli: Contraindication or Indication for Hip Arthroscopy? And the Case for Arthroscopic Treatment of Global Pincer Impingement. Arthroscopy-the Journal of Arthroscopic and Related Surgery. 2012;28:882-8.

126. Krebs VE. The role of hip arthroscopy in the treatment of synovial disorders and loose bodies. Clin Orthop Relat Res. 2003:48-59.

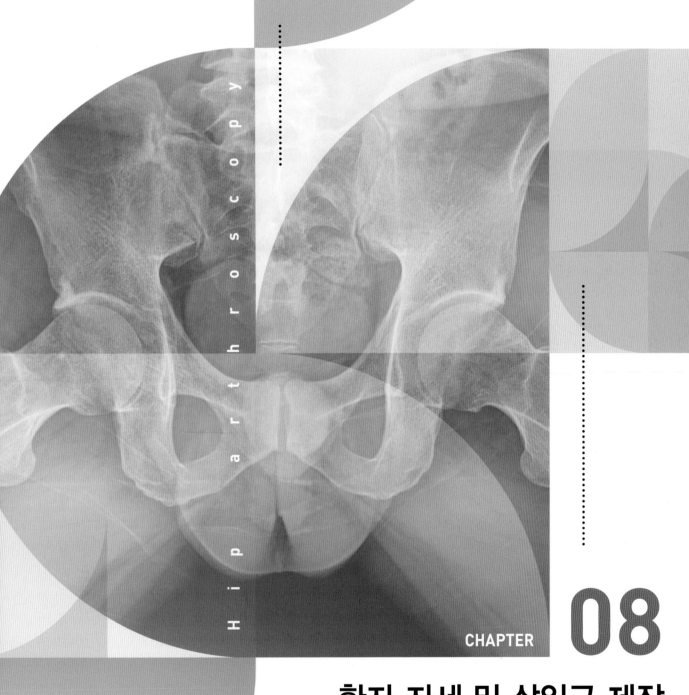

CHAPTER

08

환자 자세 및 삽입구 제작

Patient position & Portal Making

CHAPTER 08

환자 자세 및 삽입구 제작
Patient position & Portal Making

조승환

1
고관절 관절경 시 환자 자세 및 삽입구 제작

고관절의 관절경은 해부학적 구조의 유사성으로 견관절의 관절경과 비교된다. 두 관절경의 술기상의 가장 큰 차이점은 고관절의 경우 심부에 위치한 관절로서 견관절보다 긴 수술 도구가 필요하며, 둘러싸고 있는 관절막이 두껍기 때문에 이를 통해 수술도구를 삽입 및 조작하기 위해서 관절의 견인 및 관절막의 절개가 필요하다는 점이다. 고관절의 관절경은 비교적 작은 작업공간에서 관절경 기구를 조작하여야 하고 긴 수술도구를 사용하기 때문에 기술적으로 어렵다. 성공적인 술기를 위해서는 환자의 적절한 자세와 정확한 삽입구의 제작이 필수적이다. 체격이 크지 않은 일반적 동양인의 경우 관절경 술기를 위한 도구는 대부분 견관절이나 슬관절의 도구를 사용하여도 문제가 되지 않지만, 심부에 위치한 고관절의 특성상 기본 삽입구의 제작을 위해서는 하지 견인기구와 방사선 투시기(fluoroscopy, C-arm intensifier)가 필수적이며 고관절용으로 제작된 16 guage 천차 침 및 유연한 니티놀 재질의 가이드 와이어, 확공기구(dilator), 관절막 절개용 나이프, 개방형 삽입관(open cannula), 굴곡형의 절삭기 및 고주파 절제기 등이 필요하다.

1) 환자의 자세 및 하지의 견인

고관절의 관절경은 앙와위(supine position) 또는 측와위(lateral position)에서 시행할 수 있는데 이는 술자의 경험 및 친숙도, 보유하고 있는 견인도구 등을 감안하여 결정한다. 측와위는 고관절 후방부에 위치한 병변에 대한 관찰 및 접근이 용이하며, 술기 시 팔을 환자에 기댈 수 있어 술자의 피로도가 덜하다는 장점이 있다. 하지만 최근에는 환자 자세를 잡는 데 보다 간단하며 방사선 투시기의 사용이 용이한 앙와위에서 수술이 더 흔하게 이루어지고 있으며, 특히 최근 수술기법들은 앙와위를 기준으로 기술되어 있다. 볼-소켓 형태인 고관절의 특성상 관절의 견인을 하지 않고는 관절 내로 내시경 기구를 삽입할 수 없으며 충분한 시야를 확보할 수 없다. 이에 환측의 고관절을 견인할 수 있는 골절 테이블이나 내시경용으로 제작된 특수 수술 침대가 필요하다(그림 1). 마취는 전신 마취, 경막외 마취 또는 척추 마취 모두 가능하나 하지 견인을 위하여 근이완을 시킬 수 있는 전신마취가 수술에 용이하다.

하지 견인은 관절경 지름의 2배 정도의 공간을 확보하기 위해 관절 간격이 1.0-1.2 cm가 되도록 하는 것이 적당하다. 이를 위해 약 25-50 lb 정도의 견인력이 필요하다고 알려

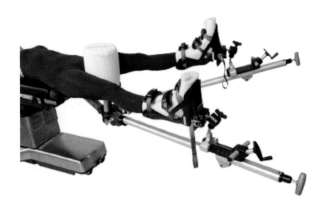

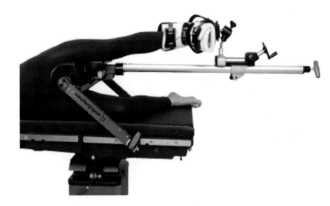

그림 1 Special table을 이용한 앙와위 및 측와위에서 환자의 자세(Active Heel Hp Positioning System, Smith & Nephew)

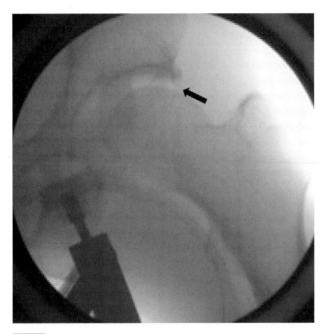

그림 2 고관절 견인 시 음압에 의해 나타나는 진공현상(Halo sign, 화살표)

져 있으나 관절 내 음압에 의해 견인력이 200 lb 이상 필요할 수 있다는 연구 결과도 있기 때문에 충분한 견인에도 적당한 관절 간격이 확보되지 않을 경우에는 관절 내로 바늘을 삽입하여 음압을 제거하는 것이 도움이 된다(그림 2). 또한 개개인마다 필요한 견인력은 차이가 크며 특히 여성이나 소아 또는 전신적 이완이 있는 경우 비교적 적은 견인력에도 관절 간격이 벌어질 수 있음을 감안하여 주의가 필요하다. 반면 강직성 척추염이 있거나 골성 변형이 심한 경우에는 상당한 견인력을 부하한 후에도 고식적인 방법으로 관절 내 접근이 어려울 수 있으며, 이 경우는 번역 구획부터 삽입

구를 제작하는 방식을 고려해야 한다.

하지 견인 시 회음부 봉(perineal post)에 의한 외측 회음신경, 발목 고정 시 압박에 의한 전경골 신경, 장시간 견인에 의한 좌골 신경의 손상이 발생할 수 있으므로 이에 대한 주의가 필요하다. 특히 외측 회음신경은 흔하게 발생하는 손상의 하나인데, 이를 예방하기 위하여 회음부 봉을 충분히 두껍게 패딩하는 것이 필요하며 견인 시간도 최대 2시간을 넘지 않도록 해야한다. 남성의 경우 음경을 배굴하여 압박에 의한 음경의 종창을 피할 수 있도록 하여야 한다. 마찬가지로 발목 및 발뒤꿈치에도 외과용 솜뭉치를 충분히 패딩하여 신경 손상에 대비한다. 단, 발이 작은 환자의 경우 과도한 패딩시 발이 발목 부츠에서 탈출하는 경우가 있기 때문에 견인이 되지 않을 경우 이에 대한 확인이 필요하다. 하지 견인 시 고관절을 20-30° 외전시키고 10-20° 굴곡할 경우 관절막 전방부의 장골대퇴인대(iliofemoral ligaement)를 이완시킬 수 있어 종축 견인에 도움이 된다. 또한 효과적인 하지 견인을 해서는 단순히 종축으로 대퇴골두를 견인하는 것이 아니라 횡방향의 벡터도 같이 필요한데, 이를 위해서는 환측 고관절을 약 45-60° 정도 외전한 상태에서 견인을 한 후 내전을 하게 되면 회의 기둥에 의해 종축 및 횡측 방향으로 벡터 힘을 제공할 수 있어 효과적인 견인이 가능하다(그림 3).

2) 삽입구의 제작

정확한 삽입구의 위치 설정은 정확하고 효과적인 술기를 위

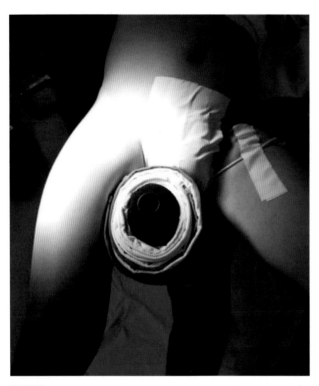
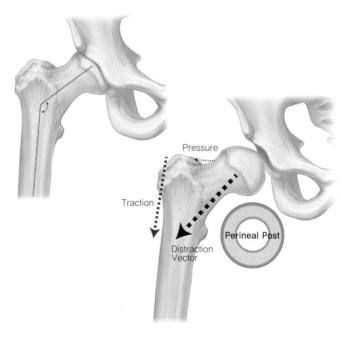

그림 3 역견인을 위한 회음 기둥은 회음신경의 손상을 막기 위해 두껍게 패딩하는 것이 필요하며, 서혜부에 위치시켜 종축 및 외측으로 대퇴골두가 견일될 수 있도록 한다.

한 가장 중요한 요소 중 하나이다. 기본이 되는 삽입구는 전외측(anteolateral), 전방(anterior) 그리고 후외측(posterolateral) 삽입구로서 대부분의 기본 술기들은 이 세 개의 삽입구를 통해 시행할 수 있다. 하지만 최근에는 전방보다는 봉합 나사를 같이 삽입할 수 있는 변형된 전방 (mid-anterior) 삽입구를 기본 삽입구로 사용하는 경우가 많다. 삽입구 제작을 위하여 사용하는 표지자(land mark)는 전상장골극과 대전자이다. 이중 대전자의 경우 하지 견인 후 피부에서 촉지되는 위치가 변하기 때문에 견인 후 위치를 확인하는 것이 추천된다(**그림 4**).

삽입구의 안전지대(safe zone)는 후방으로는 좌골신경, 전방으로는 대퇴 신경 및 혈관 그리고 근위부로는 상둔근 신경(superior gluteal nerve)으로 한정되는 공간으로 이 부위에 삽입구를 만들 경우 신경 손상으로부터 안전하다. 전상장골극에서 종축으로 내린 선보다 내측은 대퇴 신경 및 혈관의 손상을 유발할 수 있기 때문에 삽입구의 위치를 이보다 내측으로 만들지 않는 것이 중요하다.

(1) 전외측 삽입구

고관절 관절경에서 일반적으로 가장 먼저 만드는 삽입구로서 주 관찰 삽입구(viewing portal)의 역할을 한다. 고관절 관절경의 유일한 맹검 삽입구로서 관절 내 연골 손상을 방지하기 위하여 방사선 투시기(fluoroscopy)를 이용하여 삽입 위치 및 방향을 확인하면서 관절 내로 천자 침을 삽입한다.

삽입 전 15-20° 정도 고관절을 내회전하거나 또는 테이블을 경사지게 하여 대퇴경부가 바닥과 평행하게 만들면 삽입이 용이하다. 삽입구의 시작점은 대퇴대전자의 전상방부로부터 약 1-2 cm 근위부, 1-2 cm 전방부이며 가장 가깝게 위치한 신경은 상둔근 신경으로 약 4.4 cm 근위부에 위치하기 때문에 의인성 신경 손상에서부터 비교적 자유롭다. 방사선 투시기로 확인하면서 천차 침을 대둔근을 통과시켜 약 10-20° 근위부, 15-20° 후방을 향하여 삽입한다. 삽입 시에는 손의 감각을 이용하여 관절 내 구조물이 손상되지 않도록 하는 것이 필요하다. 천자침이 관절막을 통과할 때 저항을 느끼는데 이후에도 저항을 느끼게 된다면 관절 와순을 관통하거나 태퇴골두 또는 비구의 연골과 마찰이 있는 것으로 주

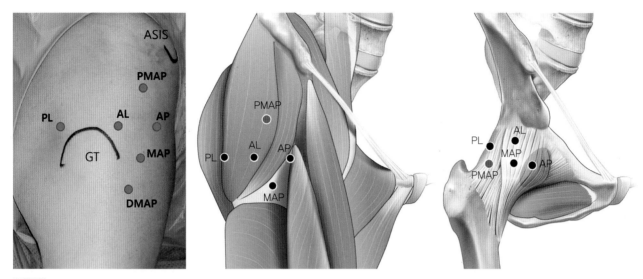

그림 4 기본 삽입구의 표피층 및 심부에서의 위치

AL: 전외측 삽입구, AP: 전방 삽입구, MAP: 변형된 전방 삽입구, PL: 후외측 삽입구, PMAP: 근위 전외측 부삽입구, DMAP: 원위 전외측 부삽입구.

의가 필요하다. 천자침의 삽입 시 관절막을 통과할 때까지 바늘의 날카로운 면이 원위부로 가도록 하면 비구순을 관통하는 것을 예방할 수 있으며 이후에는 날카로운 면을 근위부로 가도록 하여 대퇴골두 연골 손상 가능성을 줄일 수 있다(그림 5).

천자침의 삽입 후 내침(stylus)을 제거하면 관절낭의 음압이 소실되며 관절 내 공기가 삽입된 것을 확인할 수 있다. 이후 유도철사(nitinol wire)를 삽입하며 순차적으로 유관 투관침(trocar)과 삽입관(cannula)을 통해 삽입구를 확공(dilatation)하고 관절경을 삽입할 수 있다. 고관절 관절경에

서 사용하는 유도철사는 유연성이 있는 니티놀 합금 재질이나 유관 투관침을 최초 천자침의 방향과 다른 방향으로 힘을 주며 삽입할 경우 파손되어 일부가 관절 안에 남을 수 있기 때문에 유관 투관침 삽입 시에는 유도철사를 점차적으로 후진하는 것이 추천된다.

전외측 삽입구를 통하여 70° 관절경을 삽입할 경우 중심구획 대부분의 구조물들을 관찰할 수 있으며 특히 비구순의 손상이 흔히 발생하는 전상방의 비구순을 관찰하는 데 용이하다.

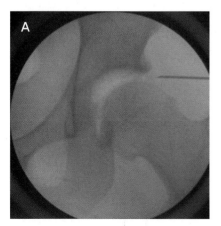 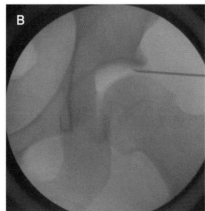 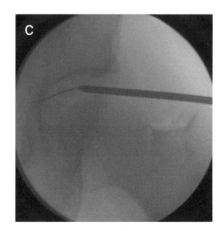

그림 5 (A) 비구순 통과 시 천자 침의 첨부를 원위부로, (B) 통과 후에는 근위부로 하여 관절 와순 및 대퇴골두 연골 손상을 예방한다. (C) 유관 투관침을 삽입 시 유도 철사의 피손에 주의한다.

(2) 전방 삽입구

전방 삽입구는 전상장골극에서 슬개골 상극을 향해 원위부로 내린 선과 대전자의 첨부에서 내측으로 그은 수평선이 교차한 지점에 만든다. 통상 전상장골극에서 약 6 cm 원위부에 위치한다. 이 부위에서 약 20–30° 근위부 그리고 약 30–40° 후방을 향하여 천자침을 삽입하며. 먼저 만들어진 전외측 삽입구에 위치한 관절경을 이용하여 천자침이 전상방 비구순 및 대퇴골두로 이루어진 전방 관절막 삼각을 관통하는 것을 직접 확인하며 천자침을 전진시킨다. 전방 삽입구를 통해 수술 기구를 삽입할 때에는 봉공근과 대퇴 직근의 일부가 관통하게 된다.

전방 삽입구를 만들 때에는 외측 대퇴피부신경(lateral femoral circumflex nerve)이 3 mm 정도로 매우 가깝게 위치할 수 있어 피부를 절개할 때 깊게 절개하지 않도록 주의해야 한다. 또한 해부학적으로 외측 대퇴회선동맥(lateral femoral circumflex artery)의 분지, 대퇴신경 등이 4 cm 거리에 위치하고 있어 주의가 필요하다.

전방 삽입구는 중심 구획의 술기에서 작업 삽입구로 사용하게 되나 이를 관찰 삽입구로 사용하여 먼저 만들어진 전외측 삽입구의 위치가 적절한지 여부를 확인할 수 있다. 변연부의 병변 확인 및 조작 시에는 전외측 삽입구와 교차하며 관찰 및 작업 삽입구로 모두 사용할 수 있다.

(3) 변형된 전방 삽입구(mid anterior portal)

변형된 전방 삽입구는 전통적인 전방 삽입구보다 최근 더 일반적인 주작업 삽입구로 사용되고 있다. 보통 이 삽입구는 전외측 삽입구에서 약 5–7 cm 정도, 45° 각도 원위부에 위치하며 전외측 삽입구와 고식적인 전방 삽입구를 한변으로 하는 정삼각형을 원 위로 그렸을 때 역 정삼각형의 원 위 꼭지점에 해당한다. 전방 삽입구와 마찬가지로 전방 관절낭을 통과하기 전 봉공근(sartorius)과 대퇴직근(rectus femoris)을 통과하며 외측 대퇴 피부 신경의 가지 사이로 삽입된다. 해부학적 연구에서는 외측 대퇴 회선 동맥이 삽입구로부터 약 3.7 cm 정도에 위치한다고 보고되었으나 실제 손상은 흔하지 않다.

삽입 방식은 전방 삽입구와 마찬가지로 관절경으로 전방 관절막 삼각을 관찰하며 30–40° 근위부, 20–30° 후방을 향하여 천자침을 삽입 후 관절막을 관통하는 것을 확인한다. 삽입 각도가 고식적인 전방 삽입구에 비해 더 근위부를 향하기 때문에 외측 비구 연골의 손상의 가능성이 있어 주의를 요한다.

변형된 전방 삽입구를 사용할 경우 외측 대퇴피부신경 손상의 가능성을 줄일 수 있으며 봉합 나사의 삽입 시 삽입 각도를 낮출 수 있어 상대적으로 봉합 나사의 비구 돌출 가능성을 줄일 수 있다(그림 6). 전방 삽입구를 작업 삽입구로 사용할 경우 봉합 나사를 비구에 삽입하기 위하여 추가적인 부삽입구가 필요한 단점을 보완할 수 있어 널리 사용된다.

(4) 후외측 삽입구

후외측 삽입구의 피부 기시점은 대전자의 상후방 첨부에서 약 1 cm 정도 후면이며. 전방 삽입구 중 하나에 관절경을 삽입 후 직접 확인하면서 천자침을 삽입한다. 대전자 첨부를 기준으로 대퇴골의 후방에 전외측 삽입구와 대칭으로 피부 절개하고 삽입 시 천자침의 방향을 5–10° 근위부, 5–10° 전방이 되도록 삽입한다. 삽입구는 중둔근과 소둔근의 후방

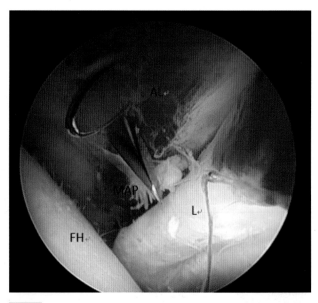

그림 6 전방 삽입구와 변형된 전방 삽입구를 이용한 관절내 천차침의 위치
FH: 대퇴골두, L: 비구순, AL: 전외측 삽입구로 삽입된 천자침, MAP: 변형된 전방 삽입구로 삽입된 천자침.

을 가로지르며 이상근보다 근위부를 지난다. 후외측 삽입구 제작시 고관절을 과도하게 내회전 또는 외회전 할 경우 좌골 신경을 손상 시킬 수 있기 때문에 약 15° 정도 내회전을 통해 천자침이 거의 바닥과 평행하게 들어가는 게 안전하다. 본 삽입구에서 좌골신경이 약 2.9 cm, 내측 대퇴회선동맥의 심부 분지가 약 1 cm에 위치하므로 주의를 요한다.

후외측 삽입구를 통하여 비구의 체중부하 천장(weight bearing dome) 및 후내측, 전상방 비구순 그리고 대퇴골두 등을 관찰할 수 있다. 관절 내시경 시 대부분의 병변이 전상방에 위치하기 때문에 후외측 삽입구를 작업 삽입구로 사용하는 경우는 비교적 적으며 보통 관류액의 배수로로 상용한다. 하지만 고관절 후방 탈구 등에 의해 발생하는 후비구순의 파열, 후벽의 골절 및 유리체가 존재할 경우 주요 작업 삽입구로 사용할 수 있다.

(5) 근위 변형된 전방 삽입구

전외측 삽입구 및 전방 삽입구를 기준으로 변형된 전방 삽입구와 대칭점에 위치한다. 대둔근의 전방부를 관통하며 삽입 시 상둔신경의 외측 및 원위부로 진입하기 때문에 신경 손상에 안전한 삽입구이다. 변연 구획의 접근 시 이 삽입구를 관찰 삽입구로 사용할 수 있으며, 대퇴골두-경부 접경의 원위부를 관찰하는 데 유리하다.

(6) 근위 전외측 부삽입구

근위 변형된 전방 삽입구의 바로 후방 및 전외측 삽입구와 같은 높이에 위치한다. 주로 전자 주위 공간의 접근 시 작업 삽입구로 사용하며, 특히 중둔근 또는 소둔근의 파열 시 봉합 나사의 삽입 및 인대의 봉합에 유리하다.

(7) 원위 전외측 부삽입구

전외측 삽입구와 종축으로 같은 선상에 4-6 cm 원위부에 위치하며 대둔근의 대퇴 부착부 근위부에 위치한다. 전방 및 측방 관절완순 봉합 시 봉합 나사의 삽입을 위해 사용할 수 있으며, 이 삽입구로 도구를 삽입할 경우 대퇴경부와 평행하게 삽입될 수 있어 변연 구획에 대한 접근 시 골연골절제술(osteochondroplasty)을 위해 더 인체공학적으로 유리한 위치에 골연골절제도구를 위치시킬 수 있다. 같은 이유로 술기 후 관절막을 봉합 시 작업 도구를 삽입하는 삽입구이다.

(8) 내측 삽입구

내측 삽입구는 고관절의 내측 및 하방의 구조물에 대한 평가 및 처치가 필요할 때 제한적으로 사용할 수 있으며, 특히 광범위한 활액막 연골종증 시에 유용한 작업 삽입구이다. 이를 위해서는 회음기둥을 제거하고 고관절을 약 40-50° 굴곡 및 외전 후 방사선 투시기를 확인하며, 천자침을 대퇴골두-경부 이행부 방향으로 삽입한다. 황 등은 카데바 연구

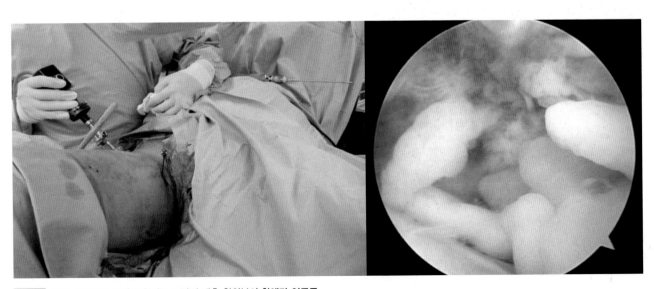

그림 7 내측 삽입구을 통해 관찰되는 고관절 내측 원위부의 활액막 연골종

를 통해 폐쇄신경 및 혈관 손상을 막기 위해 내측 치골 결합의 3 cm 원위부, 장내전근의 전방근위부에 인접하여 내측 삽입구를 위치시키고 끝이 날카롭지 않은 트로카의 사용을 권고하였다(그림 7).

3) 관절내로의 접근

고관절 내시경으로 접근할 수 있는 고관절 내부 공간은 중심 구획(central compartment)과 변연 구획(peripheral compartment)으로 나뉘며, 이외 고관절 주위공간으로 전자주위 구획(peritrochanteric space) 그리고 둔부 아래 구획(subgluteal space)으로 나뉘어진다.

(1) 중심 구획의 접근

중심 구획은 관절막, 비구, 비구순, 횡인대, 원형 인대, 그리고 대퇴골두을 포함한다. 전외측 삽입구를 이용하여 70° 관절경을 비구의 내측에 닿을 정도로 삽입 후 약간 후퇴

할 경우 가장 먼저 관찰되는 구조물은 원형인대와 비구와(cotyloid fossa) 내의 지방 조직이다. 원형인대의 상태는 고관절을 내회전 및 외회전을 하면서 전방과 후방의 손상이 있는지를 확인할 수 있다. 일반적으로 사용하는 직선형의 프로브는 원형의 대퇴골두 때문에 원형인대에 닿지 못하기 때문에 원형인대의 손상 정도를 확인하기 위해서는 굴곡형 고주파 절제기를 사용하는 것이 유리하다. 이후 단순히 카메라의 방향을 회전하는 것만으로 전방 및 후방 비구와 비구순을 관찰할 수 있다(그림 8). 카메라를 전방으로 위치시키고 조금 더 후퇴할 경우 전상방의 비구순과 대퇴골두로 이루어진 전방 관절막 삼각 구조물을 관찰할 수 있다. 카메라 렌즈 방향을 외측으로 돌리면 대퇴골두의 상태를 확인할 수 있으며, 이어 후방 관절막과 후방 관절막 삼각을 관찰할 수 있다. 조금 더 후퇴할 경우 관절막과 비구순 사이의 윤활주름(synovial fold)을 관찰할 수 있는데, 과도하게 후퇴할 경우 관절경이 관절막 밖으로 탈출할 수 있어 주의를 요한다. 이후 카메라를 전방 삽입구로 옮겨 전외측 삽입구가 비구순을

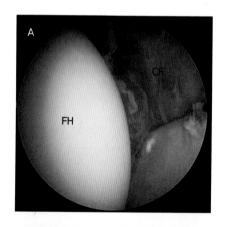
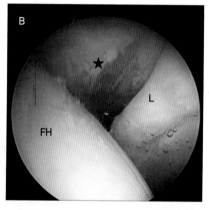
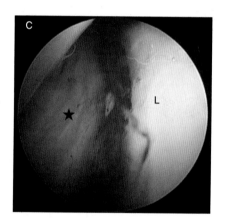
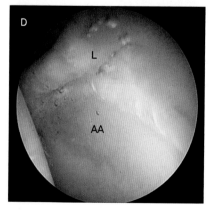
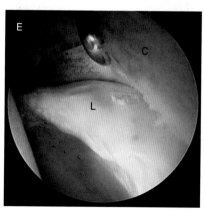

그림 8 중심구획에서 관찰되는 구조물

(A) 대퇴골두(FH), 원형인대(LT) 및 비구와(CF). (B) 대퇴골두, 전방비구순(L) 및 전방 관절막(별표). (C) 후방 비구순(L) 및 후방 관절막 삼각(별표). (D) 전방 비구 관절면(AA) 및 전방 비구순(L). (E) 외측 비구순(L)과 관절막(C).

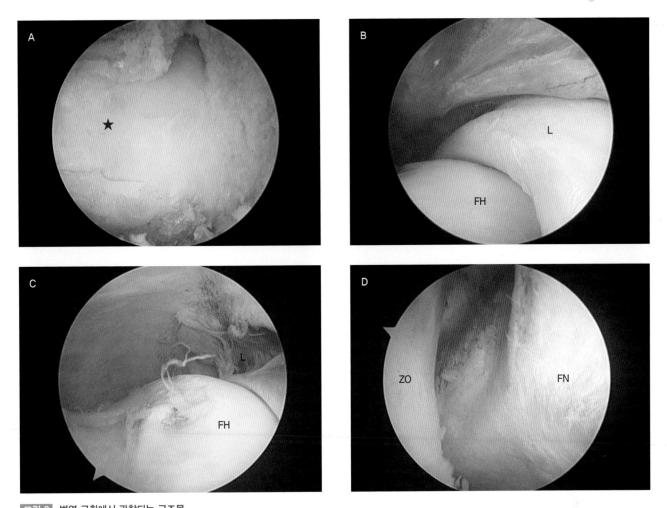

그림 9 변연 구획에서 관찰되는 구조물
(A) T형 관절막 절개술 후 관찰되는 대퇴골두–경부 접경부(별표), (B) 전외측 삽입구를 통해 관찰되는 전방 비구순(L) 및 대퇴골두(FH), (C) 전하방 비구순(L) 및 대퇴골두(FH), (D) 전하방 대퇴경부(FN) 및 고관절 윤대(ZO).

손상시키지 않았는지 확인할 수 있다. 견인에 의해 관절막이 긴장되어 있기 때문에 관절경 및 탐색 탐침자(probe)의 움직임이 자유롭지 못하다면 관절막 절개술이 필요하다.

(2) 변연 구획의 접근

변연부의 접근을 위해서 하지 견인은 필요하지 않으며 오히려 전방 관절막을 이완시키기 위하여 관절을 굴곡하는 것이 접근하는 데 도움이 된다. 고관절 관절경의 시작을 변연부에서부터 할 수도 있으나 대부분 중심 구역의 확인 후 변연구역으로 이동하게 된다. 변연 구역의 접근은 관절막 절개부분을 통해 이루어지는데 고관절의 굴곡이 가능한 견인장치를 사용할 경우에는 삽입구 사이 관절막 절개술(interportal capsulotomy)만으로 충분한 반면 고관절 굴곡이 용이하지

않을 경우에는 추가적인 관절막 절제가 필요하다.

중심 구획의 술식이 끝나면 견인을 풀고 고관절을 약 30–45° 정도 굴곡한다. 이때 삽입구 사이 절개 부위를 통해 대퇴골두–경부 접합부를 관찰할 수 있는데 충분한 시야가 확보되지 않은 경우에는 관절막을 대퇴경부를 따라 확장하는 T형 관절막 절개술을 시행할 수 있다. 이 경우 관절경의 방향을 원위 외측을 향하게 하고 변형된 전방 또는 원위 전외측 부삽입구를 이용하여 관절경 나이프 또는 고주파 절제기를 삽입하여 비교적 쉽게 대퇴경부를 따라 관절막 절개술을 시행할 수 있다. 교환막대를 전방 삽입구를 통해 삽입하여 관절막을 대퇴경부의 근위부와 원위부로 견인하는 방식으로 시야를 확보할 수 있으며, 대퇴경부의 후상방부를 확인하기 위해서는 관절경을 전방 삽입구를 교체하여 삽입하는 것

이 유리하다.

전외측 삽입구를 이용하여 관절경을 삽입 시 방향을 10–20° 근위부, 0–10° 전방을 향하게 하면 관절막 절개 부위를 통하여 변연부에 접근할 수 있으며, 30° 관절경을 이용하여 대퇴골두 및 경부, 원위 관절막의 병변을 확인 및 처치할 수 있다(그림 9).

술 후 절개된 관절막의 처치에 대해 논란의 여지가 있으나 고관절의 신전 및 외회전 안정성에 영향을 미치는 장골대퇴인대 및 관절의 견인 안전성에 영향을 미치는 고관절 윤대가 관절막 절개술에 의해 손상된다는 점을 고려하여 봉합하는 방식이 일반적으로 추천되고 있다.

(3) 전자 주위 구획의 접근

전자 주위 구획은 대전자와 장경인대 사이의 공간으로 대전자 점액낭이 포함되어 있으며, 전방으로는 봉공근과 대퇴근막장근의 근육 부분, 후방으로는 대둔근이 부착한 대퇴골조선(linea aspera)이 위치한다. 내시경을 이용한 전자 주위 구획의 접근을 통해 보존적 치료에 실패한 외형 발음성 고관절(external snapping hip), 전자부 점액낭염(trochanteric bursitis), 소둔근이나 중둔근의 손상을 확인 및 치료를 할 수 있다.

전자 주위 구획의 접근을 위해 장경인대의 주행을 따라 피하로 내시경을 삽입한 후 장경인대를 종축으로 절개하고

접근하는 방법이 있으나, 일반적인 방식은 외측 광근 사이로 접근하는 방식으로 이는 견관절의 견봉하 공간에 접근하는 방식과 유사하다. 전자 주위 공간을 넓히기 위해서는 환자의 고관절을 0° 신전, 15° 내회전 및 약 30° 정도 외전하는 것이 전자 주위 구획의 확보를 위하여 유리하다. 최초 삽입구는 전방 삽입구 또는 변형된 전방 삽입구를 사용한다(그림 10). 삽입관을 전자 주위 구획으로 삽입 후 앞뒤로 쓸어주며 쉽게 움직이는지 확인한다. 적절히 삽입되었는지 여부가 명확하지 않다면 방사선 투시기를 이용하여 삽입관이 대전자부 바로 외측 또는 외측 하방에 위치하는지 확인할 수 있으며, 전자 주위 구획에 잘 삽입되었을 경우에는 움직임에 제한이 없이 움직여진다. 전외측 삽입구와 원위 전외측 부삽입구는 작업 삽입구로 사용된다.

전자 주위 구획에 접근한 경우 먼저 관찰되는 구조물은 대전자의 점액낭으로 이를 제거할 경우 전자 주위 구조물들을 확인할 수 있다. 전자 주위 구획은 비교적 넓은 공간이며 수술기구의 조작이 쉬운 공간으로 70° 내시경보다는 30° 내시경을 통해 보다 넓은 시야를 확보하는 것이 술기에 유리하다(그림 11).

(4) 둔부 아래 구획의 접근

고관절의 후방에 위치한 관절 외 공간의 경우 이상근 증후군으로 대표되는 심둔부 증후군(deep gluteal syndrome)

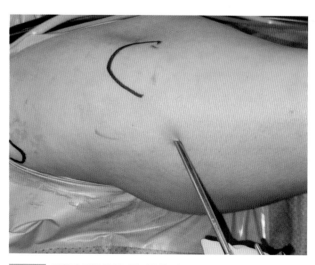
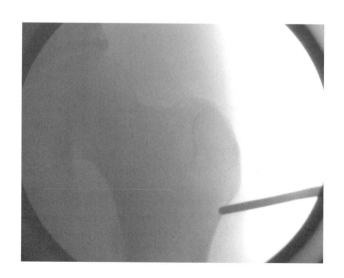

그림 10 변형된 전방 삽입구를 이용한 전자 주위 구획의 접근

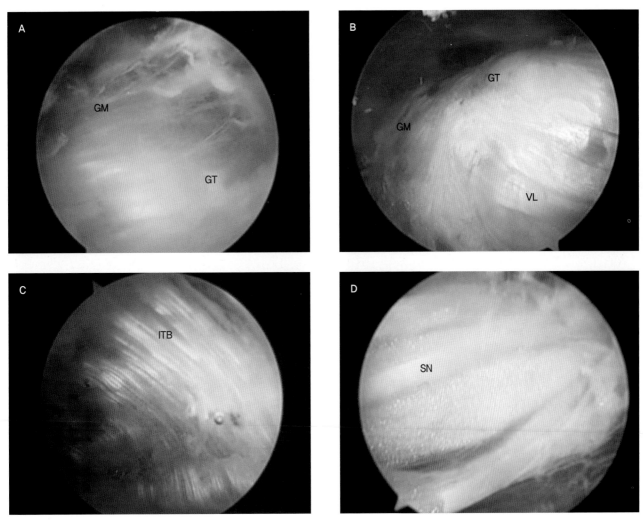

그림 11 **(A)** 관절경 삽입 후 관찰되는 섬유조직에 둘러싸인 대퇴 전자부(GT)와 중둔근(GM), **(B)** 점액낭의 제거 후 관찰되는 중둔근 및 외측 광배근(VL), **(C)** 관절경을 외측으로 향할 때 관찰되는 장경인대(ITB)의 내측 섬유조직. **(D)** 둔부 아래 구획에서 관찰되는 지방조직에 둘러싸인 좌골신경(SN).

에 대한 평가 및 치료를 위해 관절경을 이용할 수 있다. 이 구획은 대둔근의 전방에 위치한 공간을 의미하며 이 좌골신경, 이상근을 포함한 단외회전 근육(short external rotators), 슬곽근(hamstring), 상둔 및 하둔신경, 내측 대퇴 회선 동맥 등이 위치한다.

내시경적 접근은 대부분 관절 내 구획에 대한 평가가 먼저 이루어지기 때문에 앙와위 또는 측와위에서 이루어지나 둔부 아래 공간만을 접근하는 것을 목표로 한다면 복와위에서도 시행할 수 있다. 일반적인 방식은 관절 내 구획에 대한 평가 및 처치가 끝난 후 전자 주위 구획을 통해 접근하는 방식으로, 최초 접근 방식은 전자 주위 구획의 접근 방식과 동

일하다. 전자 주위 점액낭을 충분히 제거한 후 내시경을 후내측으로 진입하여 둔부 아래 공간에 접근할 수 있다. 대둔근의 주행을 따라 관절경을 이동하고 지방조직을 조심히 박리하면 좌골 신경을 확인할 수 있다. 또 다른 방법으로는 원위 전외측 부삽입구와 대척되는 대퇴골후방부에 부삽입구를 만들어 이 공간을 통해 30° 내시경을 삽입시켜 둔부 아래 구획에 접근할 수도 있다.

References

1 Aoki, S. K., Beckmann, J. T. & Wylie, J. D. Hip arthroscopy and the anterolateral portal: avoiding labral penetration and femoral articular injuries. Arthrosc Tech 1, e155-160, doi:10.1016/j.eats.2012.05.007 (2012).

2 Bedi, A., Galano, G., Walsh, C. & Kelly, B. T. Capsular management during hip arthroscopy: from femoroacetabular impingement to instability. Arthroscopy 27, 1720-1731, doi:10.1016/j.arthro.2011.08.288 (2011).

3 Bond, J. L., Knutson, Z. A., Ebert, A. & Guanche, C. A. The 23-point arthroscopic examination of the hip: basic setup, portal placement, and surgical technique. Arthroscopy 25, 416-429, doi:10.1016/j.arthro.2008.08.021 (2009).

4 Brooker, A. F., Jr. The surgical approach to refractory trochanteric bursitis. Johns Hopkins Med J 145, 98-100 (1979).

5 Burman, M. S. Arthroscopy or the direct visualization of joints: an experimental cadaver study. 1931. Clin Orthop Relat Res, 5-9, doi:10.1097/00003086-200109000-00003 (2001).

6 Bushnell, B. D., Hoover, S. A., Olcott, C. W. & Dahners, L. E. Use of an independent skeletal distractor in hip arthroscopy. Arthroscopy-the Journal of Arthroscopic and Related Surgery 23, doi:ARTN 106.e1

10.1016/j.arthro.2006.07.028 (2007).

7 Byrd, J. W. Hip arthroscopy utilizing the supine position. Arthroscopy 10, 275-280, doi:10.1016/s0749-8063(05)80111-2 (1994).

8 Byrd, J. W. Avoiding the labrum in hip arthroscopy. Arthroscopy 16, 770-773, doi:10.1053/jars.2000.7686 (2000).

9 Byrd, J. W. Hip arthroscopy by the supine approach. Instr Course Lect 55, 325-336 (2006).

10 Byrd, J. W. & Chern, K. Y. Traction versus distension for distraction of the joint during hip arthroscopy. Arthroscopy 13, 346-349, doi:10.1016/s0749-8063(97)90032-3 (1997).

11 Byrd, J. W., Pappas, J. N. & Pedley, M. J. Hip arthroscopy: an anatomic study of portal placement and relationship to the extra-articular structures. Arthroscopy 11, 418-423, doi:10.1016/0749-8063(95)90193-0 (1995).

12 Colvin, A. C., Harrast, J. & Harner, C. Trends in hip arthroscopy. J Bone Joint Surg Am 94, e23, doi:10.2106/JBJS.J.01886 (2012).

13 Dienst, M., Seil, R. & Kohn, D. M. Safe arthroscopic access to the central compartment of the hip. Arthroscopy 21, 1510-1514, doi:10.1016/j.arthro.2005.09.014 (2005).

14 Dorfmann, H. & Boyer, T. Arthroscopy of the hip: 12 years of experience. Arthroscopy 15, 67-72, doi:10.1053/ar.1999.v15.015006 (1999).

15 Eriksson, E., Arvidsson, I. & Arvidsson, H. Diagnostic and operative arthroscopy of the hip. Orthopedics 9, 169-176 (1986).

16 Fox, J. L. The role of arthroscopic bursectomy in the treatment of trochanteric bursitis. Arthroscopy 18, E34, doi:10.1053/jars.2002.35143 (2002).

17 Gautier, E., Ganz, K., Krugel, N., Gill, T. & Ganz, R. Anatomy of the medial femoral circumflex artery and its surgical implications. J Bone Joint Surg Br 82, 679-683, doi:10.1302/0301-620x.82b5.10426 (2000).

18 Glick, J. M. Hip arthroscopy by the lateral approach. Instr Course Lect 55, 317-323 (2006).

19 Gutierrez, R. C., Iban, M. A. R., Ayestaran, A. C., Sobrino, A. S. & Oteo-Alvaro, A. Peripheral

Compartment as the Initial Access for Hip Arthroscopy in Complex Cases: Technical Note. Orthopedics 36, 456-462, doi:10.3928/01477447-20130523-06 (2013).

20 Ilizaliturri, V. M., Jr., Villalobos, F. E., Jr., Chaidez, P. A., Valero, F. S. & Aguilera, J. M. Internal snapping hip syndrome: treatment by endoscopic release of the iliopsoas tendon. Arthroscopy 21, 1375-1380, doi:10.1016/j.arthro.2005.08.021 (2005).

21 Jacobs, L. G. & Buxton, R. A. The course of the superior gluteal nerve in the lateral approach to the hip. J Bone Joint Surg Am 71, 1239-1243 (1989).

22 Kang, C., Hwang, D. S., Hwang, J. M. & Park, E. J. Usefulness of the Medial Portal during Hip Arthroscopy. Clin Orthop Surg 7, 392-395, doi:10.4055/cios.2015.7.3.392 (2015).

23 Martin, H. D. et al. The function of the hip capsular ligaments: a quantitative report. Arthroscopy 24, 188-195, doi:10.1016/j.arthro.2007.08.024 (2008).

24 McCarthy, J. C. Hip Arthroscopy: Applications and Technique. J Am Acad Orthop Surg 3, 115-122, doi:10.5435/00124635-199505000-00001 (1995).

25 McCarthy, J. C. & Lee, J. A. Hip arthroscopy: indications, outcomes, and complications. Instr Course Lect 55, 301-308 (2006).

26 Philippon, M. J. et al. Arthroscopic management of femoroacetabular impingement: osteoplasty technique and literature review. Am J Sports Med 35, 1571-1580, doi:10.1177/0363546507300258 (2007).

27 Polesello, G. C., Queiroz, M. C., Domb, B. G., Ono, N. K. & Honda, E. K. Surgical technique: Endoscopic gluteus maximus tendon release for external snapping hip syndrome. Clin Orthop Relat Res 471, 2471-2476, doi:10.1007/s11999-012-2636-5 (2013).

28 Robertson, W. J. et al. Anatomy and dimensions of the gluteus medius tendon insertion. Arthroscopy 24, 130-136, doi:10.1016/j.arthro.2007.11.015 (2008).

29 Robertson, W. J. & Kelly, B. T. The safe zone for hip arthroscopy: a cadaveric assessment of central, peripheral, and lateral compartment portal placement. A

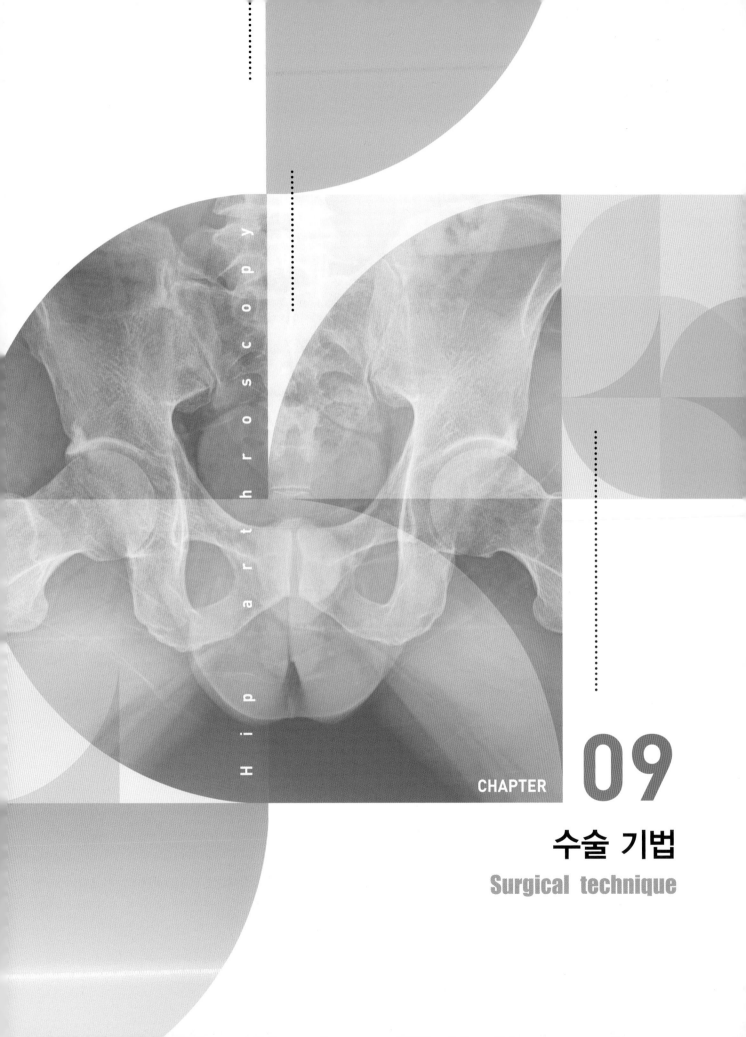

CHAPTER 09

수술 기법

Surgical technique

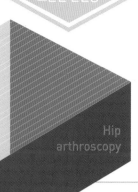

CHAPTER

09-1

고관절 비구순 봉합술과 재건술
Acetabular labral repair & reconstruction

김필성

고관절의 비구순은 활액의 유출을 방지하여 대퇴골두를 비구에 밀봉시키는 효과로 고관절을 안정화시킨다. 비구순의 손상은 관절염, 대퇴골두 골괴사 등과 같은 고식적 질환과 함께 고관절 통증의 원인으로 인지되고 있고 대퇴비구충돌(femoroacetabular impingement)과 고관절의 미세 불안정을 야기하는 비구 이형성증(acetabular dysplasia)에 의해 발생된다. 고관절의 골성 구조와 더불어 비구순의 이차적 안정자(secondary stabilizer)의 역할이 밝혀지면서 초기의 비구순 부분 제거술의 통증 완화술에서, 비구순 봉합술과 재건술과 같이 손상된 조직의 해부학적 수복하는 수술법이 표준술식으로 인지되고 있다. 비구순 파열의 치료에서 비구순 봉합술의 시행 비율은 2009년 19%에 비해 2017년 81%로 크게 증가하였으며, 장기 추시에서 비구순 봉합술과 재건술의 복원술이 생역학적, 방사선적 연구에서 우월한 결과를 보이고 있어 이 장에서는 두 가지 수술법에 대해 논하고자 한다.

| 1

비구순 봉합술(Labral Repair)

비구순 부착부의 비구의 경계의 뼈를 깎는 비구 성형술

(acetabulolsaty)은 비구의 골 출혈을 유도하여 치유를 도와주는 효과가 있어 봉합 전에 반드시 시행된다. 이를 위해서 비구 테두리에서 연골-비구순 연결부(chondrolabral junction)와 비구순을 분리시키는 'labral take down'을 통해 비구 성형술의 경계를 확인해야 한다. 세심한 봉합을 통해 연골-비구순의 사이 공간을 적절하게 재배열하고 치유시켜 고관절 윤활 밀봉 효과(fluid sealing effect)를 다시 복원시켜 안정성을 회복한다. 비구순 봉합에 있어 해부학적 고려 사항, 생역학, 수술 술기, 결과에 대해 알아보고자 한다.

1) 비구순의 해부학적 고려 사항

비구순은 비구 횡인대(transverse ligament)의 전후방에서 비구를 환형으로 감싸고 있는 섬유성 연골 구조이다. 전방부의 비구순은 콜라겐 섬유 방향이 비구와 평행하게 주행하고 있으나 비구 후방부의 비구순은 비구에 대해 좀더 수직으로 배열된다. 이러한 이유로 전방부 비구순은 비구순-연골 연결부에서 특히 취약하여 파열의 주된 부위가 된다(그림 1). 비구순의 치유에 중요한 영향을 미치는 혈액 공급은 고관절의 다른 조직에 비해 상대적으로 취약하다. 비구에 인접한 혈관망(periacetabular vascular network)은 상, 하 둔

동맥(superior and inferior gluteal artery)에서 기시되는 비구 주위 혈관 환(periacetabular vascular ring)의 방사상 분지에서부터 공급을 받게 된 이후 골막으로 고관절 관절낭을 뚫고 주행하여 비구 경계까지 연결되고 비구-관절낭 공간(paralabral space)에서 비구순 쪽으로 주행하게 된다. 비구의 혈관 결합 조직과 비구순의 연결부의 기저부는 섬유 혈관 조직(fibrovascular tissue)으로 연결되어 순환하게 된다.

비구 연골(acetabular cartilage)에서 비구순으로 이행되는 연골-비구순 연결부(chondrolabral junction)는 혈액 공급이 없어 비구 내측 관절면에 비해 외측인 비구순-관절낭 연결부가 더 큰 치유 능력을 갖고 있다(그림 2). 따라서, 비구순을 비구 경계에서 분리 시킨 후 봉합하는 'labral take-down'을 시행하지 않고 연골-비구순 접합부를 보존하면서 비구순을 봉합하는 방법은 비구 주위 방사상 소동맥을 포함하는 섬유 혈관을 보존할 수 있는 장점을 갖게 된다. 비구순의 신경 분포는 전외측(anterolateral)과 후외측부(posterolateral portion)에 많이 되어 있으며 고관절의 통각수용(nociception)과 고유감각(proprioception)을 담당한다. 비구순의 부분 절제술은 이러한 기전으로 손상된 비구순 조직을 제거하여 수상에 대한 통증 반응을 경감시켜 수술 후 증상을 호전시키는 기전을 갖는다. 비구순의 크기는 비구 이형성의 경우 관절의 만성 불안정으로 비후된 비구순(hypertrophic labrum)을 보이는 반면에 pincer 형의 충돌의 일부에서는 크기가 작은 비구순도 흔히 나타나 봉합 술기도 다르게 적용된다.

2) 비구순의 생역학

비구순은 비구의 경계를 연장하여 비구 용적을 21%, 관절 면적은 28% 증가시켜, 고관절의 안정성을 높이는 기능을 한다. 정상 고관절의 과도한 운동 범위에서는 비구순이 대퇴골의 아탈구(subluxation)에 저항하여 탈구를 방지한다. 양면 투시기(biplane fluoroscopy)를 이용한 연구에서 비구순이 절제된 상태에서는 고관절의 대퇴골두의 외회전과 전방 이동이 증가하지만, 비구순이 재봉합되었을 때 전방이 이동이 감소된다는 것을 확인하여 비구순의 고관절 이차 안정 장치(secondary stabilizer)의 역할을 확인하였다. 또한, 비구순의 손상은 비구 관절 연골의 연속성이 차단되어 연골 경계에서 연골 자체의 전위와 형태 변화가 발생하고 이로 인한 관절 내 압박과 긴장을 증가되어 미세 불안정의 결과로 고관절의 통증이 유발된다. 특히, 비구순 파열로 관절 내 부하가 집중되는 연골 부위의 압박력은 손상되지 않는 인접 비구순으로 분산되어 추가적 비구순 손상을 유발한다. 비구순의 밀봉 효

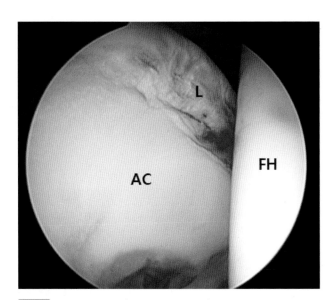

그림 1 전방 비구순 파열(anterior labral tear)
AC; acetabular cartilage, FH; femoral head, L; labrum.

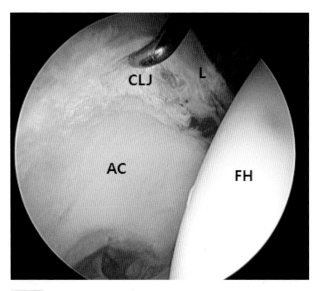

그림 2 연골-비구순 연결부(chondrolabral junction)
AC; acetabular cartilage, CLJ; chondrolabral junction, FH; femoral head, L; labrum.

과(suction sealing effect)는 체중 부하 시 관절 내 연골에 얇은 윤활막이 형성되어 대퇴골두와 비구 사이의 압력을 최적인 상태로 조절한다. 따라서, 비구순의 손상은 관절 안에서 밖으로 관절액의 누출로 인해 충분하게 밀봉되지 않아 지속적인 불안정성이 발생하게 되어 관절 연골의 퇴행성 변화를 야기하여 골관절염의 환경을 조성한다. 이러한 이유로 손상된 비구순에 대해 봉합술을 적용하면 손상된 관절에 비해 윤활액 누출을 줄일 수 있으나, 손상되기 전 수준으로의 고관절 기능을 회복시킨다는 증거는 현재로선 불충분한 상태이다.

3) "Labral take down"을 통한 pincer 형 충돌의 교정

비구의 과덮힘(acetabular overcoverage)으로 인해 대퇴골과 비구가 충돌하는 pincer 형과 혼합형의 대퇴비구충돌에서 비구순 파열을 보이는 경우 정상적 구조로 회귀하기 위해서는 충분한 비구 성형술을 통한 감압이 시행되어야 한다. 심부 고(coxa profunda), 골반 내 돌출 비구(protrusio acetabulai)와 같은 비구의 전반적 과덮힘(global overcoverage)이나 비구의 전방 경사(acetabular retroversion)에 따른 부분적 과덮힘(cranial overcoverage)이 이에 해당한다. 손상된 비구순의 경계를 확인하기 위해서 비구 테두리의 골 절제가 필요하며, 이를 위해 관절경용 칼(arthroscopic blade)을 이용하여 연골–비구순 연결부의 분리가 시행된다. 손상이 없는 연골–비구순 연결부에서 비구순의 분리시킨 후 재봉합(refixation)을 하여도 술 후 비구순의 치유에는 영향을 주지 않는다는 보고가 있으나 Philippon 등은 양을 이용한 동물 실험에서 정상 구조에서 분리된 비구순은 봉합을 하더라고 연골–비구순 연결부에서 좁은 홈이 남아 완전하게 치유되지 않는다고 하였다. 비구순–관절연골 접합부에 손상을 주지 않고 pincer 형 충돌을 교정하는 'in-round' 비구순 봉합술은 접합부의 정상 구조를 보존하는 장점이 있다. 이 술식을 시행할 때 관절경 전상방 삽입구를 통한 'anterior profile view'와 'upper deck view'가 가장 적합하게 시야를 확보할 수 있다(그림 3). 이러한 이유로 저자

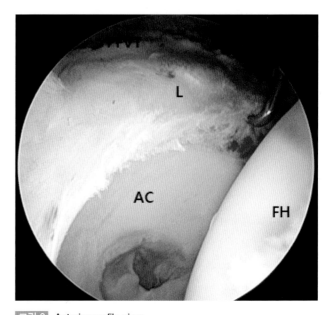

그림 3 Anterior profile view

AC; acetabular cartilage, FH; femoral head, L; labraum, PFVT; periosteal fibrovascular tissue.

는 비구순의 치유력과 혈관 분포를 고려할 때 'take down'보다. 비구순을 떼지 않고 시행하는 'peel-back' 술식을 선호한다.

4) 관절경적 비구순 봉합술의 수술 기법

관절경적 비구순 봉합술은 단순 환형 봉합(simple looped repair), 관통 기저부 봉합술(pierced base repair), 현수 기저부 봉합술(suspension cuff base repair)을 포함한다(그림 4). 봉합 방법은 파열의 크기, 비구순의 성상과 연결성에 따라 결정되며, 비구의 관절–연골 연결부의 상태, 연골 손상 정도와 비구 이형성이나 대퇴비구 충돌의 교정 여부에 의해 선택된다.

단순 환형 봉합술(simple looped suture)은 비구순의 봉합과 재건에서 이용되는 술식으로 비구 경계에 봉합 나사(suture anchor)를 삽입시킨 후 비구–연골 연결부를 관통하여 체부(body)를 고리 모양으로 감싸고 장력을 주어 비구순을 비구에 고정시키는 방법이다. 이 방법은 비구순의 전위가 없는 경우 정상적인 비구–연골 접합부나 비구순의 체부를 관통하여 손상을 가하게 되어 크기가 작은 봉합 통과 기구(suture passer)를 사용하거나 PDS를 이용한 봉합사를 전달

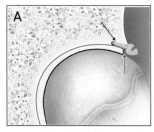
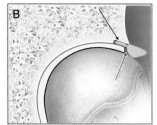
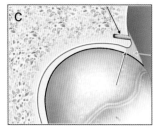

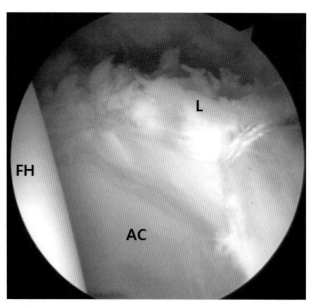

 **그림 4** 비구순 봉합 방법

(A) 단순 환형 봉합술(simple looped repair)
(B) 관통 기저부 봉합술(pierced base repair)
(C) 현수 기저부 봉합술(suspension cuff base repair)

그림 5 비구순 봉합 후 나타나는 외번(eversion) 현상

AC; acetabular cartilage, FH; femoral head, L; labrum.

하는 방법으로 비구순의 손상을 줄이는 방법들이 적용되고 있다. 또한 나사 삽입 부위에서 과도하게 긴장을 줄 경우 비구순의 모양이 원래의 모양에서 뭉쳐지는 형태로 변하게 되고 비구순의 위치도 외번되어 윤활 기능과 밀봉 효과가 감소되어 안정성에 영향을 줄 수 있다(그림 5). 봉합 나사가 비구 경계에서 멀어질수록 봉합 후 비구순의 외번이 나타나므로 이를 줄이기 위해 봉합 나사를 관절 연골 인접부에 위치시키게 되는데, 너무 근접하는 경우 봉합 나사 또는 드릴이 관절 내로 관통할 수 있는 위험성이 있어 주의를 요한다. 봉합 후 만들어지는 매듭이 대퇴골 두 쪽으로 형성될 경우 만성적 자극으로 인한 관절 연골 손상과 관절낭-비구순 유착이 발생할 수 있다.

비구순 관통 기저부 봉합(pierced base repair)은 단순 환형 봉합의 단점을 보완하기 위해 개발되었으며, 연골-비구순 접합부 근처에서 비구순을 관통하여 봉합사를 통과시키는 방법으로 비구순이 대퇴골 연골과 접하는 끝부분의 삼각형 경계를 유지할 수 있어 환형 봉합에서 나타나는 비구순 봉합 후 뭉쳐지는 현상을 방지할 수 있다(그림 6). 그러나 이 방법도 연골-비구순 접합부 손상은 피할 수 없고, 봉합 나사의 위치에 따라 비구순이 외번 현상을 완벽히 방지할 수 없다. 이러한 두가지 면을 고려하여 현수 기저부 봉합술(suspension cuff base repair)이 소개되었으며, 연골 비구순 접합부에 손상을 주지 않고 비구순 주위 공간에서 관절낭에 존재하는 골막 섬유혈관 조직을 보존하고 비구순 사이의 공간을 유지시켜 치유에 도움을 줄 수 있다. 현수 기저부 봉합술에서는 다른 봉합술에 비해 봉합 나사의 관절 내 관통 가능성이 적고 비구순 체부의 손상이 없으며 봉합 후 비구순 모양이 변하지 않고 외번 현상의 발생이 적어 정상 해부학적 구조에 가장 유사한 결과를 얻을 수 있다고 하였다.

(1) 수술 기법

환자의 다리 사이에 압력 완충용 회음 기둥을 세운 후 환자를 견인용 침대에 앙와위로 위치시킨다. 수술 전 양발에 견인 시 발생할 수 있는 신경 손상 방지를 위해 솜뭉치를 충분하게 감고 발목를 단단하게 고정시킨다. 저자는 전방(anterior), 전측방(anterolateral), 후측방(posterolateral) 삽입구의 3개의 삽입구를 제작, 사용하고 비구순을 비구에서 떼내지 않고 비구순을 봉합하는 'In-round technique'과 단순 환형 봉합(simple looped suture)을 주로 사용하므로 이 술기에 대해 논하고자 한다. 후측방 삽입구는 관절경 산입에

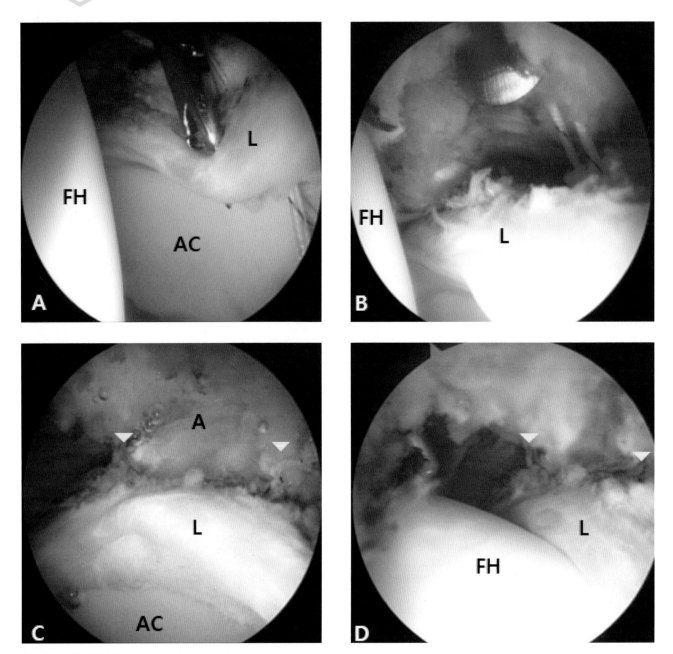

그림 6 관통 기저부 봉합술(pierced base repair)

(A), (B) 봉합사를 기저부에 통과시킨 후 비구순 기저부를 새부리형 봉합 사 통과기구(bird beak suture passer)로 통과시켜 봉합사를 뽑아내어 봉합하면 비구순의 삼각형 첨부는 유지시키면서 기저부만 봉합할 수 있다.

(C), (D) 봉합 부위(노란색 역삼각형)에서의 고정이 보이고 비구순의 형태 변화와 외번이 적고, 대퇴골두를 정복하였을 때도 비구순의 첨부는 대퇴골두 연골 부위와 접촉하게 된다.

서 발생할 수 있는 의인성 비구순 손상, 관절 연골 손상 방지를 위해 맹검 삽입구(blind portal)로 이용되며, 비구순 후방부 파열 시 봉합 나사를 삽입하는 경우와 관절 내 유리체 제거 시 접근을 위해 사용되는 경우를 제외하고는 거의 사용되지 않으며, 전방과 전측방 삽입구 2개가 주로 사용된다.

고식적 전방 삽입구보다 2-3 cm 원위부에 변형된 전방 삽입구(modified anterior portal)이 최근에 많이 이용된다. 고관절은 두터운 피하 조직과 근육들로 둘러싸여 있어 접근이 어려워 특수한 수술 기구들이 사용되며(그림 7), 관절경과 수술 기구가 이러한 구조물에 의해 걸릴 수 있어 기구의 원

만한 이동을 위해 관절낭절개술(capsulotomy)이 시행된다
(그림 8). 관절낭절개술은 먼저 전측방 삽입구를 관찰 삽입구
로 하고 전방 삽입구를 통해 관절경용 칼(arthroscopic knife)
을 삽입한 후 내측부터 전측방 삽입구 방향으로 절개를 가
한다. 이후에 관찰 삽입구를 전방 삽입구로 바꾸고 전측방
삽입구에 관절경용 칼을 삽입하여 후방으로 절개를 확장하
고 전방 삽입구 방향으로 절개를 하여 이전에 시행한 관절
낭 절개와 연결시키면 된다. 관절낭 내측은 관절낭의 섬유
의 방향이 관절경용 칼로 잘 절개되지 않아 관절경용 천공
기(arthroscopic punch)를 사용하여 용이하게 확장시킬 수
있다. 내측과 후방으로 충분한 관절낭절개술은 중심 구획
(central compartment)의 술기 후 진행되는 대퇴골성형술
(femoroplasty) 등의 변역 구획(peripheral compartment) 술
기로 전환 시 시야 확보에 크게 도움이 된다. 고관절 내 병

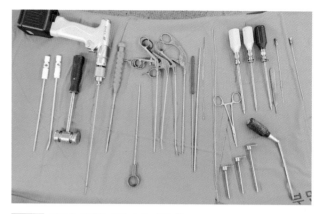

그림 7 | 비구순 봉합을 위한 수술 기구 세트

변의 위치는 비구 횡인대(transverse ligament)의 중심부를 6
시로 하였을 때 반대측 비구 상부(acetabular top)를 12시로,
시계 방향의 시각에 따라 위치를 정하는 'clockwise system'
을 이용한다(그림 9). 비구순 봉합에 있어 외측방 삽입구를

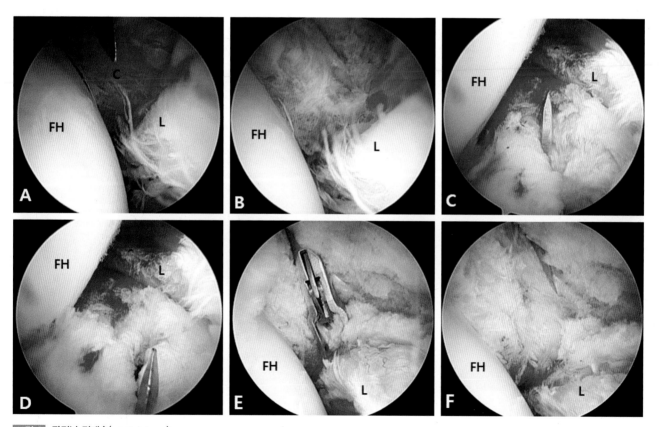

그림 8 | 관절낭 절개술(capsulotomy)

(A), (B) 전방 삽입구에 관절경용 칼을 삽입한 후에 전외측 삽입구 방향으로 절개를 가한다.
(C), (D) 전외측 삽입구에서 관절경용 칼로 후외측으로 절개를 가하고 칼의 방향을 돌려 전방 삽입구 측으로 절개를 가한다.
(E), (F) 관절경을 다시 전외측 삽입구에 위치시키고 관절경용 칼로 내측 관절낭이 절개되지 않을경우 관절경용 천공기(arthroscopic punch)를 이용하여 조직
　　　 제거 후 관절경용 칼로 내측으로 확장한다.

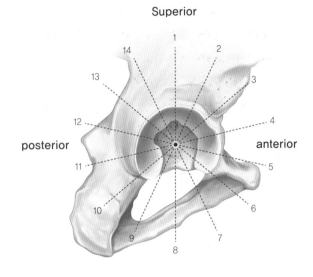

Superior

14 — 1
13 — — 2
12 — — 3
posterior — — 4 anterior
11 — — 5
10 — — 6
9 — 7
8

그림 9 Clockwide system을 이용한 비구 병변의 위치(우측)

관찰 삽입구로 하는 'anterior profile view'가 관절경적 비구순 봉합술의 표준 시점으로 사용되며, 관절경을 적절하게 위치시키면 우측 비구의 경우 4시에서 11시(좌측의 경우 8시에서 1시)까지 관찰할 수 있다(그림 3).

비구성형술과 비구순 봉합술을 위해 비구순 주위 공간(paralabral space)을 확보한 후 관절경용 shaver와 고주파 절삭기(radiofrequency ablator)를 사용하여 관절낭을 근위부로 이동시키고 골막을 노출시킨다(그림 10). 관절 윤활막(synovium)은 고주파 절삭기를 이용하여 제거하고, 관절낭은 관절경용 shaver로 가다듬어 시야를 확보한다. 골막은 고주파 절삭기로 비구의 윗면을 절제해야 노출된다(그림 11). 노출된 비구 경계를 관절경용 연마기(arthroscopic burr)를 이용하여 비구 성형술을 시행하는데, 수술 전 시행한 3차원

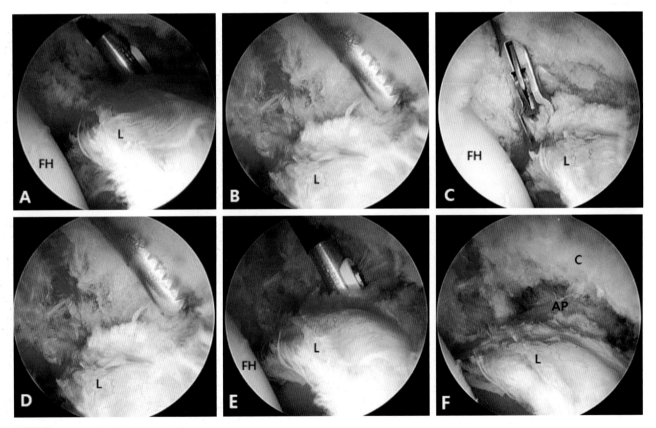

그림 10 비구 성형술을 위한 비구 골막 노출

(A), (B) 비구 주위 공간(paralabral space)을 고주파 절삭기와 관절경용 shaver를 이용하여 확보한다.
(C) 남아있는 조직은 관절경용 천공기(arthroscopic punch)를 이용하여 제거한다.
(D), (E) 고주파와 관절경용 shaver를 반복적으로 사용하여 비구 근위부로 이동시켜 공간을 더 확보한다.
(F) 노출된 비구 골막

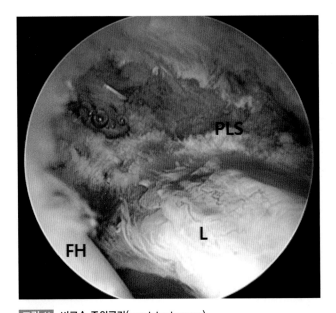

그림 11 비구순 주위공간(paralabral space)

FH; femoral head, L; labrum, PLS; paralabral space.

컴퓨터 단층 촬영에서 pincer 형/혼합형 충돌 부위와 수술 중의 방사선 투시기((C-arm intensifier)의 영상과 비교하여 감압 부위를 결정한다. 골반의 전하방장골극(anteriorinferior iliac spine, AIIS)이 비구성형술의 위치의 지표로 사용되며, 전하방장골극의 기저부는 clockwise system에서 우측의 경우 2시(좌측 10시) 정도에 위치하므로 이를 기준으로 병변의 위치를 정할 수 있다(그림 12). 비구성형술의 비구 경

계를 장식(acetabular rim trimming)할 때 관절경용 연마기((arthroscopic burr)를 비구의 근위부에서만 시행하게 되면 비구 근위부만 고랑만을 형성하게 되고 비구 경계는 충분히 감압되지 않으므로 비구 경계 끝에서 충분히 시행해야 한다(그림 13). 비구순 주위 공간에서 비구 성형술이 충분히 시행되면 관절경을 근위부로 이동시킬 수 있게 되어 비구의 상부를 잘 관찰할 수 있다. 탐촉자를 이용하여 비구순을 누르게 되면 순차적으로 비구순(labrum)-골막 섬유혈관 조직(periosteal fibrovascular tissue)-비구관절연골(acetabular cartilage)의 세 층을 확인할 수 있다(그림 14). 골막 섬유혈관 조직은 젊은 환자에서는 상대적으로 두껍고 강한 반면 고령이거나 비구 후경에 의한 pincer 형 충돌에서는 상대적으로 얇은 경우가 있으며, 이를 잘 보존해야 비구순 치유에 도움이 된다.

관절경을 관절 내 중심 구획으로 이동시켜 관절연골 손상. 비구순 파열의 범위, 관절-연골 접합부 손상 유무를 확인한다. 저자는 비구순과 관절연골 손상의 분류는 Beck의 분류법(Beck's classification)을 이용하여 평가한다. 비구순의 경우 정상(normal), 퇴행성 파열(degeneration), 전층 파열(full-thickness tear), 탈락(detachement), 골화(ossification)으로 분류한다(표 1). 관절 연골의 손상은 정상(normal), 연화(malacia), 비구에서의 탈락(debonding), 균열(cleavage), 연

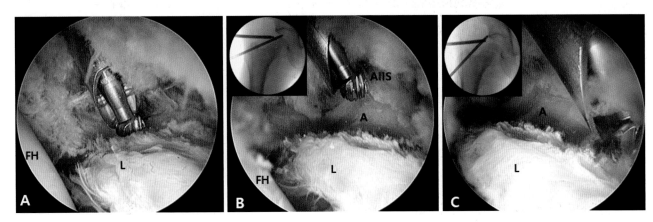

그림 12 비구성형술(acetabuloplasty)

(A) 관절경용 연마기로 비구 경계부터 감압을 시행한다.
(B) 골반의 전하방장골극(anterioinferior iliac spine, AIIS)는 우측 비구의 2시경(좌측 비구 10시경)에 위치한다.
(C) 수술 시 방사선 투시기를 이용하여 비구의 최외측단의 위치를 확인하여 비구를 성형한다.
A; acetabular bone, AIIS; anterioinferior iliac spine, FH; femoral head, L; labrum.

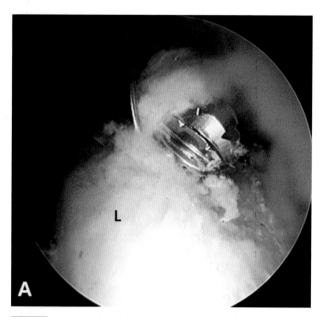
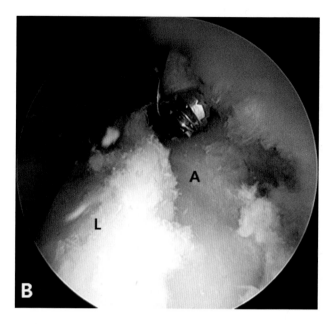

그림 13 비구 테두리 장식술(acetabular rim trimming)

테두리를 장식할 경우 관절경용 연마기(arthroscopic burr)의 위치가 비구순의 기저부부터 시행되어야 적절한 감압을 얻을 수 있다.
A; acetabular bone, L; labrum.

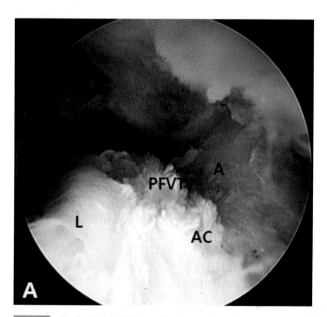
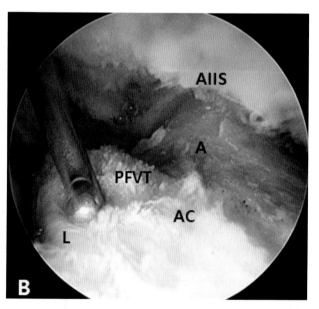

그림 14 비구순-골막 섬유혈관 조직-비구 관절 연골(labrum-periosteal fibrovascular tissue-acetabular cartilage)

비구성형술이 시행되면 비구순이 원위부로 쳐지게 되면서 3개의 층이 관찰되게 된다.
A; Acetabular bone, AC; acetabular cartilage, L; labum, PFVT; periosteal fibrovascular tissue.

골 결손(defect)으로 나눈다(표 2). 비구순 파열의 크기와 비구 관절 연골 손상의 크기를 측정하여 기록하고 관절 연골 손상의 정도에 따라 퇴축술(shirinkage), 관절연골성형술(chondroplasty), 미세천공술(microfracture) 등의 연골 재생술의 필요 여부를 판단한다(그림 15).

비구순의 파열이 크지 않을 경우 1-2개의 봉합이 적용되지만, 비구순 파열의 크기가 큰 경우는 4-5개까지의 봉합 나사가 이용될 수 있다. 이 장에서는 4개의 봉합이 이루어지는 방법에 대해 알아본다. 비구순 파열의 크기에 따라 봉합 나사의 위치와 개수를 가늠한다. 앞에서 전술한 바와 같

표1 비구순 파열에 대한 Beck의 분류

Stage	Description	Criteria
0	Normal	Macroscopically sound labrum
1	Degeneration	Thinning or localized hypertrophy, fraying, discoloration
2	Full-thickness tear	Coplete avulsion from the acetabular rim
3	Detachment	Septation between the acetabualr and labral cartilage, preserved attchment to bone
4	Ossification	Osseous metaplasia, localized or circumferential

표2 관절연골 손상에 대한 Beck의 분류

Stage	Description	Criteria
0	Normal	Macroscopically sound cartlage
1	Malacia	Roughening of surface, Fibrillation
2	Pitting	Roughening, partially thinning, and full thickness defects or deep fissuring to the bone
3	Debonding	Loss of fixation to the subchondral bone; macroscopically sound cartilage: carpet phenomenon
4	Cleavage	Loss of fixation to the subchondral bone; frayed dege; thining of the cartilage
5	Defect	Full thickness defect

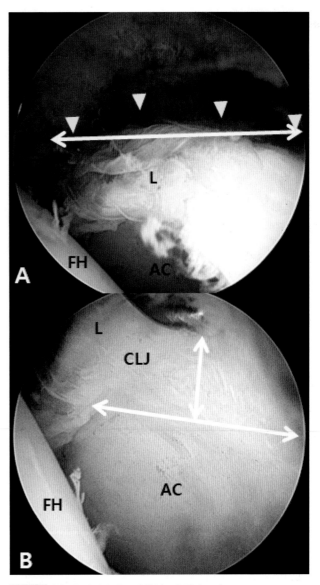

그림 15 비구순 파열과 비구 관절 연골 손상의 크기
(A) 비구순 파열의 크리를 측정하고 예상되는 봉합 나사의 위치(노란 역삼각형)를 예측한다.
(B) 탐촉자를 이용하여 비구 관절 연골의 손상의 크기를 측정하여 기록한다.
AC; acetabular cartilage, CLJ; chondrolabral junction, FH; femoral head, L; labrum.

이 비구순 봉합에 있어 고려할 사항은 봉합 후 외번이 발생하지 않도록 하는 것과 안정성이 있는 비구순을 얻는 데 있다. 전외측 삽입구에서 관찰하고 전방 삽입구를 통해 내측에서 외측으로 순차적으로 봉합이 시행된다. 비구순 봉합 나사의 위치는 파열되어 움직임이 있는 비구순의 내측 부위에서 첫 번째 봉합이 시작된다. 비구의 모양이 둥글기 때문에 봉합 니시 가이드를 너무 내측으로 위치시키면 드릴이 반한

이 비구 골면에 대해 너무 비스듬하게 들어가기 때문에 봉합 나사의 골내 고정력(pull-out strength)이 약해져서 나사 뽑힘 현상(pull-out failure)이 발생한다. 따라서 비구순이 극 전방부에 있는 경우는 내측 삽입구의 추가적 제작이 필요하나 비구순 파열은 비구 전상방부(anterosuperior), 후상방부(posterosuperior)에 주로 발생하므로 극 전방부 봉합은 흔하게 시행되지는 않는다. 또한 극 전방부에 봉합 나사 삽입

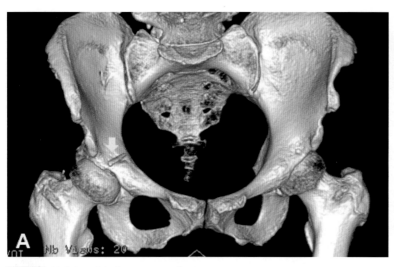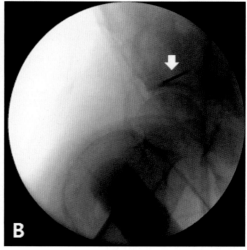

그림 16 부러진 드릴비트(broken drillbit)

비구 전방부에 드릴비트를 삽입할 경우 비구 골과 비트의 방향이 수직으로 위치하지 않은 상태에서 삽입 시 움직임이 발생하게 되면 드릴비트가 부러지는 경우가 발생할 수 있다.

을 위해 드릴을 시행할 경우 드릴 방향과 비구 골의 방향이 수직으로 들어가지 않아 드릴이 부러지는 경우가 발생할 수 있어 주의를 요한다(그림 16). 우측 비구의 경우 2시(좌측 비구의 경우 10시) 정도에 위치하는 골반의 전하방장골극(AIIS) 부위가 봉합 나사를 삽입할 때가 가장 안정적인 드릴 각도를 보여 나사 고정력이 높아 봉합하기에 용이하여 이를 기준으로 나사 삽입 위치를 정하는 것이 좋다. 봉합 나사 비구 삽입 공간이 협소하거나 삽입 위치가 부적절할 경우 봉합 나사의 삽입 각도가 커져서 비구 관절 연골 손상, 봉합 나사가 관절 내 천공이 발생할 수 있기 때문에 전술한 바와 같이 관절낭을 근위부로 이동시키고 비구의 골을 충분히 노출시킨 상태에서 나사 가이드를 위치시킨다. 저자가 사용하는 2.3 mm 직경의 polyether-ether ketone (PEEK) 봉합 나사를 이용한 봉합에는 비구순 경계에서 관절낭 비구 접합부까지 거리가 탐촉자(probe)의 첨부의 길이가 5 mm인 탐촉자의 3개의 너비만큼 공간을 확보한다(그림 17). 비구의 외번을 방지하기 위해 봉합 나사는 최대한 관절 연골에 가깝게 위치시켜야 하고(그림 18) 드릴과 봉합 나사의 관절 내 천공 방지를 위해 삽입 각도는 최대한 예각이 되도록 눕혀서 삽입해야 한다(그림 19). 그래도 천공의 가능성이 높으면 전방 삽입구보다 더 원위부에 부속 삽입구(accessory portal)의 추가 제작이 필요하다. 봉합 나사 가이드가 비구의 골면에 접

촉시키고 망치로 가이드를 두들겨 움직이지 않도록 고정하고 이 때 발생하는 골울림과 망치에 전해지는 반발력으로 가이드의 위치 적절성과 드릴 비트의 끝이 비구 골면에 닿는 감각을 통해 골면에 수직에 가깝게 삽입되는지 판단해야 한다(그림 20).

전방-전상방부에서의 봉합은 전외측 삽입구를 관찰 삽입구로, 전방 삽입구를 봉합 삽입구로 사용한다. 첫 번째 봉합

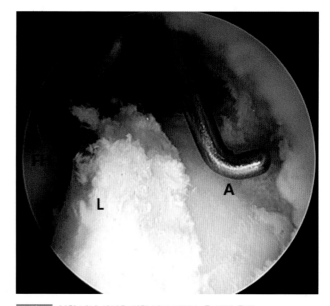

그림 17 봉합 나사 삽입을 위한 비구 골의 노출 부위 측정

A; acetabular bone, FH; femoral head, L; labrum.

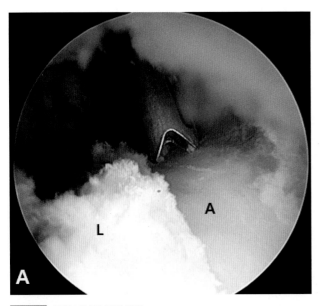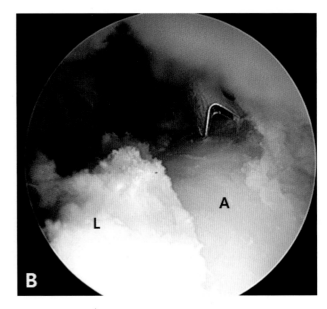

그림 18 봉합 나사의 삽입 위치

(A) 올바른 위치-비구 관절 연골과 가장 근접해야 봉합 후 외번이 발생하지 않는다.

(B) 너무 근위부에 위치한 경우는 봉합 후 외번이 발생한다.

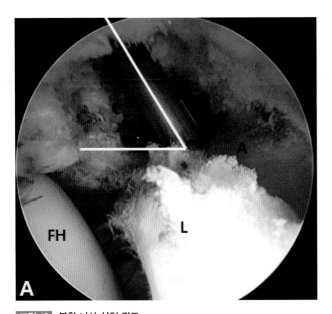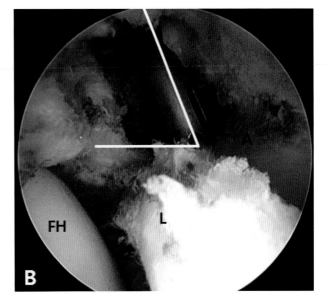

그림 19 봉합 나사 삽입 각도

(A) 그림과 같이 삽입구에서 가능한 최대한 눕혀서 봉합 나사를 삽입해야 하며, (B) 그림과 같이 삽입 각도가 크게 되면 드릴과 봉합 나사의 관절내 천공의 위험성이 있다. A; acetabular bone, FH; femoral head, L; labrum.

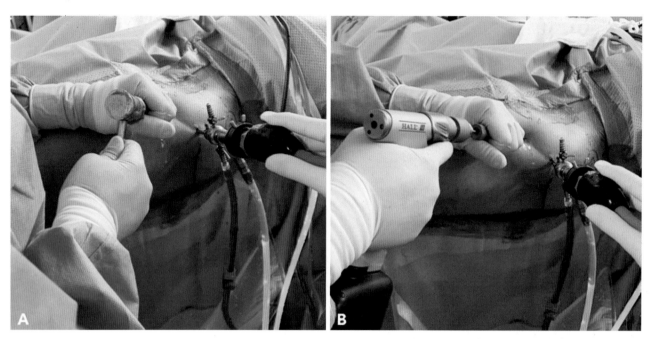

그림 20 (A) 봉합 가이드의 손잡이를 두드려 비구의 골면의 진동을 느낀다. (B) 드릴 비트를 관절 내로 위치시켰을 때 첨부가 비구의 골면에 수직으로 닿아야 한다.

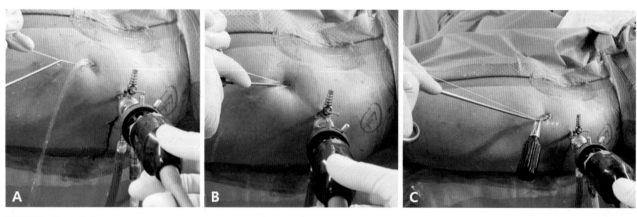

그림 21 **삽입구 찾기**

(A), (B) 삽입구에서 기구가 빠졌을 경우 매듭 제작기(knot pusher)에 봉합사 양가닥을 통과시키면 실을 따라 매듭 제작기가 관절내로 들어가게 되고 캐뉼라를 쉽게 관절 내로 위치시킬 수 있다. (C) 봉합사 통과기구(suture passer)도 실과 캐뉼라를 따라 관절 내로 이동시키면 고관절 주위의 근육이나 연부 조직에 걸림 없이 통과시킬 수 있다.

나사를 삽입한 후에 관절경을 관절 내로 이동시켜 봉합 나사의 천공이 없는지 확인한 후 봉합사의 위치가 적절한지 확인한다. 고관절은 두꺼운 관절이므로 다른 관절과 같이 캐뉼라(cannula)의 사용이 어려워 개방형 절반형 캐뉼라(open half cannula)를 사용한다. 초심자의 경우 삽입구에서 기구가 빠지게 되어 삽입구를 놓치게 되어 다시 찾는 데 시간이 많이 소요된다. 이러한 경우는 봉합 매듭기(knot pusher)를 삽입된 봉합사를 통해 따라 관절 내로 위치시킨 후에 다

시 캐뉼라를 삽입시키면 쉽게 삽입구를 찾을 수 있다. 봉합에 사용되는 새부리형 봉합사 통과 기구(bird beak suture passer)의 관절 내로의 전달도 봉합사를 따라 개방형 캐뉼라를 따라 찾아 들어가면 쉽게 들어갈 수 있다(그림 21). 단순 환형 봉합 시 매듭을 만들기 전에 knot pusher로 양쪽 봉합사를 통과시켜 비구 골면까지 전달시키고 실을 당겨 비구순을 정복시켜본 후 외번되지 않는 범위에서 장력을 정하고 매듭을 만든다. 매듭과 대퇴골두의 관절 연골의 마찰을

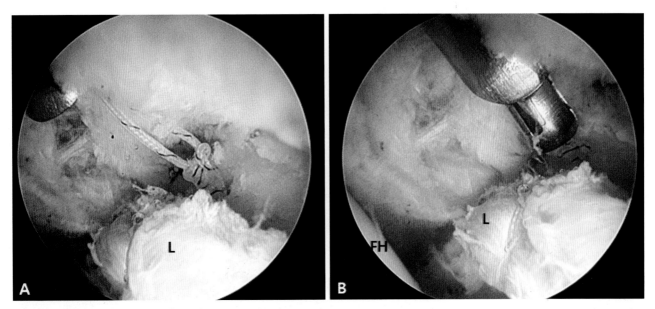

그림 22 봉합의 매듭

(A) 매듭의 위치는 지구의 근위부에 위치시켜야 술 후 대퇴골 두와 매듭의 마찰이 없다.

(B) 매듭 절단기를 매듭에 최대한 가깝게 붙여야 남은 봉합사가 적어 매듭과 관절낭 사이의 염증과 유착을 줄일 수 있다.

FH; femoral head, L; labrum.

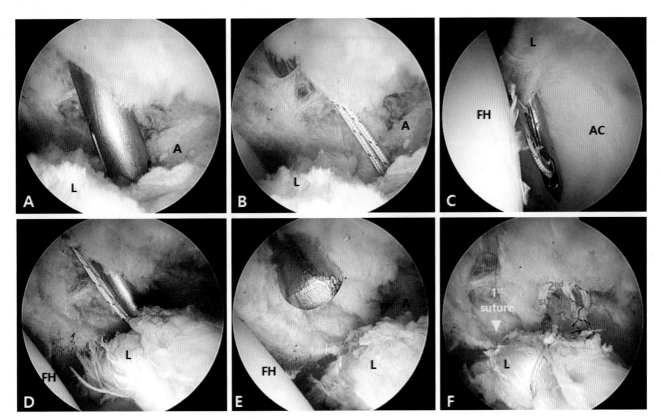

그림 23 전방 삽입구에서의 전방–전측방 비구순의 봉합

(A), (B) 봉합 나사를 관절내 천공 없이 비구 연골에 가장 근접하게 위치시킨다. (C) 봉합사 통과기구를 이용하여 비구순의 봉합을 시행한다. (D) 매듭 전 매듭 제작기 (knot pusher)를 이용하여 비구순을 정복하여 외번이 생기지 않는 범위에서 봉합 긴장도를 정한다. (E), (F) 1번째 봉합과 2번째 봉합 후 사진

A, acetabular bone, AC; acetabular cartilage, FH; femoral head, L; labrum.

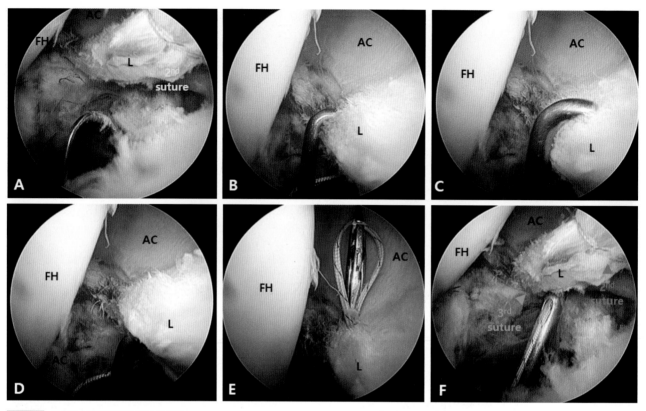

그림 24 전후방 삽입구에서의 비구순 봉합

(A) 전방 삽입구에 관절경을 위치시키고 정외측 삽입구 측을 내려다 보면 두 번째 봉합 매듭을 찾을 수 있고 남아있는 비구순 파열의 크기를 가늠할 수 있다.

(B), (C), (D) 탐촉자를 이용하여 비구순의 불안정한 부위를 찾는다. 탐촉자를 눌렀을 때 비구순의 전위 정도와 비구 관절 연골의 밀림 정도를 살펴본다.

(E), (F) 비구순 파열과 비구 관절 연골 손상의 최외측부에 봉합 나사를 위치시키고 세 번째 봉합을 시행한다.

AC; acetabular cartilage, FH; femoral head, L; labrum.

방지하기 위해 매듭을 관절면 쪽으로 형성되지 않게 비구의 근위부에 위치시키고 매듭을 자를 경우 매듭 절단기(knot cutter)를 매듭에 최대한 가깝게 위치시켜 잘라야 매듭과 관절낭과의 자극이 적어 염증과 유착을 줄일 수 있다(그림 22). 첫 번째 봉합이 끝난 이후에 약 1~1.5 cm 외측에 두 번째 봉합을 시행하며, 전방 삽입구에서의 봉합은 2개 정도의 봉합이 적당하다(그림 23).

전방–전상방부의 봉합이 끝나면 관절경을 전방 삽입구에 위치시키고 전외측 삽입구를 통해 후상방–후방부 봉합을 시행한다. 이는 전술한 바와 같이 비구 면과 드릴과 봉합 나사의 삽입 각도가 수직에 가깝게 하기 위함이며, 세 번째 봉합의 위치는 탐촉자로 비구순의 파열의 최외측단, 비구순을 눌렀을 때 연골의 움직임이 생기는 외측 끝에 봉합 나사를 위치시킨다. 전방 삽입구를 통해 전측방 삽입구를 내려다 보

게 되면 파열된 비구순, 관절 연골 손상, 2번째 봉합된 매듭을 관찰할 수 있는데, 탐촉자를 이용하여 봉합이 필요한 비구순의 크기를 측정하여 추가적 봉합 나사 수를 추정한다. 비구순 봉합 부위가 작을 경우는 3개의 봉합으로 마무리 되지만, 크기가 클 경우에는 봉합 나사의 위치를 나눠서 추가 봉합의 위치도 고려해야 한다(그림 24). 3번째 봉합이 끝나면 탐촉자로 2번째 봉합과 3번째 봉합의 사이의 비구순을 흔들어 움직임이 있는지 확인한다. 비구순의 움직임이 있어 추가 봉합을 시행할 경우 2번째와 3번째 매듭 사이를 이등분하여 4번째 봉합 나사를 삽입한다. 고관절 관절경술에서는 70° 관절경을 사용하게 되는데, 2번째 매듭이 관절경에 좀 더 가깝기 때문에 관절경과 실질 거리의 약간의 차이가 있어 4번째 봉합 나사의 위치는 2번째 매듭과 약간 가깝게 위치시켜야 두 매듭을 이등분할 수 있다. 4번째 봉합을 마친 후에 전외

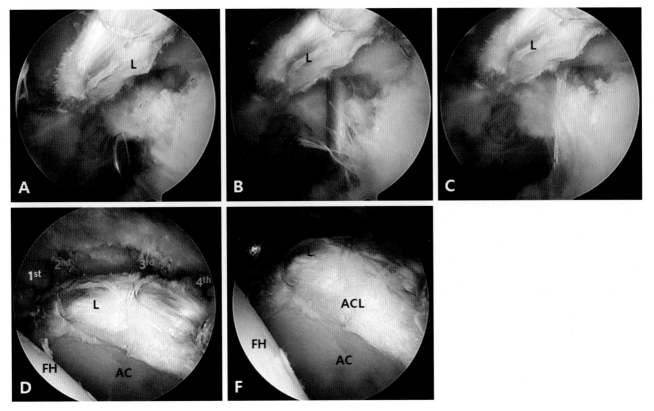

그림 25 제4봉합

(A) 두 번째와 세 번째 봉합 후 양 매듭 사이의 비구순을 탐촉자를 이용하여 안정성을 확인한다.
(B), (C) 비구순이 불안정할 경우 양 비구순의 이등분 부위에 네 번째 봉합 나사를 삽입 후 봉합한다.
(D) 비구순 봉합이 끝난 후 사진
(F) 관절경을 안으로 진입시켜 비구의 관절 연골 부위 안정성을 확인한다.
AC; acetabular cartilage, ACL; acetabular chondral lesion, FH; femoral head, L; labrum.

측 삽입구에 관절경을 삽입하여 'anterior profile view'를 찾아 전체 봉합 상태를 확인하고 탐촉자를 이용하여 비구순의 고정 강도와 연골–비구순 접합부의 안정성을 확인한다(그림 25).

비구순 봉합이 끝난 후에 관절경을 비구와(acetabular fossa)로 깊숙히 진입시켜 원형 인대와 비구 횡인대 전후의 비구순 상태를 확인한다. 횡인대 전후방부의 비구순에는 관절 연골과 비구순 접합부에 정상적 해부학적 구조인 비구순 홈(labral sulcus)이 있는데 비구순 파열로 오진하는 경우가 있어 주의를 요한다(그림 26). 전방부와 전측방부에 비구순 주위 낭종(paralabral cyst)이 형성되는 경우가 있으며, 이러한 경우 대부분이 비구순 파열과 관계되어 있어 있어 낭종 제거와 비구순 봉합이 필요한 경우가 있다. 원형 인대의 손상이 있을 경우에 관절 내 통증을 유발할 수 있어 원형 인대

퇴축술 또는 부분 절제술이 시행되는데, 대퇴골 두가 둥글기 때문에 접근에 어려움이 있어 굴곡형 고주파 절제기(flexible radiofrequency ablator)나 굴곡형 shaver를 이용하여 정리한다(그림 27).

중심 구획에서의 비구순 봉합술이 끝나고 나면 변연 구획으로의 술기로 전환되는데, 다리의 견인을 풀고 대퇴골 두를 비구 안으로 정복시킨 후 봉합된 비구순과 대퇴골 두의 관절 연골의 접합 상태와 다리를 돌려가면서 밀봉 효과가 유지되는지 확인한다(그림 28). 수술이 끝난 이후에 비구성형술과 대퇴골 성형술의 감압 정도와 비구순 봉합 위치를 확인하기 위해 3차원 컴퓨터 단층 촬영을 시행하여 평가한다(그림 29).

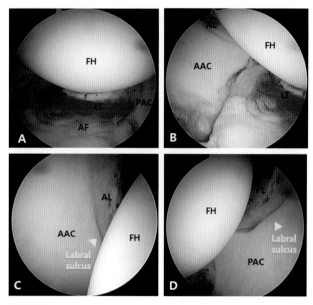

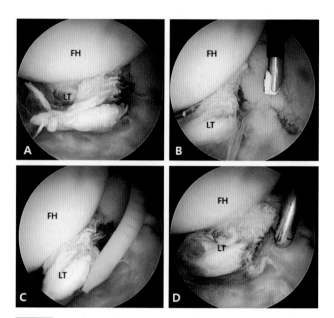

그림 26

(A) 정상의 원형인대(normal ligamentum teres)

(B) 고관절이 내회전 시 비구와의 연부 조직의 감입이 발생할 수 있다.

(C), (D) 비구순 홈(labral sulcus)

AAC; anterior acetabular cartilage, AF; acetabular fossa, AL; anterior labrum, FH; femoral head, LT; ligamentum teres, PAC; posterior acetabular cartilage, PL; posterior labrum.

그림 27 원형 인대 파열(tear of ligamentum teres)

(A) 파열된 원형인대

(B) 직선형 고주파 절삭기를 삽입하여 제거를 시도할 경우 둥그런 대퇴골두 모양으로 접근에 한계가 있다.

(C), (D) 굴곡형 고주파 절삭기와 굴곡형 shaver를 이용하여 원형 인대의 손상된 조직을 제거한다.

FH; femoral hea, LT; ligamentum teres.

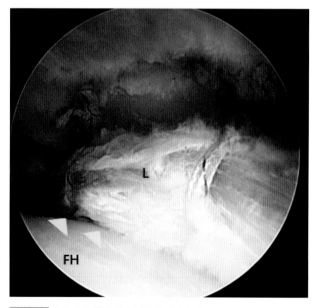

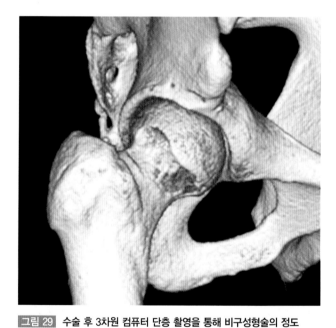

그림 28 비구순 봉합이 끝난 이후에 견인된 다리를 풀고 대퇴골 두를 비구 안으로 정복시켰을 때 대퇴골 두와 비구순의 접합 정도(노란색 삼각형)를 확인한다. FH; femoral head, L; labrum.

그림 29 수술 후 3차원 컴퓨터 단층 촬영을 통해 비구성형술의 정도

대퇴골 성형술의 정도, 봉합 나사의 위치의 정확성을 확인한다. 비구 11시, 12시, 1시, 2시에서 봉합 나사 삽입 구멍을 확인할 수 있다.

5) 수술 후 재활

고관절 관절경 술기에 따라 수술 후 재활이 달라지게 되는데, 아직까지 재활의 방법에 대해 정립되지 않았다. 하지만 저자의 경우 고관절 관절경술 후 관절 내 유착을 방지하기 위해 지속적 수동 관절 운동(continuous passive motion exercise)을 아침, 점심, 저녁 각 30분씩 시행하게 하고 관절의 진자 운동(pendulum exercise)을 교육하여 관절 내 자극 증상을 감소시킨다. 비구순 봉합술 후 체중 부하에 대한 의견은 다양하나 예전에는 4주간의 부분 체중 부하를 시행한 후 1개월부터 체중 부하를 증가시키고, 술 후 2개월 후에는 완전 체중 부하를 허용하는 점진적 보행 연습을 사용하였다. 그러나 최근에는 비구순 봉합에 영향을 주는 고관절의 과굴곡이나 정상 범위를 벗어나는 관절 운동만을 금하고 관절 연골 손상이 없는 경우 수술 후 일상생활로의 복귀 훈련을 술 후 다음날부터 적용시킨다. 관절경적 비구순 봉합술의 대부분에서 술 후 1개월 후에 대전자 부위의 통증을 호소하는 대전자부 통증 증후군(greater trochanteric pain syndrome)이 동반될 수 있는데, 비스테로이드성 소염진통제와 물리치료로 호전이 되지 않을 경우 통증의 원인이 되는 중둔근의 건 부위에 스테로이드와 국소 마취제의 투여가 증상을 호전시킬 수 있고, 체외 충격파나 건 강화 치료(prolotherapy)도 증상 완화에 도움이 될 수 있다. 수영이나 자전거 타기 등의 비체중 부하 운동은 환자의 호전 정도에 따라 허용되고, 경쟁적 운동 등의 스포츠 활동의 완전한 회복은 수술 후 6개월을 기준으로 한다.

6) 결과

적절한 비구순 봉합술은 비구순 절제술에 비해 우월한 결과에 대한 중, 장기 추시에 대한 결과가 보고되고 있다. 사체를 이용한 생역학적 연구에서 환형 봉합법에 비해 기저부 봉합법이 밀봉 효과를 유지할 수 있고 고관절 중심의 전위가 적은 것으로 보고되었다. Philippon 등은 환형 봉합에 비해 기저부 봉합이 윤활 압력을 복원시킬 수 있다고 하였으나 단수 환형 봉합과 기저부 봉합의 임상적, 생역학적 비교

연구에서 Sawyer 등은 Hip Outcome Score의 3년 추시에서 양 군 간의 유의한 차이는 없다고 하였고 Jackson 등도 재수술률과 환자들의 주관적 임상적 결과를 바탕으로 2.5년 추시에서 두 수술 방법에 따른 유의한 차이가 없다고 하였다.

삽입 나사는 전통적 PEEK 봉합 나사, knotless 봉합 나사, all suture 형태의 봉합 나사 등이 적용된다. knotless 봉합 나사는 전통적 봉합 나사에 비해 매듭에 의한 관절 연골 자극, 관절 내 유착, 봉합 나사 매듭에 의한 장요근이나 대퇴직근의 자극 증상을 감소시킨다고 적용되고 있으나 유의한 차이는 없다. PEEK 봉합 나사를 이용한 생역학적 연구에서도 봉합 실패, load-to failure율, 봉합된 비구순의 전위에서 유의한 차이가 없는 것으로 보고되었다. 봉합 나사의 생역학 연구에서 나사의 크기가 작을수록 봉합에 용이하며 골밀도와 봉합 실패와는 관계되어 있으나 봉합 나사는 술자의 임상적 경험과 선호도에 선택된다.

연골-비구순 접합부의 손상없이 비구순을 봉합한 군과 연골-비구순 접합부를 분리시킨 후 비구순 재봉합을 시행한 군의 전향적 비교 연구의 2년 추시에서 양 군 간의 수동적 관절 운동 범위, 수술 후 기능 평가, 재수술률에서 유의한 차이는 없었다. Comba 등은 연골-비구순 접합부를 보존하는 비구성형술을 시행받은 환자들의 최소 2년 추시에서 호전된 임상 결과를 보고하였으며, Ilizilaturri 등의 비구순의 분리없이 비구 성형술을 시행하는 'over-the-top' 술식은 WOMAC 점수에서 수술 전후의 유의한 개선을 보였다고 하였다. Webb 등은 비구순 봉합없이 연골-비구순 접합부를 보존한 환자에 대한 연구에서 봉합 나사의 삽입이나 드릴의 사용이 불필요하고 염증 반응과 유착 반응을 적어 비관절낭-비구순 유착이 감소되어 재수술률이 감소하였다고 하였다. Syed와 Martin은 'In-round' 술식을 사용하여 연골-비구순 접합부를 보존하면서 단순 수직 봉합을 시행한 연구에서 대상 환자 중 84%에서 긍정적인 결과에 대해 보고하였다. Carton과 Filan은 pincer 형 충돌과 혼합형 충돌의 107명의 전향적 연구에서 관절경적 현수 기저부 봉합술 후 2년 추시에서 환형 또는 관통 기저부 봉합술에 비해 우월한 결과를 보였고 결과를 일반화할 수 없으나 최근 들어 연골-비구순 접합부의 중요성이 강조되고 있다.

7) 결론

고관절 비구순의 밀봉 효과와 관절 내 압력 조절의 기능의 이해가 강조되어 비구순 절제에 비해 봉합술이 가지는 수많은 장점에 대한 임상적, 생역학적 연구가 지속되고 있다. 비구순 봉합의 긍정적 장기 추시 결과를 근거하여 비구순의 해부학적 봉합의 적용은 지속적으로 확대될 것으로 보여진다. 비구순 봉합에서 연골–비구순 접합부와 비구 주위 혈관망의 보존을 통해 해부학적 복원에 접근할 수 있다. 봉합된 비구순의 안정성, 치유 잠재력, 봉합 나사의 관절 내 돌출, 봉합 후 비구순 모양의 변형과 비구순의 전위에 따른 고관절 안정성의 감소 등이 봉합 기법의 선택에서 고려되어야 하며 술자는 성공적 결과를 유도하기 위해 모든 것을 고려하고 숙지하여야 한다.

2
비구순 재건술(Labral Reconstruction)

비구순 파열의 치료의 한가지로 관절경적 비구순 절제술이 시행되고 있으나, 이는 정상적 구조에 대한 손상을 주는 치료 방법이다. 따라서 비구순 봉합술과 대퇴비구 충돌의 형태적 성형술과 같이 정상 고관절 구조를 유지하고 보존하는 술식은 비구순 절제술에 비해 통증을 완화시키고 기능을 개선하여 정상 일상 생활로의 회귀를 얻을 수 있어 우월한 결과를 보인다.

1) 서론(Introduction)

고관절 관절경술은 1931년에 처음 시행된 이후로 지속적으로 발전되고 있으며, 초기의 고관절 관절경적 치료는 진단적 관절경, 변연 절제, 비구순 제거술의 수술적 치료가 이루어졌다. 고관절의 해부학적 구조와 기능에 대해서 지속적인 연구가 진행되고 있으며, 수술 기법도 개선되고 있다. 비구순 병변은 고관절 통증 환자의 가장 흔한 질환이며, 유병률은 명확히 알려지지 않았으나 임상적 증상을 보이는 환자

의 22–55%를 차지한다고 보고된다. 최근 비구순의 생역학적 역할이 밝혀지면서 고관절의 윤활 작용과 안정성에 기여하는 운동학적 역할에 주목하고 있다. 또한, 비구순 봉합술과 대퇴비구 충돌의 형태적 교정과 같은 고관절의 해부학적 구조를 유지하고 보존하는 수술을 통해 정상 구조로의 회복을 기대한다.

정상 비구순과 같은 기능으로 회복하귀 위해 이식건(graft)을 이용한 비구순 재건 치료가 2009년에 처음 보고되었으며, 최근에서야 적용되기 시작하여 수술 기법과 결과는 단기 추시 결과에 의존하고 있다. 비구순 재건술은 관절 내 병변을 치료의 또 하나의 수술적 선택이 될 수 있으며 정상 해부학적 수복을 통해 고관절의 보존 연한을 증가시킬 수 있을 것으로 기대된다. 이 장에서는 비구순 재건술에 대한 문헌을 고찰하여 비구순 재건술의 적응증, 이식건의 선택, 수술 기법, 치료 결과를 알아보고자 한다.

2) 수술 적응증(Surgical indications)

(1) 비구순 재건의 생역학적 이점

비구순은 고관절의 정상적 기능에 중요한 역할을 한다. 사체 연구에서 비구순 절제는 고관절의 '밀봉 효과(sealing effect)'를 감소시켜, 고관절을 안정화 시키는 유동 가압(fluid pressurization)의 소실을 초래한다. 비구순 재건술은 재건된 유동 가압을 증가, 유지할 수 있게 한다. 최근 생역학적 연구가 비구순 재건술의 긍적적 결과를 지지하고 있다. 비구순 절제술은 정상 비구순이나 비구순 봉합술에 비해 관절액의 유출을 효과적으로 막지 못한다. 비구순은 견인력에 대해 고관절을 안정화 시키는 데 중요한 역할를 하며 고관절 유동 가압 연구에서 비구순 재건술이 비구순 부분 절제술에 비해 견인력에 대해 월등한 안정성을 보인다고 하였다. Lee 등은 사체 연구에서 고관절의 접촉 면적, 접촉 압력, 최고 접촉력에 대해 비구순 부분 제거 시에 고관절의 접촉 압력이 증가되지만, 비구순이 재건된 경우 접촉 압력이 감소되어 안정화에 도움이 된다는 보고가 있다. 비구순이 재건된 고관절의 최고 접촉력도 비구순이 부분 제거된 고관절에 비해 감소됨을 보고하였다.

(2) 적응 환자의 특성

관절경적 비구순 봉합술을 통해 수술 후 개선된 결과를 유도할 수 있으나, 모든 경우 비구순 봉합이 가능하지는 않다. 비구순 재건술의 일차적 적응증은 봉합 불가능한 비구순, 봉합하기에 비구순 조직이 불충분할 경우이다. 비구순 봉합이 불가능할 경우 고관절의 밀봉 효과를 회복시킬 수 없게 되고 비구순이 너무 작을 경우 치료되는 면적이 너무 좁아 대퇴골 두의 적절한 밀봉을 유도할 수 없어 2–3 mm보다 작은 비구순은 비구순 재건술의 적응이 된다. 반대로 비구순이 너무 길어 원래의 비구순 형태와 변형되어 봉합될 경우에도 적절한 밀봉 효과를 얻을 수 없어 8 mm보다 긴 비구순은 선택적 비구순 재건술의 적응이 된다. 비구순의 실질내 낭성 퇴행(intrasubstance cystic degeneration)이 있는 경우는 성상에 문제가 있어 원래 기능을 회복하지 못하여 재건술의 적응이 된다.

과거 관절경적 비구순 절제술들 받은 환자의 재수술이 흔한 적응증이며, 재수술 시 비구순의 조직이 부족하여 봉합 불가능한 경우가 많아 재건이 필요하다. 이전 수술로 인한 관절낭–비구순 유착(capsulolabral adhesion)이 존재하는 경우, 비구순을 보존하면서 반흔 조직을 충분히 제거하기가 어려워 재건술을 시도한다. 비구순의 골화(labral ossification)로 인해 비구의 과덮힘(overcoverage)을 가지고 있는 환자에서 증상이 발생할 경우 파열된 비구순과 비구 성형술이 시도된 후 해부학적 수복을 위해 비구순 재건술이 적용된다.

비구순 재건의 금기증은 명확하게 규정되어 있지 않으나, 고령, 고관절 간격이 2 mm 이하의 진행된 관절염은 재건술이 적용되더라도 좋은 결과를 얻을 수 없어 시행하지 않아야 한다.

3) 수술 기법(Surgical technique)

(1) 관혈적 술식(open technique)

Sierra와 Trousdale이 2009년에 처음으로 관혈적 고관절 탈구 후 자가 원형 인대(ligament teres)를 이용한 비구순 재건술을 보고하였다. 원형 인대를 대퇴골 중심와에서 채취 한 후 비구의 변연 부위에 비구순 재부착술(labral refixation)하

는 방법으로 시행하였다. 그러나 원형 인대는 비구순 결함 부위를 충분히 덮지 못하므로 적절한 길이를 얻기 위해 종축으로 갈라서 적용하였다. 관혈적 탈구를 통한 비구순 재건술은 수술적 치료 방법으로 이용되고 있으나, 최근 들어 고관절 관절경술이 최소 침습적 술식으로 발전되면서 표준으로 적용되고 있다. 그러나 관혈적 재건술과 관절경적 재건술의 비교 연구가 없어 추가적인 연구가 요구된다.

(2) 관절경적 재건술(arthroscopic technique)

관절경적 비구순 재건술의 보고가 최근 지속적으로 발표되고 있으며, 'front–back fixation technique'을 포함한 변형 술식들이 보고되고 있다. 이러한 방법들은 전신 또는 경막하 마취 후 골절 테이블에서 환자를 앙와위로 위치시키고 하지 견인 후 관절경적 술식을 적용하는 방법이다. 이때, 총 견인 시간은 90분을 초과하지 않아야 한다. 고식적으로 전방, 전측방, 부속의 3개의 삽입구를 이용하나 술자가 원하는 경우 추가 삽입구의 제작이 필요할 수 있다. 그러나, 이식건을 고정할 때 긴장도 유지를 위해 최소 3개 이상의 삽입구가 필요하다. 전측방 삽입구는 대전자 부위보다 약간 근위부에, 전방 삽입구는 전외측 삽입구보다 5–6 cm 내측, 1 cm 정도 원위부에 위치시킨다. 부속 삽입구는 전방 삽입구보다 2–3 cm 원위부, 1–2 cm 외측부에 제작하거나 이식건 삽입에 용이한 곳에 제작하면 된다.

대퇴골 성형술(femoroplasty)은 cam 형 충돌에서 재파열 방지를 위해 수술 전 계획한 만큼의 두–경부 오프셋(head–neck offset)을 얻을 수 있어야 하며, 이는 술 후 이식건의 고정에도 영향을 준다. Pincer 형 충돌에서 비구의 과도한 덮힘이 있을 경우 비구의 변연부에 충돌이 발생하지 않도록 비구 성형술(acetabuloplasty)이 적용되어야 하며, 비구에 비구순 이식건이 잘 위치되도록 편평하게 다듬고, 지혈을 시행해야 한다. 비구순 재건술은 환형 비구순 봉합술(circumferential labral reconstruction)과 부분 비구순 봉합술(partial labral reconstruction)로 나뉜다. 환형 비구순 봉합술의 경우 손상된 비구순 조직을 비구순의 비구 횡 인대(transverse ligament) 전방부(clockwise system을 이용할 경우, 좌측 고관절의 경우 7:30, 우측 고관절의 경우 4:30분의

위치)에서 비구 후방부(좌측 3:00시, 우측 9:00)까지 완전히 제거해야 한다. 비구순 손상 부위의와 비구의 전체 길이가 정확하게 측정되어야 하고 이식건이 짧아서 결손 부위를 못 채우는 경우를 피하기 위해 이식건의 길이는 좀 더 길게 측정되어야 한다. 봉합 나사는 비구 관절 연골 면과 최대한 근접해서 위치시켜야 하나 봉합 나사가 관절 안으로 천공되지 않도록 유의해야 하며, 이식건 고정 간격은 11–14 mm 정도로 봉합한다. 봉합 나사의 관절 내 돌출을 피하기 위해 봉합 나사는 원위 부속 삽입구를 이용하여 삽입 각도를 최대한 눕혀야 한다. 가장 전하방 위치하는 봉합 나사는 비구 횡인대와 최대한 가까워야 한다.

이러한 술식에는 동종 혹은 이종 장경대 인대가 적용되는데 이식건은 250 cc saline에 80 mg Gentamycin 혼합 용액에 적신 후 이식한다. 측정된 길이만큼 이식건을 재단한 후

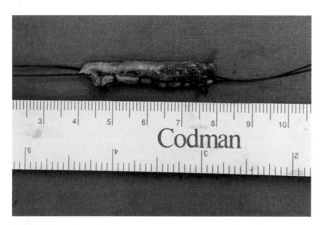

그림 30 장경대 인대 자가 이식건 준비상태

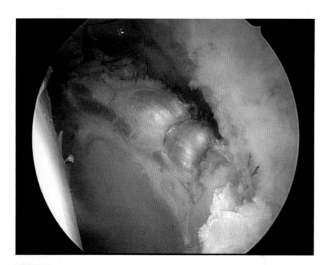

그림 31 관절경적 비구순 재건술의 관절경 사진

비구순의 모양과 비슷하게 환형 형태로 말아서(tubulization) 직경을 5~6 mm 정도 되도록 봉합한다. 이식건의 양쪽 끝을 2–0 Vycril을 이용하여 가이드실로 사용할 수 있도록 준비한다(그림 30). 이식건의 관절 내 삽입을 위해 원위 부속 삽입구에 캐뉼라를 삽입한 후 방향을 관절낭의 전하방으로 향하도록 위치시킨 후 준비된 이식건을 관절 내로 삽입한다. 전방 가이드 라인을 따라 측정된 비구순의 전방 부위에 봉합 나사를 삽입한 후 비구 전하방에 이식건의 전방부를 봉합한다. 전방 삽입구에서 탐침자로 이식건의 위치를 조정하며 후방 가이드 라인을 비구 후방부에 적절하게 위치시킨 후 이식건의 긴장도를 측정한다. 비구순 결손부 측정 시에 예상했던 비구 후방부에 이식건을 고정한다. 이식건의 양쪽 끝이 적절하게 봉합되었다면 전방부터 정해진 간격으로 이식건을 봉합한다(그림 31). 이식건의 고정이 끝난 후 탐침자를 이용하여 이식건의 긴장도와 길이를 측정하고 위치의 정확성과 견인을 푼 후 재건된 비구순과 대퇴골두와의 접촉 상태를 확인한다. 보조자로 하여금 대퇴골두를 움직이게 하여 재건된 비구순과 접촉 상태와 면적을 확인한다. 수술 전 시행되었던 3차원 컴퓨터 단층 촬영에서 측정된 대퇴골의 융기(bump)가 있는 경우는 재건전 대퇴골 성형술을 시행하고 감압이 적절하게 이루어졌는지 반드시 확인해서 충돌이 남아 있는지 확인해야 한다. 모든 과정이 끝난 후에 관절낭 봉합이 시행된다.

4) 이식건의 선택(Graft options)

비구순 봉합의 이식건의 선택에 있어 동종건(allograft)은 자가건(autograft)에 비해 두께를 조절하기 용이하며, 이식건 채취 부위의 기능적 손상과 통증이 없다는 장점이 있다. 동종건의 경우 신경 분포가 없어 술 후 통증이 적은 장점이 있지만 손상된 비구순을 완전히 제거하지 못하는 경우, 수술 후에 통증이 발생될 수 있어 반드시 제거되어야 한다. 이식건의 선택에 있어 장경대 인대 동종건, 자가 관절낭의 사용, 박근(gracilis) 자가건, 자가 원형 인대, 대퇴근막 장근(fascia lata) 자가건, 대퇴사두근 자가건 등이 이용될 수 있다. 이식건의 선택에 있어 장점과 단점에 대한 문헌적 보고가 많지

않으나 이러한 자가건들은 원래의 비구순과 생역학적으로 비슷한 성질을 보이지만 비구순의 신장력과 약간의 형태학적 차이가 있다. 최근의 다른 연구에서는 장경대 인대 자가건과 반건양근(semitendinosus) 이종건 간의 비교 연구에서 접촉 면적, 접촉 압력, 최대 압력의 차이가 없다고 보고하였다.

5) 수술 후 재활(Postoperative management)

비구순 재건술 후 재활은 비구순 봉합술과 유사하게 적용되지만 사용된 이식건의 성상에 따라 주의할 점이 있다. 환자들은 수술 후 1주일 이내에 물리치료가 적용되며, 고관절의 자연스런 움직임, 중둔근(gluteus medius)의 강화, 둔근의 균형을 회복시켜 정상 보행을 가능하게 하는 데 중점을 둔다. 술 후 4주부터 부분 체중 부하를 시행하며, 수술 후 8주까지 전 체중의 30%까지 부분 체중 부하를 허용한다. 이후의 재활은 근육 강화와 스포츠 활동의 적용이 단계적으로 이루어져야 하며, 완전한 운동으로의 회복은 최소 6개월 이상이 소요된다.

6) 결과(Outcomes)

(1) 관혈적 비구순 재건술의 결과

관혈적 비구순 재건술에 대한 2개의 문헌 보고가 있으며 하나는 위에서 소개한 최초의 관혈적 비구순의 재건술에 대한 보고이며, Boykin 등은 대퇴비구 충돌의 치료를 위해 자가 원형 인대 또는 자가 대퇴근막 장근을 이용한 20례의 결과에 대해 보고하였다. 이들은 술 후 합병증이 없으나 최소 1년 추시(평균 26.4개월)에서 13례(65%)의 환자가 재수술이 필요하였고 이 중 3례는 고관절 전치환술로 전환이 필요하였다고 보고하였다.

(2) 관절경적 비구순 재건술의 결과

관절경적 비구순 재건술은 환자의 좋은 만족도와 낮은 재수술률을 보인다. White 등은 2009년에서 2015년까지 1,000례 이상의 비구순 재건술을 시행하였으며, 관절경적 비구순 봉합술에 비해 관절경적 비구수 재건술을 시행한 환자들에게서 우월한 결과를 보인다고 하였으며, 동종건을 이용한 비구순 재건술의 최소 2년 추시에서도 같은 결과를 보고하였다. 152례의 동종건을 이용한 비구순 재건술을 받은 환자에서 118례는 최초 수술로 진행되었으며, 34례는 과거 수술력이 있었던 환자들로 재수술적 치료로 비구순 재건술이 시행되었다. 이 중 131례가 추시 되었고 13례에서 고관절 전치환술로 전환되었으며, 평균 28개월 추시에서 5례는 관절경 재수술이 시행되었다고 하였다. 모든 환자들은 술 전 낮은 변형된 Harris 고관절 점수(Modified Harris Hip Score, MHHS), 높은 VAS (visual analogue scale) 통증 점수를 보였고 술 후 MHHS, VAS, 일상 생활 점수(activities of daily living scale, ADL scale)에서의 개선을 보였으며, 정상적 운동 활동이 가능하였다. 전체적인 환자의 만족 점수는 10점 만점에서 9점을 보였으나, 장기적인 추시가 필요하다. 최근 5편의 관절경적 비구순 재건술의 결과에 대한 보고가 있었다. Phillippon 등은 2010년에 47례의 장경대 인대 자가건을 이용한 관절경적 비구순 재건술의 평균 18개월 추시 결과에서, MHHS에서 술 전 62점에서 술 후 85점으로의 향상을 보였고 환자 만족 점수에서는 8/10로 측정되었다. 4례(9%)는 인공관절 전치환술로 전환되었고 이후 연속적인 다른 보고에서는 최소 3년 추시(평균 48개월)에서 18례(24%)가 인공관절 치환술, 1례가 고관절 표면 치환술이 필요하였다고 보고하였다. Boykin 등은 21명의 운동선수에서 18명은 엘리트 운동으로 복귀하였으며, 17명은 술 전의 운동 레벨까지 회복되었다고 하였다. 박근 동종건을 이용한 재건술 후 Matsuda 와 Burchette은 비구순 재부착술을 시행받은 46명과 비구순 재건술을 받은 8명을 비교하였으며, Domb 등은 비구순 부분 절제술을 시행받은 11명의 환자와 비구순 재건술을 받은 11명을 비교하였다. 3개월 내에 회복된 일시적 회음 신경 영역 감각 이상을 제외하고 합병증은 없었으며 고관절 전치환술로 전환된 경우는 없었으며 비구순 봉합술/재부착술과 부분 절제술에 비해 좋은 결과를 도출할 수 있다고 하였다.

7) 결론(Conclusion)

비구순 재건술은 고관절 관절 내 병변을 해결할 수 있는 하나의 치료적 술식이다. 비구순 재건술의 일차적 적응증은 봉합 불가능한 비구순 파열과 봉합하기에 비구순 조직이 부족할 경우이다. 비구순 재건술을 생역학적으로 윤활 압력을 개선시키고 견인력에 대해 고관절을 안정시키고 접촉 압력을 감소시켜 고관절 기능을 향상시킬 수 있다. 관혈적 재건술과 관절경적 재건술의 술식들과 자가건과 동종건을 포함한 이식건의 선택이 필요하다. 관절경적 재건술식에서 성공적 결과를 도출하기 위해서는 이식물의 크기와 긴장도, 적절한 위치와 봉합에 의해 밀봉 효과의 회복이 반드시 필요하다. 이를 위해 술자는 충분한 경험과 술식 습득 과정이 있어야 한다. 재건술의 단기 결과는 보고되었으나 고관절 보존 기간에 대한 장기 추식 결과는 지속적으로 연구되어야 한다. 젊고 건강환 환자에서 비구순 봉합이 일차적 수술로 적용되지만 봉합 조건을 만족하지 못하는 환자에 대해서는 재건술을 고려할 수 있다. 비구순 재건술은 기능과 환자 만족도를 증가시켜 일상 생활로의 회복과 스포츠 활동을 가능하게 한다.

References

1. Philippon MJ, Nepple JJ, Campbell KJ, et al: The hip fluid seal-Part I: The effect of an acetabular labral tear, repair, resection and reconstruction on hip fluid pressurization. Knee Surg Sports Traumatol Arthrosc 22:722-729, 2014

2. Safran MR: Microinstability of the hip-Gaining acceptance. J Am Acad Orthop Surg 27:12-22, 2019

3. Ferguson SJ, Bryant JT, Ganz R, et al: The acetabular labrum seal: A poroelastic finite element model. Clin Biomech 15:463-468, 2000

4. Todd JN, Maak TG, Ateshian GA, et al: Hip chondrolabral mechanics during activities of daily living: Role of the labrum and interstitial fluid pressurization. J Biomech 69:113-120, 2018

5. Riff AJ, Kunze KN, Movassaghi K, et al: Systematic review of hip arthroscopy for femoroacetabular impingement: The importance of labral repair and capsular closure. Arthroscopy 35:646-656, 2019

6. Byrd JW, Jones KS: Hip arthroscopy for labral pathology: Prospective analysis with 10-year follow-up. Arthroscopy 25:365-368, 2009

7. Menge TJ, Briggs KK, Dornan GJ, et al: Survivorship and outcomes 10 years following hip arthroscopy for femoroacetabular impingement: Labral debridement compared with labral repair. J Bone Joint Surg Am 12:997-1004, 2017

8. Krych AJ, Thompson M, Knutson Z, et al: Arthroscopic labral repair versus selective labral debridement in female patients with femoroacetabular impingement: a prospective randomized study. Arthroscopy 29(1):46-53, 2013

9. Espinosa N, Rothenfluh DA, Beck M, et al: Treatment of femoroacetabular impingement: Preliminary results of labral refixation. J Bone Joint Surg Am 88:925-935, 2006

10. Myers CA, Register BC, Lertwanich P, et al: Role of the acetabular labrum and the iliofemoral ligament in hip stability: An in vitro biplane fluoroscopy study. Am J Sports Med 39(1_suppl):85-91, 2011. https:// doi.org/10.1177/0363546511412161

11. Kelly BT, Shapiro GS, Digiovanni CW, et al: Vascularity of the hip labrum: A cadaveric investigation. Arthroscopy 21:3-11, 2005

12. Fry R, Domb B: Labral base refixation in the hip: Rationale and technique for an anatomic approach to labral repair. Arthroscopy 26(9 Suppl):S81-S89, 2010

13. Carton PF, Filan D: Labral cuff refixation in the hip: Rationale and operative technique fir preserving the chondrolabral interface for labral repair: A case series. J Hip Preserv Surg 5:78-87, 2017

14. Grant AD, Sala DA, Davidovitch RI: The labrum: Structure, function, and injury with femoro-acetabular impingement. J Child Orthop 6:357-372, 2012

15. Hartigan DE, Perets I, Meghpara MB, et al: Biomechanics, anatomy, pathology, imaging and clinical evaluation of the acetabular labrum: Current concepts. JJSAKOS 3:148-154, 2018

16. Kalhor M, Horowitz K, Beck M, et al: Vascular supply to the acetabular labrum. J Bone Joint Surg Am 92:2570-2575, 2010

17. Gerhardt M, Johnson K, Atkinson R, et al: Characterisation and classification of the neural anatomy in the human hip joint. Hip Int 22:75-81, 2012

18. Alzaharni A, Bali K, Gudena R, et al: The innervation of the human acetabular labrum and hip joint: An anatomic study. BMC Musculoskelet Disord 15:41, 2014

19. Gupta A, Chandrasekaran S, Redmond JM, et al: Does labral size correlate with degree of acetabular dysplasia? Orthop J Sports Med 3. https:// doi.org/10.1177/2325967115572573, 2015

20. Garabekyan T, Ashwell Z, Chadayammuri V, et al: Lateral acetabular coverage predicts the size of the hip labrum. Am J Sports Med 44:1582-1589, 2016

21. Nepple JJ, Philippon MJ, Campbell KJ, et al: The hip fluid seal-Part II: The effect of an acetabular labral tear, repair, resection, and reconstruction on hip stability to distraction. Knee Surg Sports Tramatol Arthrosc 22:730-736, 2014

22. Seldes RM, Tan V, Hunt J, et al: Anatomy, histologic features and vascularity of the adult acetabular labrum. Clin Orthop Relat Res 382:232-240, 2001

23. Bonnar TF, Colbrunn RW, Bottros JJ, et al: The contribution of the acetabular labrum to hip joint stability: A quantitative analysis using a dynamic three-dimensional robot model. J Biomech Eng 137:061012, 2015

24. Shibata KR, Matsuda S, Safran MR: Is there a distinct pattern to the acetabular labrum and articular cartilage damage in the non-dysplastic hip with instability? Knee Surg Sports Traumatol Arthrosc 25:84-93, 2017

25. Takechi H, Nagashima H, Ito S: Intra-articular pressure of the hip joint outside and inside the limbus. J Jpn Orthop Assoc 56:529-536, 1982

26. Cadet ER, Chan AK, Vorys GC, et al: Incestigation of the preservation of the fluid seal effect in the repaired, partially resected, and reconstructed acetabular labrum in a cadaveric hip model. Am J Sports Med 40:2218- 2223, 2012

27. Kim Y, Giori NJ, Lee D, et al: Role of the acetabular labrum on articular cartilage consolidation patterns. Biomech Model Mechanobiol 18:479- 489, 2019

28. Song Y, Ito H, Kourtis L, et al: Articular cartilage friction increases in hip joints after the removal of acetabular labrum. J Biomech 45:524-530, 2012

29. Ferguson SJ, Bryant JT, Ganz R, et al: An in vitro investigation of the acetabular labral seal in the hip joint mechanics. J Biomed 16:171-178, 2003

30. McCarthy JC, Noble PC, Schuck MR, et al: The watershed labral lesion. Its relationship to early arthritis of the hip. J Arthroplasty 16:81-87, 2001

31. Philippon MJ, Arnoczky SP, Torrie A: Arthroscopic repair of the acetabular labrum: A histologic assessment of healing in an ovine model. J Arthrosc Relat Surg 23:376-380, 2007

32. Malahias MA, Alexiades MM: The clinical outcome of chondrolabralpreserving arthroscopic acetabuloplastyfor pincer- or mixed-type

femoroacetabular impingement: A systematic review. Musculoskelet Surg 103:207-214, 2019.

33. Ortiz-Declet V, Mu B, Chen AW, et al: The "bird's eye" and "upper deck" views in hip arthroscopy: Powerful arthroscopic perspectives for acetabuloplasty. Arthrosc Tech 7:e13-e16, 2018

34. Webb MSL, Devitt BM, O'Donnell JM: Preserving the chondrolabral junction reduces the rate of capsular adhesions. J Hip Preserv Surg 6:50-54, 2019.

35. Larson CM, Giveans MR, Stone RM: Arthroscopic debridement versus refixation of the acetabular labrum associated with femoroacetabular impingement: Mean 3.5-year follow-up. Am J Sports Med 40:1015- 1021, 2012

36. Schilders E, Dimitrakopoulou A, Bismil Q, et al: Arthroscopic treatment of labral tears in femoroacetabular impingement: A comparative study of refixation and resection with a minimum two-year follow-up. J Bone Joint Surg Br 93:1027-1032, 2011

37. Sawyer GA, Briggs KK, Dornan GJ, et al: Clinical outcomes after arthroscopic hip labral repair using looped versus pierced suture techniques. Am J Sports Med 43:1683-1688, 2015

38. Jackson TJ, Hammarstedt JE, Vemula SP, et al: Acetabular labral base repair versus circumfrential suture repair: A matched-pair comparison of clinical outcomes. Arthroscopy 31:1716-1721, 2015 12 P. Carton and D. Filan

39. Signorelli C, Bonanzinga T, Lopomo N, et al: Evaluation of the sealing function of the acetabular labrum: An in vitro biomechanical study. Knee Surg Sports Traumatol Arthrosc 25:62-71, 2017. https://doi.org/ 10.1007/s00167-015-3851-x

40. Safran MR, Behn AW, Botser IB, et al:

Knotless anchors in acetabular labral repair: A biomechanical comparison. Arthroscopy 35:70-76. e1, 2019

41. Ruiz-Suarez M, Aziz-Jacobo J, Barber FA: Cyclic load testing and ultimate failure strength of suture anchors in the acetabular rim. Arthroscopy 26:762-768, 2010

42. Douglass NP, Behn AW, Safran MR: Cyclic and load to failure properties of all-suture anchors in synthetic acetabular and glenoid cancellous bone. Arthroscopy 33:977-985.e5, 2017

43. Redmond JM, El Bitar YF, Gupta A, et al: Arthroscopic acetabuloplasty and labral refixation without labral detachment. Am J Sports Med 43:105-112, 2015

44. Comba FM, Slullitel PA, Bronenberg P, et al: Arthroscopic acetabuloplasty without labral detachment for focal pincer type impingement: A minimum 2 year follow-up. J Hip Preserv Surg 4, 2017. 154-152

45. Ilizaliturri VM, Joachin P, Marco Acuna M: Description and mid-term results of the 'over-the-top' technique for the treatment of the pincer deformity in femoroacetabular impingement. J Hip Preserv Surg 2:369-373, 2015

46. Syed HM, Martin SD: Arthroscopic acetabular recession with chondrolabral preservation. Am J Orthop 42:181-184, 2013

47. Skelly NW, Conway WK, Martin SD: "In-Round" labral repair after acetabular recession using intermittent traction. Arthrosc Tech 6:e1807- e1813, 2017.

48. Carton P, Filan D: The impact of anatomic labral repair and preservation of the chondrolabral junction on clinical outcome. In: Institutional Conference Proceedings; 20192019

49. Glick JM, Valone F III, Safran MR. Hip arthroscopy: from the beginning to the future – an innovator's perspective. Knee Surg Sports Traumatol Arthrosc(2014) 22:714–21.

50. Burman MS. Arthroscopy or the direct visualization of joints: an experimental cadaver study. 1931. Clin Orthop Relat Res(2001) 390:5–9.

51. Ayeni OR, Levy BA, Musahl V, Safran MR. Current state-of-the-art of hip arthroscopy. Knee Surg Sports Traumatol Arthrosc(2014) 22:711–3.

52. Reiman MP, Goode AP, Cook CE, Holmich P, Thorborg K. Diagnostic accuracy of clinical tests for the diagnosis of hip femoroacetabular impingement/labral tear: a systematic review with meta-analysis. Br J Sports Med(2014) 49:811.

53. Krych AJ, Kuzma SA, Kovachevich R, Hudgens JL, Stuart MJ, Levy BA. Modest mid-term outcomes after isolated arthroscopic debridement of acetabular labral tears. Knee Surg Sports Traumatol Arthrosc(2014) 22:763–7.

54. McCarthy JC, Noble PC, Schuck MR, Wright J, Lee J. The Otto E. Aufranc award: the role of labral lesions to development of early degenerative hip disease. Clin Orthop Relat Res(2001) 393:25–37.

55. Narvani AA, Tsiridis E, Kendall S, Chaudhuri R, Thomas P. A preliminary report on prevalence of acetabular labrum tears in sports patients with groin pain. Knee Surg Sports Traumatol Arthrosc(2003) 11:403–8.

56. Ayeni OR, Alradwan H, de Sa D, Philippon MJ. The hip labrum reconstruction: indications and outcomes – a systematic review. Knee Surg Sports Traumatol Arthrosc(2014) 22:737–43.

57. Ferguson SJ, Bryant JT, Ganz R, Ito K. The influence of the acetabular labrum on hip joint cartilage consolidation: a poroelastic finite element model. J Biomech(2000) 33:953–60.

58. Crawford MJ, Dy CJ, Alexander JW, Thompson M, Schroder SJ, Vega CE, et al. The 2007 Frank Stinchfield Award. The biomechanics of the hip labrum and the stability of the hip. Clin Orthop Relat Res(2007) 465:16–22.

59. Greaves LL, Gilbart MK, Yung AC, Kozlowski P, Wilson DR. Effect of acetabular labral tears, repair and resection on hip cartilage strain: a 7T MR study. J Biomech(2010) 43:858–63.

60. Lee S, Wuerz TH, Shewman E, McCormick FM, Salata MJ, Philippon MJ, et al. Labral reconstruction with iliotibial band autografts and semitendinosus allografts improves hip joint contact area and contact pressure: an in vitro analysis. Am J Sports Med(2015) 43:98–104.

61. Larson CM, Giveans MR. Arthroscopic debridement versus refixation of the acetabular labrum associated with femoroacetabular impingement. Arthroscopy(2009) 25:369–76.

62. Philippon MJ, Briggs KK, Hay CJ, Kuppersmith DA, Dewing CB, Huang MJ. Arthroscopic labral reconstruction in the hip using iliotibial band autograft: technique and early outcomes. Arthroscopy(2010) 26:750–6.

63. Larson CM, Giveans MR. Arthroscopic management of femoroacetabular impingement: early outcomes measures. Arthroscopy(2008) 24:540–6.

64. Sierra RJ, Trousdale RT. Labral reconstruction using the ligamentum teres capitis: report of a new technique. Clin Orthop Relat Res(2009) 467:753–9. doi:10.1007/s11999-008-0633-5

65. Ayeni OR, Adamich J, Farrokhyar F, Simunovic N, Crouch S, Philippon MJ, et al. Surgical management of labral tears during femoroacetabular impingement surgery: a systematic review. Knee

Surg Sports Traumatol Arthrosc(2014) 22:756–62.

66. Walker JA, Pagnotto M, Trousdale RT, Sierra RJ. Preliminary pain and function after labral reconstruction during femoroacetabular impingement surgery. Clin Orthop Relat Res(2012) 470:3414–20.

67. Boykin RE, Patterson D, Briggs KK, Dee A, Philippon MJ. Results of arthroscopic labral reconstruction of the hip in elite athletes. Am J Sports Med(2013) 41:2296–301.

68. Geyer MR, Philippon MJ, Fagrelius TS, Briggs KK. Acetabular labral reconstruction with an iliotibial band autograft: outcome and survivorship analysis at minimum 3-year follow-up. Am J Sports Med(2013) 41:1750–6.

69. Matsuda DK, Burchette RJ. Arthroscopic hip labral reconstruction with a gracilis autograft versus labral refixation: 2-year minimum outcomes. Am J Sports Med(2013) 41:980–7.

70. Deshmane PP, Kahlenberg CA, Patel RM, Han B, Terry MA. All-arthroscopic iliotibial band autograft harvesting and labral reconstruction technique. Arthrosc Tech(2013) 2:e15–9.

71. Ejnisman L, Philippon MJ, Lertwanich P. Acetabular labral tears: diagnosis, repair, and a method for labral reconstruction. Clin Sports Med(2011) 30:317–29.

72. Bedi A, Chen N, Robertson W, Kelly BT. The management of labral tears and femoroacetabular impingement of the hip in the young, active patient. Arthroscopy(2008) 24:1135–45.

73. Ng VY, Arora N, Best TM, Pan X, Ellis TJ. Efficacy of surgery for femoroacetabular impingement: a systematic review. Am J Sports Med(2010) 38:2337–45.

74. Botser IB, Smith TW Jr, Nasser R, Domb BG. Open surgical dislocation versus arthroscopy for femoroacetabular impingement: a comparison of clinical outcomes. Arthroscopy(2011) 27:270–8.

75. Domb BG, Stake CE, Botser IB, Jackson TJ. Surgical dislocation of the hip versus arthroscopic treatment of femoroacetabular impingement: a Frontiers in Surgery | www.frontiersin.org 6 July 2015 | Volume 2 | Article 27

76. Domb BG, Gupta A, Stake CE, Hammarstedt JE, Redmond JM. Arthroscopic labral reconstruction of the hip using local capsular autograft. Arthrosc Tech(2014) 3:e355–9.

77. Matsuda DK. Arthroscopic labral reconstruction with gracilis autograft. Arthrosc Tech(2012) 1:e15–21.

78. Park SE, Ko Y. Use of the quadriceps tendon in arthroscopic acetabular labral reconstruction: potential and benefits as an autograft option. Arthrosc Tech(2013) 2:e217–9.

79. White BJ, Herzog MM. Arthroscopic labral reconstruction of the hip using iliotibial band allograft and front-to-back fixation technique. Arthrosc Tech(2015)(in press).

80. Ferro FP, Philippon MJ, Rasmussen MT, Smith SD, LaPrade RF, Wijdicks CA. Tensile properties of the human acetabular labrum and hip labral reconstruction grafts. Am J Sports Med(2015) 43:1222–7.

81. White BJ, Stapleford AB, Hawkes TK, Finger MJ, Herzog MM. Allograft use in arthroscopic labral reconstruction of the hip: minimum 2-year follow-up with front-to-back fixation technique. Arthroscopy(2015)(in press).

82. Domb BG, El Bitar YF, Stake CE, Trenga AP, Jackson TJ, Lindner D. Arthroscopic labral reconstruction is superior to segmental resection

for irreparable labral tears in the hip: a matched-pair controlled study with minimum 2-year follow-up. Am J Sports Med(2014) 42:122–30.

CHAPTER

09-2

대퇴골성형술

Femoroplasty

윤필환

1

수술방법

Cam 형 대퇴비구충돌과 같이 대퇴골성형술을 시행해야 하는 병변은 대퇴골두–경부 연결부에 위치하기 때문에, 수술 중 환자의 자세는 변연구획에 대한 수술을 시행할 때의 자세와 동일하다. 상세한 내용에 대해서는 8장에 기술된 바와 같고, 대략적으로는 하지 견인을 하지 않는 상태에서 고관절을 30–40° 굴곡하여 수술을 진행한다. 수술은 앙와위 또는 측와위에서 시행할 수 있는데 본 장에서는 앙와위에서의 수술 방법을 기술하고자 한다.

고관절 관절경술 중 대퇴골성형술은 대부분 중심구획에서의 수술을 마친 후에 하지 견인을 풀고나서 순차적으로 시행하는 경우가 많기 때문에, 중심구획 수술에 사용한 삽입구를 그대로 사용하거나 필요한 경우 추가적인 삽입구를 만들어 사용한다. 처음부터 변연구획에서 고관절 관절경술을 시행하는 경우에는 8장에서 기술된 바와 같이 삽입구를 만들어 대퇴골성형술을 시행하고자 하는 구역으로 접근하게 된다. 중심구획에서 변연구획으로 전환하는 경우에는 대퇴골성형술을 위한 시야를 확보하고 기구 사용을 용이하게 하기 위해 하지를 견인한 상태에서 삽입구간 관절낭절개술

(interportal capsulotomy)을 시행하는 것이 권장된다. 삽입구간 관절낭절개술은 주로 전방 삽입구와 전측방 삽입구를 연결하는데, 대퇴골성형술을 시행하고자 하는 부위의 크기와 범위에 따라 관절낭 절개를 전방 또는 후방으로 연장하고 타원형으로 절개 부위를 확장하여 병변에 대한 시야를 충분히 확보할 수 있어야 한다(그림 1). 대퇴골 경부 쪽으로 관절낭 절개를 확장할 때는 필요한 만큼만 최소한으로 시행하고 zona orbicularis를 손상시키지 않도록 해야 수술 후 관절낭 봉합술을 시행하지 않더라도 관절의 불안정성을 예방할 수 있다(그림 2). 일부에서는 시야를 충분히 확보하고 수술을 용이하게 하기 위해 T형 관절낭 절개술(T-capsulotomy)을 시행하는 경우가 있는데, 이 때는 관절의 불안정성 또는 탈구와 같은 합병증을 예방하기 위해 필요한 수술을 마친 후 관절낭 봉합술을 시행하는 것이 권장되기도 한다.

전방, 전측방, 후측방 삽입구를 사용하여 중심구획 수술을 시행한 경우에는 후측방 삽입구는 더 이상 사용하지 않고, 전방 삽입구는 관절낭절개술을 완료한 후에 제거하거나 생리식염수의 유입구로 사용하기도 한다. 대퇴골성형술을 시행하기 위해서 추가적으로 전측방 삽입구에서 근위부로 약 5 cm에 근위 부삽입구(proximal ancillary portal)를 만들어 전측방 삽입구와 함께 번갈아 관찰 삽입구(viewing portal)

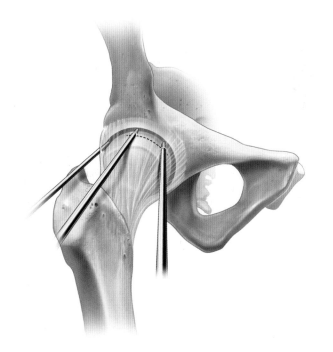

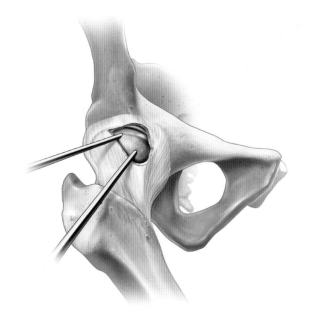

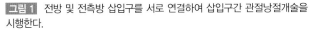
그림 1 전방 및 전측방 삽입구를 서로 연결하여 삽입구간 관절낭절개술을 시행한다.

그림 2 대퇴골성형술을 시행하기 위한 시야를 충분히 확보하고 기구 활용을 용이하게 하기 위해 관절낭 절개를 확장한다.

와 작업 삽입구(working portal)로 활용한다. 대퇴골성형술을 시행할 때는 넓은 시야를 확보하고 왜곡을 최소화하기 위해 30° 관절경을 주로 사용한다.

대퇴골성형술에서 가장 중요한 단계는 시행하고자 하는 병변의 크기와 범위를 정확하게 확인하는 것이다. 이를 위해서는 병변에 대한 시야를 확보하기 위해 필요한 만큼 관절낭, 활액막 등 연부조직에 대한 변연절제술을 시행하고, 병변에 대한 경계를 분명히 확인하여 덮고 있는 연골과 retinaculum을 큐렛이나 shaver로 제거한다. 병변이 충분히 노출되면 burr를 사용하여 대퇴골두-경부 연결부의 오프셋을 회복시킬 수 있도록 대퇴골성형술을 시행한다.

대퇴골성형술을 시행하는 방법은 매우 다양하지만, 이 장에서는 J.W. Thomas Byrd에 의해 소개된 방법으로 전측방 삽입구와 근위 부삽입구를 사용하는 방법을 기술하고자 한다. 먼저 전측방 삽입구를 관찰 삽입구로, 근위 부삽입구를 작업 삽입구로 하여 대퇴골두-경부 연결부의 근위부 쪽에 병변의 경계선을 만든다. 육안으로 병변의 경계를 확인하기 어렵거나 확실하지 않은 경우에는 수술 중에 방사선투시기를 사용하여 경계를 시별하는 것이 권장된다(그림 3). 근위

부 경계는 5.5 mm burr를 사용하여 절삭 깊이와 범위를 정하고 비구순과 평행하도록 경계를 만든다. 근위부에 만들어진 경계로부터 원위부로 절삭을 시행하는데 병변의 측방 및 후방 경계로부터 시작하여 대퇴골 경부 원위부 쪽으로 진행하여 돌출된 부분을 제거하고 정상적인 오프셋이 만들어지도록 한다. 병변의 후방 경계 부위는 관절낭이 두껍고 시야 확보가 쉽지 않아서 절삭하는 것이 기술적으로 가장 어렵다. 효과적인 절삭을 위해서 관절낭 절개를 후방으로 연장하거나 고관절 굴곡 및 회전을 조절하고, 방사선투시기로 경계를 확인하는 것이 좋다. 이때 대퇴골두의 혈류 공급에 매우 중요한 외측 지대동맥(lateral retinacular artery)이 손상되지 않도록 각별한 주의가 필요하다. 이후 관찰 및 작업 삽입구를 서로 교체하여 관절경을 근위 부삽입구에서 관찰하면 전측방 삽입구에서 관찰할 때보다 절삭된 깊이를 직접적으로 확인할 수 있다. 전측방 삽입구를 통해 병변의 전방 및 전하방 경계 쪽으로 절삭을 진행하여 대퇴골성형술을 완성하도록 한다(그림 4). 수술 후 이소성 골화 발생을 예방하기 위해서는 대퇴골성형술을 시행하는 중에 생리식염수 관류를 지속적으로 유지하고, 골 및 연골 파편을 철저하게 제거한다.

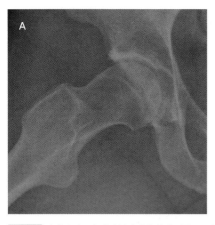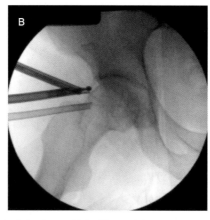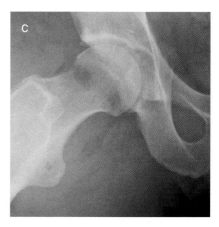

그림 3 (A) 수술 전 방사선사진에서 대퇴골두–경부 연결부에 cam 형이 관찰된다. (B) 수술 중 방사선투시기로 대퇴골성형술을 시행할 부위의 경계를 확인한다. (C) 수술 후 방사선 사진에서 대퇴골두–경부 연골부의 정상적인 오프셋이 회복된 것을 확인할 수 있다.

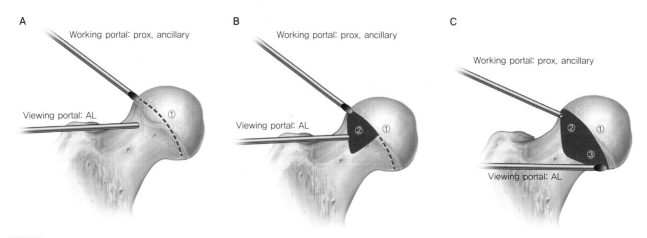

그림 4 대퇴골성형술에 대한 모식도

(A) 전측방 삽입구를 관찰 삽입구로, 근위 부삽입구를 작업 삽입구로 하여 대퇴골두–경부 연결부의 근위부 쪽에 병변의 경계선을 만든다. (B) 근위부에 만들어진 경계로부터 원위부로 절삭을 시행하는데, 병변의 측방 및 후방 경계로부터 시작하여 대퇴골 경부 원위부 쪽으로 진행하여 돌출된 부분을 제거하고 정상적인 오프셋이 만들어지도록 한다. (C) 이후 관찰 및 작업 삽입구를 서로 교체하여 관절경을 근위 부삽입구에서 관찰하면 전측방 삽입구에서 관찰할 때보다 절삭된 깊이를 직접적으로 확인할 수 있다. 전측방 삽입구를 통해 병변의 전방 및 전하방 경계쪽으로 절삭을 진행하여 대퇴골성형술을 완성하도록 한다.

2

수술 후 처치 및 재활

대퇴골성형술 후에는 수술 후 4주 동안 목발을 사용한 부분 체중 부하 보행이 권장된다. 관절 운동 범위 제한 및 활동 제한은 고관절 관절경술 중에 관찰된 비구순 파열 및 손상 정도, 비구순 봉합 및 골성형술 정도 등의 치료 방법에 따라 결정한다. 효과에 대해서는 논란이 있지만, 수술 후 강직 및 관절 유착을 방지하기 위해 CPM (continuous passive motion)을 수술 후 4주 동안 유지하는 것이 권장되기도 한

다. 4주 이후부터는 점진적인 전체중 부하 보행을 시작하고, 수동적 관절 운동부터 시작하여 능동적 관절 운동으로 진행해 관절 운동 범위가 회복될 수 있도록 한다. 점진적인 근력 강화 운동을 시행하여 수술 후 3–4개월 후부터 스포츠 활동에 복귀할 수 있게 한다.

3

합병증

고관절 관절경술 후 대퇴골성형술과 관련된 주요 합병증

으로는 드물지만 대퇴골 경부 골절과 대퇴골두 골괴사가 보고되고 있다. 한 연구에 따르면 대퇴골 경부 직경의 30% 이상이 절제될 경우 구조적으로 취약해지기 때문에 대퇴골 경부 골절 발생 위험이 커질 수 있다. 또한 대퇴골두-경부 연결부가 지나치게 과도하게 절제될 경우에는 의인성 불안정성(iatrogenic instability)을 유발할 수도 있어 주의가 필요하다. 고관절 관절경술 후 대퇴골두 골괴사 발생은 아직 수술과의 직접적인 연관성에 대해서는 논란의 여지가 있다. 하지만, 대퇴골두-경부 연결부의 상외측을 절제할 때에는 외측지대동맥이 손상되지 않도록 주의해야 하고, 필요할 경우 관절경으로 직접 해당 동맥의 박동을 확인하여 기록하도록 한다.

Mar;467(3):760-8.

References

1. 황득수: Operative Hip Arthroscopy-Indication and Technique. 대한 정형외과 스포츠의학회지, 2006;5:30-40.

2. Byrd JW. Hip arthroscopy utilizing the supine position. Arthroscopy. 1994;10:275-280.

3. Byrd JW, Pappas JN, Pedley MJ. Hip arthroscopy: an anatomic study of portal placement and relationship to the extra-articular structures. Arthroscopy. 1995;11:418-423.

4. Philippon MJ, Schenker ML. Hip arthroscopy for the treatment of femoroacetabular impingement in the athlete. Clin Sports Med. 2006;25:299-308.

5. Philippon MJ, Stubbs AJ, Schenker ML, Maxwell RB, Ganz R, Leunig M. Arthroscopic management of femoroacetabular impingement: osteoplasty technique and literature review. Am J Sports Med. 2007 Sep;35(9):1571-80.

6. Ilizaliturri VM Jr. Complications of arthroscopic femoroacetabular impingement treatment: a review. Clin Orthop Relat Res 2009

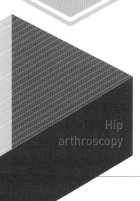

비구성형술
Acetabuloplasty

신원철

후염각이 증가한 비구는 고관절의 굴곡 시 대퇴비구 충돌 증후군을 일으킬 수 있다. 우선 통증을 유발하는 활동을 제한하고 보존적 치료를 고려해 볼 수 있으나, 약 6주에서 3개월간의 보존적 치료에 반응이 없고 명백한 해부학적 이상이 있는 경우에는 수술적 치료가 고려된다. 비구성형술의 목적은 적절한 비구의 외연 제거 및 손상된 비구순을 봉합하는 것이다. 비구성형술은 관혈적 혹은 관절경적으로 시행될 수 있으나 대퇴골두 골단분리증(SCFE)이나 Legg-Calvé-Perthes 병과 같이 소아기의 고관절 질환으로 인한 병변이 잔존한 경우, 후염각이 증가한 고관절 이형성증, 관절증으로 관절의 간격이 2 mm 이내인 경우, 그 외 병변이 너무 광범위한 경우는 관절경적 치료 방법보다는 관혈적 수술을 필요로 한다. 또한, 관절경적 비구성형술은 과도하게 비구 외연을 절제할 경우 고관절의 불안정성과 의인성 탈구를 유발할 수 있으며 제거가 충분하지 않을 경우 충돌이 잔존할 수 있다.

관절경적 비구성형술은 이환 하지의 견인을 통한 일반적인 고관절 관절경술의 수술 술기를 사용한다. 우선 투시 영상 하에 척추바늘을 통하여 전외측(anterolateral) 입구를 설정하고 관절 내부 위치 확인을 위한 조영술을 시행할 수 있다. 이후 니티놀 와이어를 넣고 점진적으로 입구를 확장시킨다. 비구성형술을 시행하기 위해서는 70° 관절경이 주로 사

용된다. 전방(anterior) 삽입구는 관절경을 통하여 직접 보면서 척추 바늘을 삽입하고, 니티놀 와이어를 통하여 확장시킨다. 기구 삽입 시 비구순이나 관절 연골을 손상시키지 않기위해 주의해야 한다. 비구순의 봉합이 필요한 경우 추가적인 정중(midanterior) 삽입구가 유용하다. 정중 삽입구는 전외측 삽입구의 전내측 6-8 cm 하방에 위치한다. 정중 삽입구는 대퇴 외측 피부신경과 대퇴 직근의 건으로부터 멀리 떨어져 있어서 구조물의 손상을 줄이고 비구부 작업에 더 좋은 시야를 제공 한다. 전방 삽입구에 트로카(trochar)가 전방 관절낭을 통과하면, 관절경을 전외측 삽입구에 위치시켜 70° 및 30° 관절경을 통하여 비구순이나 연골의 손상을 확인하여야 한다. 이때 대퇴비구 충돌증후군의 형태를 확인할 수 있으며 비구순과 연골 연결부의 손상이 없는 경우는 pincer 형을 우선 생각해볼 수 있는 반면, 비구순과 연골 연결부의 박리나 상처가 있는 경우 cam 형 대퇴비구 충돌증후군을 고려할 수 있다. 관절경용 블레이드나 절삭기를 통하여 전방에서 전외방의 삽입구로까지 관절낭 절개술을 시행한다. 병변이 전방과 전상방에 위치한 경우, 주로 전상방 삽입구가 관찰 입구로 사용되며 전방 삽입구가 작업 삽입구로 사용된다. 돌출이 심하거나 후염각이 증가된 경우 일반적인 삽입구보다 1-2 cm 정도 하방의 삽입구를 사용하는 것이 병변 접근

에 도움이 된다. 병변이 너무 후방에 위치한 경우는 추가로 후외측 삽입구가 작업 삽입구로 사용되며, 전외측 삽입구가 관찰 삽입구로 사용된다.

관절경을 통한 비구의 외연 절제술은 5.5 mm burr를 사용하여 돌출 부위를 다듬을 수 있다. 이 때 비구순의 손상이 있는 경우는 손상부위를 통해 작업을 할 수 있으나 비구순의 손상이 없는 경우는 적절한 비구의 외연 절제를 위한 방법이 고려되어야 한다. 최근에는 고관절 관절경 술기의 발전으로 인해 비구순의 상태에 따라 여러 방식의 절제 방법이 보고되고 있다. 비구의 외연과 비구순을 함께 절제(rim and labrum resection), 비구순을 비구의 외연으로부터 분리하고 골을 제거(take down), 비구의 외연과 비구순을 분리하지 않고 제거(without labral take down, Thomas sampson technique)하는 방법이 있다. 비구의 외연과 비구순을 함께 절제하는 경우는 비구순 손상이 광범위하거나 다발 부위 손

상을 받은 경우, 과거 비구순의 봉합으로 석회화가 있는 경우 고려해 볼 수 있다(그림 1).

Pincer 형 병변이 크거나 비구순과 연골 연결부의 손상이 있는 경우 비구순을 비구의 외연으로부터 분리하고 비구순 하 골을 제거하는 방법을 고려해볼 수 있다. 관절경용 블레이드로 비구순을 비구 외연으로부터 분리하여 비구의 외연을 노출시키고, 이행부(transition zone)까지 비구의 외연을 절제하며, 이후 봉합 앵커(anchor)를 사용하여 비구순을 재고정한다(그림 2).

비구의 외연과 비구순을 분리하지 않고 제거하는 방법은 비구순과 연골 연결부의 손상이 없고 작은 pincer 형 병변이 있는 경우 적용 가능하며, 비구순의 불안정성을 예방하기 위해 봉합 앵커를 필요로 하는 경우가 많다(그림 3).

하지만, 비구순과 분리하지 않고 비구의 외연을 제거하는 경우와 비구순을 분리하고 비구의 외연을 제거하는 경우의

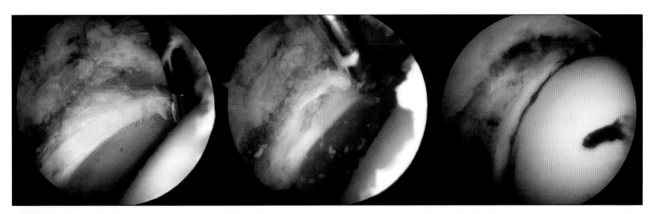

그림 1 37세 남자 환자
비구순의 석회화로 비구의 외연과 비구순을 함께 절제하였다.

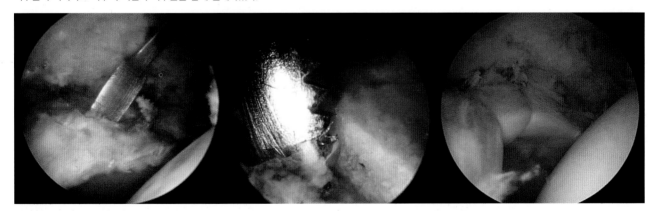

그림 2 31세 여자 환자
비구순을 비구의 외연으로부터 분리하고 비구의 외연을 절제하였다.

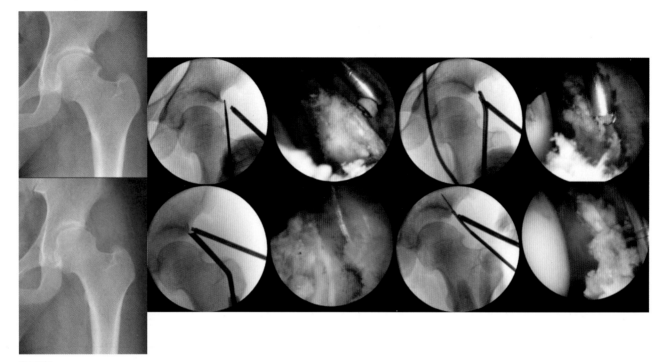

그림 3 좌측 대퇴비구 충돌증후군의 20세 남자 환자

관절경을 이용하여 비구의 외연과 비구순을 분리하지 않고 비구의 외연을 절제하였다.

예후는 특별한 차이가 없다는 보고가 있다.

비구의 외연 절제 시 몇 가지의 방법을 통하여 절제 범위를 평가할 수 있다. 절제술은 투시 영상유도하에 수술 전의 crossover sign이 사라질 때까지 직접 영상을 보면서 수행할 수 있다. 투시 영상을 통하여 LCEA (lateral center edge angle)을 평가할 수 있으나, 투시 영상은 전염 투사(anteverted projection)를 이용하기 때문에 표준 전후방 골반 영상에 비하여, 비구의 앞쪽 coverage를 감소, 뒤쪽 coverage를 증가시킬 수 있다. 또한 투시 영상은 crossover sign 등의 존재를 확인하지 못할 확률이 약 30%에 달한다는 보고도 있다. 각도와 길이의 비율을 통해 간접적으로 절제 범위를 결정할 수도 있다. 비구 외연을 1 mm 절제 시 LCEA가 2.4° 감소하며, 2 mm 절제 시 LCEA 3.1°, 3 mm 절제 시 LCEA 3.7° 4 mm 절제 시 4.4°, 5 mm 절제 시 LCEA를 5° 감소시킬 수 있는 것으로 알려져 있다. 비구의 외연 및 비구순 제거, 관절낭의 절개술 등을 지나치게 시행할 경우 의인성 불안정성의 잠재적 원인이 될 수 있다. 이에 대한 위험성을 감소시키기 위해 수술 후 LCEA 각도는 적어도 25°가 되어야 한다. LCEA는 비구의 전방 외연을 반영할 수 없으므로

ACEA (anterior center edge angle)의 유용성이 강조되고 있으며 대략 ACEA는 1 mm 절제 당 2°(1.8°) 감소하는 것으로 알려져 있다. ACEA는 비구 외연 절제술 후 절제 범위 예측 인자로 LCEA보다 약 2배의 유용성이 있다는 보고가 있다. 최근 연구에 따르면, 광범위한 비구의 외연 절제를 할 경우 고관절의 부하 증가로 관절염의 진행이 일어날 수 있으며, 4–6 mm 이상 절제술을 한 경우 약 3배 이상의 접촉 부하가 증가할 수 있다고 보고되었다.

비구의 외연부 골절은 골편을 절제하거나, 3.5 mm나 4.5 mm의 부분 나사를 통한 관절경적 고정술이 적용되고 있으며, 골편의 크기에 따라 의인성 고관절 이형성증을 유발할 수 있다. 비구와 골편 사이의 섬유 결합의 절제는 pincer 형 대퇴비구 충돌증후군을 개선할 수 있어, 골편을 고정하기 전에 선택적으로 골편의 부분적 절제술을 선행할 수 있다.

환자는 수술 후 첫 2주 동안 목발을 통하여 30% 체중 부하가 허용되며, 이후 4주에 걸쳐 전체 체중부하까지 허용된다. 물리치료는 수술 1주 후 시작하며, 1주 1–2회 허용된다. 고관절의 과도한 내회전이나 굴곡, 외전을 주의하여야 한다.

References

1. Siebenrock KA, Schoeniger R, Ganz R. Anterior femoro-acetabular impingement due to acetabular retroversion. Treatment with periacetabular osteotomy. J Bone Joint Surg Am. 2003;85(2):278-86.

2. Casartelli NC1, Maffiuletti NA, Item-Glatthorn JF, et al. Hip muscle weakness in patients with symptomatic femoroacetabular impingement. Osteoarthritis Cartilage. 2011;19(7):816-21.

3. Siebenrock KA, Millis MB, Clohisy JC, et al. Instructional Course Lecture. Hip joint preserving surgery beyond osteotomy. American Academy of Orthopaedic Surgeon. San Diego, CA: February, 2011.

4. Nepple JJ, Carlisle JC, Nunley RM, et al. Clinical and radiographic predictors of intraarticular hip disease in arthroscopy. Am J Sports Med. 2011;39:296-303.

5. Ganz R, Kim YJ, Leunig M, et al. Instructional Course Lecture. Advanced surgical techniques in the adolescent hip. American Academy of Orthopaedic Surgeon. San Diego, CA: February, 2011.

6. Benali U, Katthagen BD. Hip subluxation as a complication of arthroscopic debridement. Arthrscopy. 2009;25:407-7.

7. Matsuda DK, Carlisle JC, Arthurs SC et al. Comparative systemic review of the open dislocation, mini-open, and arthroscopic surgeries for femoroacetabular impingement. Arthroscopy. 2011;27:252-69.

8. Zumstein M, Hahn F, Sukthankar A, et al. How accurately can the acetabular rim be trimmed in hip arthroscopy for pincer-type femoral acetabular impingement: A cadaveric investigation. Arthroscopy. 2009;25:164 8.

9. Matsuda DK. Acute iatrogenic dislocation following hip impingement arthroscopic surgery. Arthroscopy. 2009;25:400-4.

10. Fujii M, Nakashima Y, Yamamoto T, et al. Acetabular retroversion in developmental dysplasia of the hip. J Bone Joint Surg Am. 2010;92:895-903.

11. Epstein NJ, Safran MR. Stress fracture of the acetabular rim: Arthroscopic reduction and internal fixation. A case report. J Bone Joint Surg Am. 2009;91:1480-6.

12. Larson CM, Stone RM. The rarely encountered rim fracture that contributes to both femoroacetabular impingement and hip stability: A report of 2 cases of arthroscopic partial excision and internal fixation. Arthrscopy. 2011;27:1018-22.

13. Eneici KR, Martin R, Kelly BT. Rehabilitation after arthroscopic decompression for femoroacetabular impingement. Clin Sports Med. 2010;29:247-55.

14. Redmond JM, El Bitar YF, Gupta A, et al. Arthroscopic acetabuloplasty and labral refixation without labral detachment. Am J Sports Med 2015;43(1):105–12.

15. Philippon MJ, Wolff AB, Briggs KK, et al. Acetabular rim reduction for the treatment of femoroacetabular impingement correlates with preoperative and postoperative center-edge angle. Arthroscopy 2010;26:757–6.

16. Kling S, Karns MR, Gebhart J, et al. The effect of acetabular rim recession on anterior acetabular coverage: a cadaveric study using the false-profile radiograph. Am J Sports Med 2015;43:957–64.

17. Philippon MJ, Stubbs AJ, Schenker ML, Maxwell RB, Ganz R, Leunig M. Arthroscopic management of femoroacetabular impingement:osteoplasty technique and literature review. Am J Sports Med. 2007;35:1571 80.

18. Bhatia S, Lee S, Shewman E, et al. Effects of acetabular rim trimming on hip joint contact pressures: How much is too much? Am J Sports Med. 2015;43(9):2138-45.

19. Buchler L, Schwab JM, Whitlock PW, et al. Intraoperative evaluation of acetabular morphology in hip arthroscopy comparing standard radiography versus fluoroscopy: A cadaver study. Arthroscopy 2016:32:1030-37.

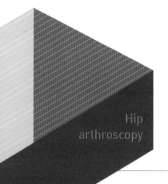

CHAPTER 09-4

기타 질환 : 소아 고관절 질환의 후유증, 만성 염증성 질환, 종양 및 외상

Other disease : Sequelae of Childhood Hip Diseases, Chronic Inflammatory Diseases, Mass and Trauma

이정길

고관절 관절경 기구의 발달과 새로운 관절경 술기의 등장으로 고관절 관절경술의 적응증이 점차 다양해지고 있다. 가장 중요하다고 인식되는 비구순 봉합술과 골 성형술(osteoplasty) 등의 수술 술기는 앞의 장에서 비중있게 다루었으므로 본 장에서는 다른 여러 수술적 적응증과 이에 대한 관절경적 술기와 주의할 점에 대한 설명을 위주로 기술하고자 한다.

1

소아 고관절 질환의 후유증
(Sequelae of Childhood Hip Diseases)

1) 발달성 고관절 이형성증과 고관절 이형성증

(1) 관절의 변형과 후유증

Wiberg의 외측 CE 각도(lateral central edge angle of Wiberg)는 정상이 25°에서 40° 사이이며 20° 미만은 고관절 이형성증(hip dysplasia)이라고 진단한다. 또한, 20°에서 25° 사이를 경계성 고관절 이형성증(borderline hip dysplasia)으로 정의되기도 한다. 고관절 이형성증은 비구의 유효 체중부

하 면적을 감소시켜 이차적으로 퇴행성 관절염을 유발하는 것으로 알려져 있다. 절골술로 비구의 교정을 하지 않는다면 고관절 관절경술을 시행한 이후에도 유효 체중부하 면적의 감소로 인해 관절연골에는 정상 비구에 비해 큰 힘(shear and high contact forces)이 작용하게 된다. 정상적인 상합성(congruency)을 보이는 고관절에서는 비구순을 통해 체중의 1~2%가 전달되지만 고관절 이형성증에서는 비구순을 통해 4~11%가 넘는 체중이 전달된다는 연구도 있다. 이러한 과부하로 인해 고관절 이형성증 환자의 약 70~90%에서 비구순 파열이 일어난다고 알려져 있다.

고관절 이형성증의 고관절 관절경술의 적용에 대해서는 아직 논란의 여지가 있다. 일부 연구는 고관절 이형성증을 가진 환자에서 고관절 관절경술 후 나쁜 예후를 보고하였다. 고관절 관절경술 이후 이차적인 관절염의 진행이 빨라지며 다수의 환자에서 고관절 전치환술로의 전환이 필요하였기 때문이다(그림 1). 반면, 다른 연구에서는 고관절 이형성증을 보이지 않는 대퇴비구 충돌증후군 환자들과 동등한 결과를 보여주었다(그림 2). Byrd 등은 치료 성적이 좋은 연구를 발표하면서 고관절 이형성증 자체보다 동반된 관절 내 병적 상태 등이 관절경적 수술의 성공여부에 더 중요하다고 하였으며 관절낭 봉합술 등의 술기를 강조하였다. 아직 고관절

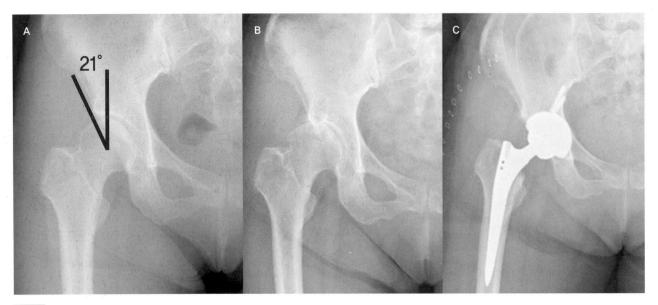

그림 1 46세 여자 환자

(A) 외측 CE각이 21°인 경계성 고관절 이형성증을 확인할 수 있다. 관절경적으로 비구순 봉합술과 대퇴골 성형술을 시행하였으나 (B) 86개월 추시 영상에서 Tönnis grade 3의 진행된 관절염 소견이 보인다. (C) 인공 고관절 전치환술을 시행받았다.

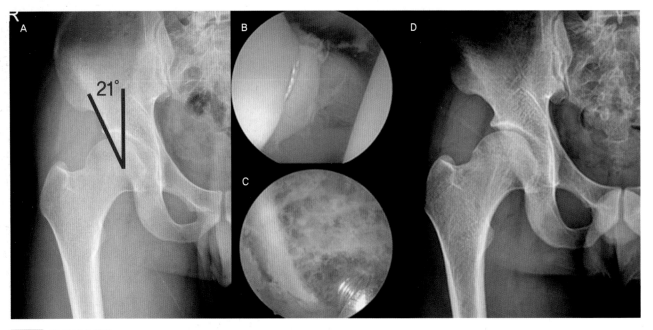

그림 2 23세 남자 환자

(A) 외측 CE각이 21°인 경계성 고관절 이형성증을 확인할 수 있다. 관절경으로 (B) 비구순 봉합술과 (C) 대퇴골 성형술을 시행하였다. (D) 72개월 추시 후 관절 간격 등이 잘 유지됨을 확인할 수 있다.

이형성증에서 고관절 관절경술의 정확한 적응증은 밝혀지지 않았지만 경계성 고관절 이형성증은 세심한 환자 선정과 정확한 술기를 시행한다면 고관절 관절경술의 적응증이 될 수 있다.

(2) 수술 술기

고관절 이형성증 환자들은 비구순이 정상인에 비해 상대적으로 크다고 알려져 있다. 이로 인해 비구와(acetabular fossa)를 보다 깊게 만들고, 관절면의 상합성을 증가시키고 고관절의 안정성에 기여할 수 있다. 비구순의 부분 절제술을 시행 받은 환자들이 비구순 봉합술을 시행받은 환자들에 비해 관절경 재수술이나 인공 고관절 전치환술로의 전환율이 높다. 그러므로, 비구순의 단순 절제보다는 봉합술을 시행하여 고관절의 안정성을 회복시켜 주는 것이 필요하다. 또한, Domb 등은 고관절의 안정성을 위해 비구순의 봉합술과 함께 수술 중 시행한 삽입구간 관절낭 절제(interportal capsulotomy) 부분에 중첩술(capsular plication)을 시행하여 경계성 고관절 이형성증에서 만족할 만한 임상결과를 보고하였다.

2) Legg–Calvé–Perthes 병

(1) 관절의 변형과 후유증

Legg–Calvé–Perthes 병은 관절의 변형과 이로 인한 후유증 발생률이 높으며 40년 이상의 추시에서는 50%에서 심각한 관절염으로 인공 고관절 전치환술이 필요한 것으로 보고되고 있다. 대퇴골두는 과대 골두(coxa magna), 편평 골두(flat head) 등의 변형이 관찰되며 이에 따른 상대적인 대전자 과성장이 발생한다. 골두의 괴사 및 수술적 치료에 따른 이차적인 하지 단축이 발생할 수 있으며, 약 2% 정도에서는 괴사 골편이 떨어져 나와 박리성 골연골염이 속발하는 것으로 알려져 있다. 골두 모양의 이상으로 발생하는 대퇴비구 충돌증후군과 박리성 골연골염에 의한 관절 내 유리체 등은 고관절 관절경술의 좋은 수술적 적응증이 된다.

(2) 수술 술기

견인 후 중심구획(central compartment)의 병변을 확인한다. 관절 내 동반 병변(비구순 손상, 관절 내 유리체, 골연골 손상, 원형인대 손상 등)이 있을 경우 이에 대한 적절한 수술적 치료를 시행한다. 견인을 해제한 후 대퇴의 수동적 운동으로 대퇴골두의 변형에 의한 충돌 현상과 위치를 확인한다. 대퇴 두경부(head–neck junction)의 충돌 부위에 적절한 대퇴성형술을 시행한다(그림 3). 골연골 손상에 대해 미세천공술을 시행하는 경우에는 약 6–8주간의 목발보행 및 발끝 부분 체중부하 보행을 시행한다.

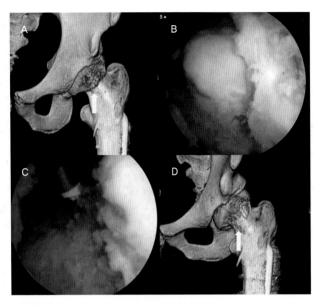

그림 3　(A) Legg–Calvé–Perthes 병을 진단받은 16세 남자 환자의 3차원 전산화 단층촬영(3D–CT) 영상. 좌측에 cam 형의 변형(화살표)이 관찰된다. (B) 박리성 골연골염에 의한 관절 내 유리체가 보이고 있다. (C) 관절경 영상과 (D) 수술 후 3D–CT(화살표)에서 대퇴 성형술을 확인할 수 있다.

3) 대퇴골두 골단분리증

(1) 관절의 변형과 후유증

성인이 되어 골단판이 안정화되면 초기 자극 증상은 소실되지만 전위에 의한 관절운동 제한, 대퇴비구 충돌증후군 등은 전위가 교정되지 않는 한 지속된다. 골단판이 닫힌 뒤에도 잔존하는 전위 때문에 생긴 근위 대퇴골의 변형은 장기 추시에서 퇴행성 고관절염을 초래할 가능성이 있다. 또한, 수술적 치료 과정에서 발생할 수 있는 중대한 합병증인 골괴사와 연골 용해증이 발생한 경우에는 퇴행성 관절염이 불가피하게 발생한다.

(2) 수술 술기

대퇴골두의 전위가 심하거나 cam 형 병변이 대퇴경부의 후측방 이상으로 확장되어 있는 경우, 고관절 이형성증이 동반되어 있거나 관절염이 진행된 경우에서는 수술의 적응증이 될 수 없다고 기술되어 있어 세심한 환자 선택이 중요하다.

일반적인 대퇴비구 충돌증후군처럼 견인 후 중심구획의 병변을 먼저 수술해 준다. 이후 대퇴 성형술을 시행하는데 대퇴골두의 전위에 의해 대퇴경부의 상대적인 전방 돌출이

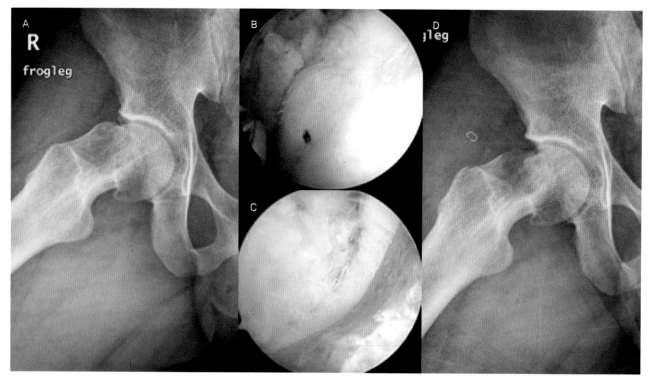

그림 4 대퇴골두 골단분리증 후유증으로 내원한 20세 남자

(A) 수술 전 촬영한 개구리 측면 영상에서 대퇴골두 전위에 의한 경부의 전방 돌출부를 확인할 수 있다. (B) 경부 지대(retinaculum)를 벗겨낸 뒤 돌출부를 확인하였다. (C) 대퇴경부의 의인성 골절을 피하기 위해 수술 중 대퇴를 굴곡시켜 충돌이 발생하는 부위만 성형술을 시행하였다. (D) 수술 후 촬영한 개구리 측면 영상

발생하며, 이로 인한 과도한 절제는 피해야 한다. 대퇴경부 직경의 30% 이상을 절제할 경우 대퇴경부 골절의 위험이 높아진다는 생역학적 연구가 있다(그림 4).

2

만성 염증성 질환 (Chronic Inflammatory Diseases)

1) 고관절을 침범한 범발성 특발성 골격과골증 (Extra-spinal diffuse idiopathic skeletal hyperostosis involving hip)

(1) 개요

범발성 특발성 골격과골증은 보고에 따라 차이가 있으나 3-30%의 50세 이상 남성에서 주로 발생하는 비교적 흔한 질병이다. 주로 흉추 부위의 후종인대 골화증이나 황색인대 골화증 형태로 발현되지만 척추 이외의 골격계에도 건

의 부착부위염(enthesopathy)과 골형성을 유발한다. 고관절에도 골화증으로 인한 샅부위 통증과 고관절의 운동 범위의 제한을 초래한다. 임상적으로 환자들은 대퇴비구 충돌 증후군의 증상을 호소하며, 영상학적 검사상 경도부터 중증의 비구 피복(acetabular coverage)과 함께 정상적인 천장관절 (absence of sacroiliac inflammatory change)을 확인할 수 있다.

(2) 수술 술기

적절한 견인술 후에 관절경으로 중심구획에 대한 평가를 먼저 시행한다. 하지만, 골극의 과성장으로 비구 피복이 많은 경우에는 중심구획으로 관절경을 진입할 수 없는 경우가 있다. 이런 경우는 변연구획(peripheral compartment)으로 먼저 접근하여 골 성형술을 시도할 수 있다. 비구연의 골극이 과성장한 경우는 비구순의 손상이 심해 비구순 봉합술을 시도할 수 없는 경우도 있으며, 이럴 경우는 비구순 부분 절제술의 적응증이 된다(그림 5). 일반적인 pincer 형의 대퇴비

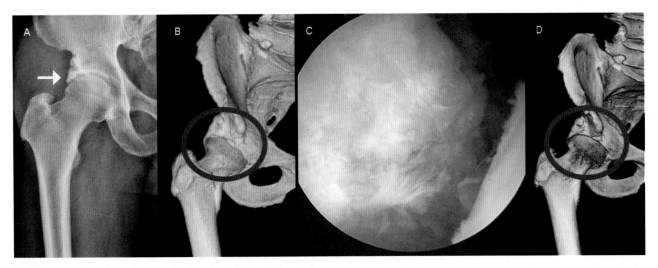

그림 5 양측 고관절을 침범한 58세 범발성 특발성 골격과골증 남자 환자
(A) 단순 고관절 전후면 영상에서 과형성된 골극(화살표)을 관찰할 수 있다. (B) 3D-CT에서 중증의 비구 피복과 cam 형의 대퇴골 변형을 확인할 수 있다. (C) 관절경에서 비구연의 과성장한 골극이 보이며 이런 경우 비구순의 봉합술은 할 수가 없다. (D) 비구 성형술과 대퇴골 성형술을 시행한 모습이 관찰된다.

구 충돌증후군보다 비구 피복이 많은 경우에는 C-arm형 영상증폭기를 이용하여 정확한 해부학적 위치를 파악하고 충분한 골 성형술을 시행하는 것도 도움이 될 수 있다. 비구와 대퇴의 골 성형술 후에는 중심구획과 변연구획의 연골 손상이나 원형인대 손상, 유리체와 같은 병적 상태에 대한 적절한 관절경 술기를 시행할 수 있다.

다. 하지만, 강직성 척추염은 자연 경과상 악화와 호전을 반복한다는 특징이 있으므로 장기적인 예후를 판단하기는 힘들 것으로 생각되며 아직 장기 추시 연구는 보고되지 않은 상태이다.

2) 강직성 척추염(Ankylosing spondylitis)

(1) 개요

혈청 음성 척추관절증(seronegative spondyloarthropathies)은 척추와 다른 여러 관절을 침범하는 전신적 염증성 질환으로 주로 류마티스 인자(rheumatoid factor)는 음성 소견을 보이는 반면, HLA-B27과는 관련성이 있는 특징이 있다. 강직성 척추염, 라이터 증후군, 건선 관절염 등이 이에 해당한다(그림 6). 이 중 강직성 척추염이 주로 요통 및 천장 관절통을 유발하고, 문헌에 따라서는 전체 환자 중 35-38%의 환자에서 고관절에 이환된다고 한다. 이때 예후는 불량한 것으로 알려져 있고, 진행되면 고관절 단순 방사선 사진상 관절 간격 감소, 골 미란 소견 등이 관찰되고 더욱 진행되면 골성 강직을 일으키기도 한다. 국내에서는 강직성 척추염의 고관절 침범 시 골극 제거술과 활액막 절제술로 양호한 단기 추시 견과를 보고한 연구가 있었

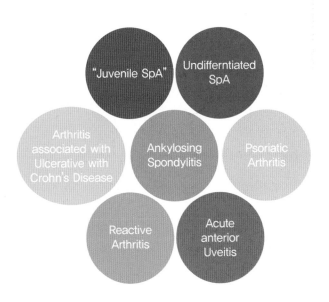

그림 6 혈청 음성 척추관절증(seronegative spondyloarthropathy, SPA)의 개념도
강직성 척추염도 혈청 음성 척추관절증에 해당한다.

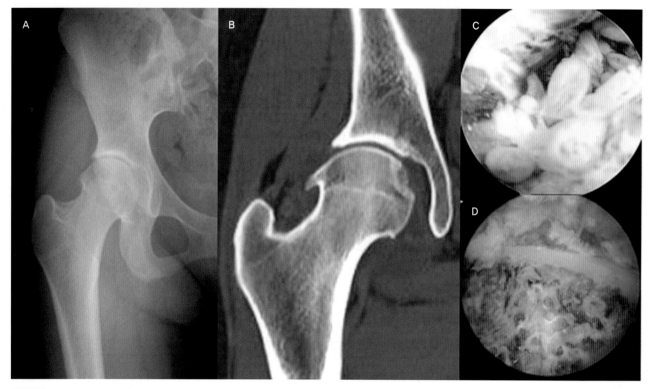

그림 7 HLA-B27에 양성을 보이는 24세 여자 환자

(A) 단순 고관절 전후방 영상과 (B) 3D-CT에서 대퇴골두의 변연부에 날카로운 스파이크 모양의 골극을 확인할 수 있다. (C) 관절경에서 활액막 증식의 소견이 보이며, (D) 활액막 절제술과 대퇴골 성형술을 시행하였다.

(2) 수술 술기

강직성 척추염의 고관절 침범 시 비구연과 대퇴 두경부의 골극 제거 이외에도 활액막 제거술도 필요하다. 전신적 염증성 질환으로 활액막염이 발생하기 때문이다. 우선 충분한 견인을 통해 중심구획을 관찰하여 연골 상태 및 비구순 파열, 활액막염 등을 조사하고 필요한 술기를 시행한다.

이 등은 고관절을 침범한 강직성 척추염의 환자들은 대퇴골두의 변연부에 스파이크 모양의 날카로운 골극이 관찰됨을 보고하였고 이는 대퇴비구 충돌증후군의 '대퇴 두경부 경계에서의 골성 둔턱(osseous bump deformity on the femoral head-neck junction)'과는 다른 양상이었다고 기술하였다(그림 7).

3

종양 및 외상(Mass and Trauma)

1) 종양

(1) 활액막성 질환(synovial diseases)

① 활액막성 연골종증(synovial chondromatosis)과 색소 융모결절성 활액막염(pigmented villonodular synovitis)

활액막성 연골종증은 관절 안의 활액막이나 관절 밖의 건막이나 점액낭의 점막에 발생하는 경계가 잘 지어지는 유리질 연골의 종양이다. 20대에서 40대 사이 연령대와 남자에서 호발하며, 고관절은 슬관절 다음으로 두 번째 호발하는 부위이다. Milgram은 활액막성 연골종증을 조직학적으로 병기를 셋으로 나누었다. 제1기는 유리체 없이 활막 내 활동적

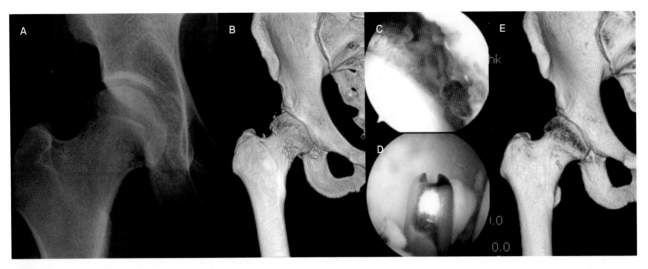

그림 8 **30세 남자 환자**

단순 고관절 전후면 영상(A)과 3D-CT(B)에서 관절 내 종물이 관찰된다. (C)와 (D) 활액막성 연골종증의 이행성(transitional) 시기임을 확인할 수 있다. (E) 수술 후 대부분의 연골종이 제거된 모습이다.

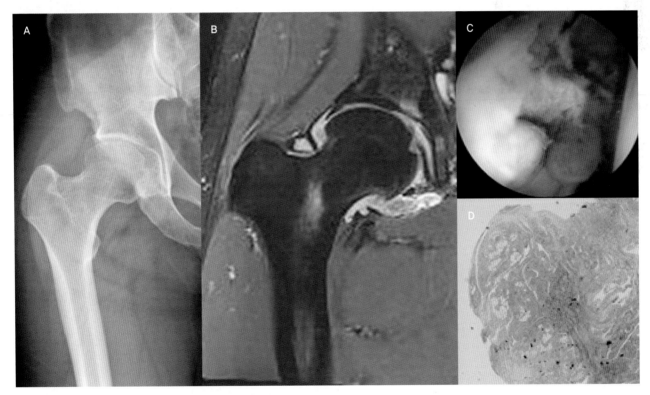

그림 9 **외상 없이 약 1년 전부터 우측 고관절 통증이 발생한 35세 남자 환자**

(A) 단순 고관절 전후면 영상에서는 두경부의 경화선(sclerotic line) 이외에는 특이 소견이 보이지 않는다. (B) 자기공명영상에서 관절 내 종물이 관찰된다. (C) 미만형의 색소 융모결절성 활액막염으로 보여지는 종물이 관찰되며, (D) 조직검사 소견상 혈철소 침착, 다핵 거대세포들이 관찰된다(H&E, x100).

병변이 있는 시기, 제2기는 활막 내 활동적 병변과 더불어 유리체가 있는 이행성(transitional) 시기, 제3기는 활막 내 활동적 병변이 없으면서 많은 유리체들이 있는 시기이다(그림 8).

색소 융모결절성 활액막염은 국소형과 미만형으로 분류되며, 고관절에서는 대부분 미만형이다. 미만형은 이완된 관절의 전체 활액막을 침범하는 형태로 대부분 한 개의 관절을 침범한다. 미만형의 경우 활액막 전절제술이 치료 원칙이며, 수술 술기상 완전 절제에 어려움이 있어 재발의 가능성이 상대적으로 높다. 고관절은 슬관절 다음으로 호발하는 부위이며 성별 간의 차이는 없는 것으로 알려져 있고, 대개 20-30대에 호발한다. 고관절의 단순 방사선 소견에서 정상 소견을 보이는 경우가 있어 발견하기에 쉽지 않을 수 있다(그림 9).

② 수술 술기

활액막성 질환은 활액막의 전절제술이 치료 원칙이나 관절경으로 모든 활액막을 제거하기는 어렵다. 통상적인 기본 삽입구(전방, 전측방, 후측방) 이외에 추가적인 삽입구를 통한 활액막과 유리체 제거술이 필요할 수 있다. 원위 전측방부 삽입구(distal anterolateral accessory portal)나 내측 삽입

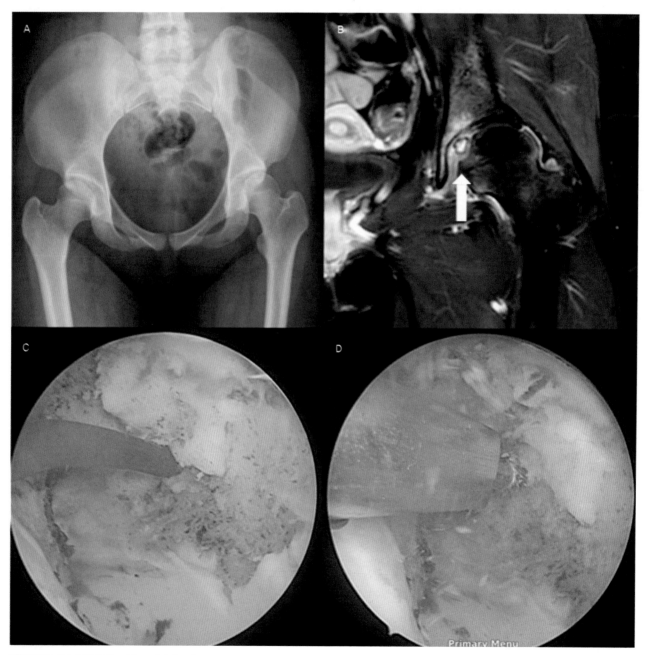

그림 10 야간에 심해지는 좌측 고관절 통증을 호소하는 17세 여자 환자

(A) 고관절 전후방 단순영상에서는 특이점이 보이지 않는다. (B) 자기공명영상에서 비구와 내의 종물과 주변부 부종이 관찰된다(화살표). (C) 비구와 내의 pulvinar를 제거하고 종양을 드러내었으며, (D) Burr를 이용하여 유골골종의 전절제술을 시행하였다.

구(medial portal)를 통한 병변 내 접근이 도움이 될 수 있다. 고관절 내에서도 환자마다 활액막의 비후나 종물이 분포하는 양상이 다르므로 전산화 단층촬영이나 자기공명영상 등의 소견에 따라 수술 전에 삽입구의 선택이나 수술 중 접근법에 대한 계획을 미리 세우는 것이 필요하다.

활액막성 질환은 중심구획과 변연구획 모두 병변이 나타날 수 있으므로 중심구획으로부터 수술을 시행하고, 견인을 해제한 후 변연구획으로 수술을 시행할 수 있다. 수술 중 광범위 관절막 절개술이 병소의 노출이 쉽고 종물이나 유리체 제거를 쉽게 할 수 있다는 견해도 있다. 이 등은 10명의 활액막성 연골종증 환자의 고관절 관절경술 시 전방 관절막에 광범위 절개술을 시행하였으며, 수술 후 유리체가 남아있던 7명의 환자 중에서 5명의 환자에서 유리체가 발견되지 않았다는 단기 추시 연구를 발표하였다. 개별 환자에서 수술 후 관절 불안정증이 발생할 우려가 크지 않다면 광범위 관절막 절개술도 훌륭한 선택 수술 술기(surgical option)가 될 수 있을 것이다.

(2) 골종양

① 개요

고관절 부위는 두꺼운 근육층에 덮여 있어 종물의 촉지가 어렵고, 골반골의 형태적 특성 등으로 단순 방사선 사진상 병소의 확인이 어려워 진단이 늦어지는 경우가 자주 있다. 고관절 주변부에서 골의 양성 종양 및 종양성 병변(tumor-like lesion)은 반수 이상이 근위 대퇴골에 발생한다. 골의 양성 종양 중에는 유골골종(osteoid osteoma)과 골연골종(osteochondroma)이 가장 흔하며(전체의 50% 이상을 차지), 대부분 근위 대퇴골에서 발견된다. 특히, 유골골종은 대퇴골 경부에서 호발하는 것으로 알려져 있다.

② 수술 술기

고관절은 인체 깊숙이 위치한 관절로 관혈적 수술에 비해 고관절 관절경술이 갖는 이점은 분명하다. 하지만 영상학적 검사 등으로 종양의 종류와 위치 등이 정해지면 관절경적 절제술로 치료가 가능한 종양인지 혹은 수술적 절제의 목적

이 무엇인지 관절경적 접근이 가능한 위치에 있는지 등이 먼저 고려되어야 할 것이다.

유골골종은 핵의 완전한 절제가 권장되며(그림 10), 절제 부위가 큰 경우 골이식과 더불어 병적 골절 예방 목적의 내고정이 필요할 수 있다. 앞서 밝혔듯이 유골골종은 대퇴골 경부에서 호발하며, 윤 등은 소전자 상방의 대퇴경부에 위치한 유골골종의 관절경적 절제술 술기를 보고하였다.

골연골종은 고관절 주변부에 발생하는 골종양 중에는 유골골종에 이어 두 번째로 호발한다. 정상 골의 피질골에 연결되어 있는 골 돌출물(bony protrusion)과 이를 덮고 있는 연골모(cartilage cap)로 구성되며, 종양의 기시부에서 연골모까지 모두 절제해야 재발을 막을 수 있다. 고관절 관절경술을 이용한 관절 내 골연골종의 절제에 대한 몇 건의 케이스 보고가 있으며, 국내에서는 정 등이 내부형 발음성 고관절 증상을 유발하는 골연골종을 절제한 케이스를 보고하였다(그림 11).

2) 외상

(1) 개요

고관절 주위 골절은 고령의 환자들이 주로 선 자세에서 단순 낙상과 같은 저에너지 외상으로 발생할 수도 있고, 젊은 성인에서 교통사고, 추락 등의 고에너지 손상으로 인해 발생할 수도 있다. 발생기전을 막론하고 고관절 내부의 골절 및 동반 손상은 외상 후 이차성 골관절염의 발생을 촉진하여 나쁜 예후를 보일 수 있다. Foulk와 Mullis는 단순 고관절 탈구 후 24%에서, 그리고 비구 골절이 동반된 탈구에서는 88%까지 고관절염이 발생함을 보고하였다. 외상 후 이차성 골관절염의 원인으로는 불완전한 수술적 정복, 이차성 정복의 소실, 대퇴골두의 병변, 그리고 인식하지 못한 관절 내 병변 등으로 알려져 있다.

Schoenecker 등은 외상 후 고관절 통증의 관리에 있어서 보존적 치료는 비효율적일 수 있으며 관혈적 수술은 많은 수술 후 합병증을 동반할 수 있다고 기술하였다. 이에, 고관절 관절경술은 외상 후 고관절 통증의 진단 및 치료의 대안으로 등장하였다. 고관절 관절경술은 외상 후 발생한 비구순 손상, 관절 연골 손상, 관절 내 유리체, 원형인대의 손상

과 같은 병변을 치료할 수 있으며, 지속되는 통증의 원인을 밝혀 내기 위한 진단적 목적으로써의 역할도 가능하다. 또 한, 관절경 술기의 발달로 고관절 주위 골절의 정복 및 내고정에도 유용하게 이용될 수 있다.

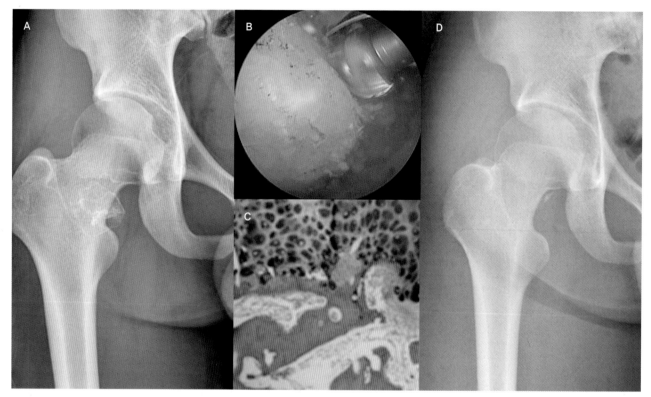

그림 11 (A) 고관절 전후방 단순영상에서 대퇴경부의 골연골종(osteochondroma)을 확인할 수 있다. (B) 관절경 영상에서 골연골종을 확인할 수 있으며 burr 를 이용하여 절제술을 시행하고 있다. (C) 종양의 생검사진으로 부드러운 표면의 연골모가 관찰된다. (D) 수술 후 시행한 단순 영상에서 종양이 제거된 모습을 확인할 수 있다.

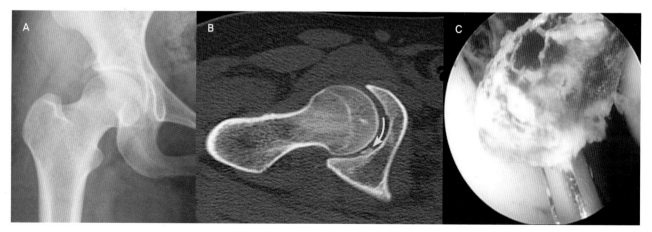

그림 12 3주 전 우측 고관절의 후방 탈구가 있었던 23세 여자 환자

(A) 단순 고관절 전후면 영상에서 특이소견은 보이지 않는다. (B) 전산화 단층촬영에서 관절 내 유리체(화살표)가 관찰된다. (C) 관절경적 유리체 제거술. 외상 후 관절 내 유리체 제거술이 외상에서 고관절 관절경술의 가장 주된 적응증이다.

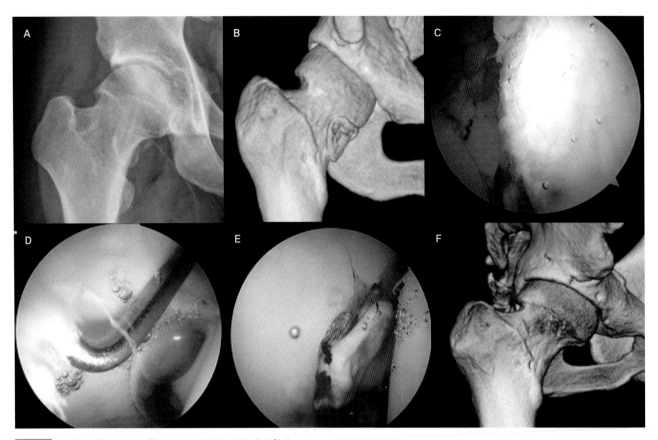

그림 13 6년 전 우측 고관절의 후방 탈구가 있었던 29세 남자 환자

만성적인 통증과 관절 가동범위의 제한이 있었다. **(A)** 단순 고관절 전후면 영상에서 외상 후 관절염 소견이 관찰된다. **(B)** 3D-CT에서 골극과 관절 내 유리체가 관찰된다. **(C)** 대퇴골두에 Outerbridge grade Ⅰ-Ⅱ 정도의 관절연골 손상이 보인다. **(D)** 비구순 파열과 **(E)** 관절 내 유리체가 보인다. **(F)** 수술 후 3D-CT. 외상 후 만성적인 고관절 통증이 있을 때 진단 및 치료 목적의 고관절 관절경술을 시행할 수 있다.

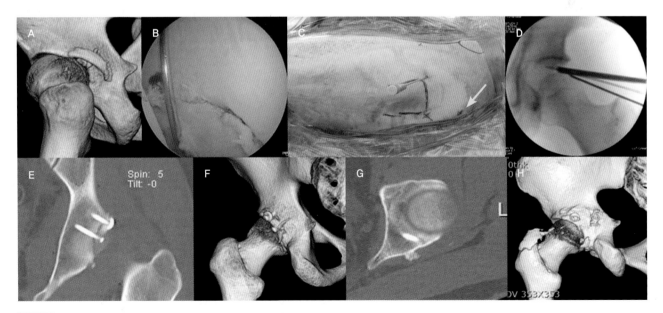

그림 14 교통사고로 고관절의 골절 및 후방탈구 진단받은 53세 남자 환자

(A) 3D-CT에서 비구 후벽의 골절이 보인다. **(B)** 수술방 내에서 고관절의 안정성을 테스트한 뒤 안정성이 보여 관절경을 이용하여 비관혈적 정복술을 시행하였다. **(C)** 전외측 삽입구와 후외측 삽입구가 표시되어 있으며 골절의 고정을 위한 나사 삽입구가 화살표로 표시되었다. **(D)** C-arm 형 영상증폭 장치를 활용하여 내고정의 위치를 정하였다. 수술 직후 촬영한 전산화 단층촬영(**E, F**)과 수술 3년 후 추시 때 촬영한 전산화 단층촬영(**G, H**). 추시 관찰 영상에서 골유합이 관찰된다.

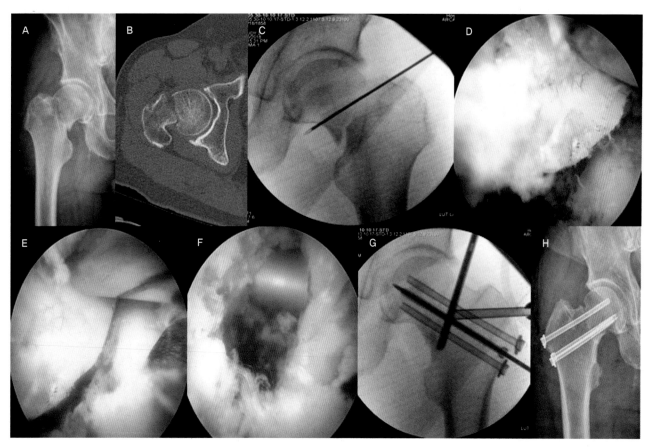

그림 15 Garden type III의 대퇴경부 골절 진단받은 56세 남자 환자

(A) 단순 고관절 전후면 영상과 (B) CT 영상에서 Garden type III의 골절을 확인할 수 있다. (C) 수술방 내에서 비관혈적 정복술이 만족스럽게 되지 않아서 관절경을 이용한 비관혈적 정복술을 시도하였다. (D) 대퇴 경부의 정복이 만족스럽게 되지 않은 모습을 관절경으로 확인하였다. (E) 대퇴경부의 골절부에 끼여 있는 대퇴 경부 지대(retinaculum) 등을 제거한 뒤 정복을 시도하였다. (F) 골절 사이의 틈으로 6.5 mm의 유관나사가 관찰된다. 골절 사이의 틈은 관절경하에 해면골(cancellous bone)을 이식하였다. (G) C-arm형 영상 증폭장치와 관절경을 이용하여 내고정을 시도하였다. (H) 수술 후 단순 영상 사진.

References

1. 김필성, 황득수. 고관절 관절경의 최신 지견. 대한정형외과학회지. 2017;52(6):484-99.

2. 이정범, 황득수, 강찬, 김보건. 강직성 척추염 환자에서 고관절 통증의 관절경적 치료. 대한정형외과학회지. 2010;45(1):59-64.

3. Henak CR, Ellis BJ, Harris MD, et al. Role of the acetabular labrum in load support across the hip joint. J Biomech. 2011;44:2201-6.

4. Parvizi J, Bican O, Bender B, et al. Arthroscopy for labral tears in patients with developmental dysplasia of the hip: a cautionary note. J Arthroplasty. 2009; 4:110-3.

5. Matsuda DK and Khatod M. Rapidly Progressive Osteoarthritis After Arthroscopic Labral Repair in Patients With Hip Dysplasia. Arthroscopy-the Journal of Arthroscopic and Related Surgery. 2012;28:1738-43.

6. Kalore NV and Jiranek WA. Save the Torn Labrum in Hips With Borderline Acetabular Coverage. Clin Orthop Relat R. 2012;470:3406-13.

7. Larson CM, Ross JR, Stone RM, et al. Arthroscopic Management of Dysplastic Hip Deformities: Predictors of Success and Failures With Comparison to an Arthroscopic FAI Cohort. Am J

Sports Med. 2016;44:447-53.

8. Byrd JW and Jones KS. Hip arthroscopy in the presence of dysplasia. Arthroscopy. 2003;19:1055-60.

9. Domb BG, Stake CE, Lindner D, et al. Arthroscopic capsular plication and labral preservation in borderline hip dysplasia: two-year clinical outcomes of a surgical approach to a challenging problem. Am J Sports Med. 2013;41:2591-8.

10. Fukui K, Trindade CAC, Briggs KK, Philippon MJ. Arthroscopy of the hip for patients with mild to moderate developmental dysplasia of the hip and femoroacetabular impingement. J Bone Joint Br. 2015;97:1316-21.

11. Larson CM, Ross JR, Stone RM, et al. Arthroscopic management of dysplastic hip deformities. Am J Sports Med. 2015;44:447-53.

12. Uchida S, Utsunomiya H, Mori T, et al. Clinical and radiographic predictors for worsened clinical outcomes after hip arthroscopic labral preservation and capsular closure in developmental dysplasia of the hip. Am J Sports Med. 2015;44:28-38.

13. Lee YW, Hwang DS, Ha YC, Kim PS, Zheng L. Outcomes in patients with late sequelae (healed stage) of Legg-Calvé-Perthes disease undergoing arthroscopic treatment: retrospective case series. Hip int. 2018;28(3):302-8.

14. Allen MM, Rosenfeld SB. Treatment for Post-Slipped Capital Femoral Epiphysis Deformity. Orthop Clin North Am. 2020;51(1):37-53.

15. Mardones RM, Gonzalez C, Chen Q, Zobitz M, Kaufman KR, Trousdale RT. Surgical treatment of femoroacetabular impingement: evaluation of the effect of the size of the resection. J Bone Joint Surg Am. 2005;87(2):273-9.

16. Hannallah D, White AP. Diffuse idiopathic skeletal hyperostosis. Operative Techniques in Orthopaedics. 2007;17:174-7.

17. Hwang JM, Hwang DS, Kang C, et al. Arthroscopic Treatment for Femoroacetabular Impingement with Extraspinal Diffuse Idiopathic Skeletal Hyperostosis. Clin Orthop Surg.2019;11(3):275-81.

18. Amor B, Santos RS, Nahal R, Listrat V, Dougados M. Predictive factors for the long term outcome of spondyloarthropathies. J Rheumatol. 1994;21:1883-7.

19. Milgram JW. Synovial osteochondromatosis: a histopathological study of thirty cases. J Bone Joint Surg Am. 1977;59(6):792-801.

20. Lee JB, Kang C, Lee CH, Kim PS, Hwang DS. Arthroscopic treatment of synovial chondromatosis of the hip. Am J Sports Med. 2012;40(6):1412-8.

21. Chan Kang, Deuk-Soo Hwang, Jung-Mo Hwang, Eugene J Park. Usefulness of the Medial Portal during Hip Arthroscopy. Clin Orthop Surg 2015;7(3):392-5.

22. Lee YK, Moon KH, Kim JW, Hwang JS, Ha YC, Koo KH. Remaining Loose Bodies after Arthroscopic Surgery Including Extensive Capsulectomy for Synovial Chondromatosis of the Hip. Clin Orthop Surg. 2018;10(4):393-7.

23. Yoon BH, Kim JG, Ha YC. Arthroscopic Excision of an Osteoid Osteoma of the Lesser Trochanter of the Femoral Neck. Arthrosc Tech. 2017;6(4):e1361-e5.

24. Feeley BT, Kelly BT. Arthroscopic management of an intraarticular osteochondroma of the hip. Orthop Rev (Pavia). 2009;1(1):e2.

25. Kim CH, Kekatpure AL, Kashikar A, Chang JS, Jeong MY, Yoon PW. Arthroscopic Excision of a Solitary Acetabular Osteochondroma in an Adult: A Case Report. JBJS Case Connect. 2016;6(4):e101.

26. Jung HT, Hwang DS, Jeon YS, Kim PS.

Arthroscopic Resection of Osteochondroma of Hip Joint Associated with Internal Snapping: A Case Report. Hip Pelvis 2015;27(1):43-8.

27. Foulk DM, Mullis BH. Hip dislocation: evaluation and management. J Am Acad Orthop Surg. 2010;18(4):199-209.

28. Hwang JT, Lee WY, Kang C, Hwang DS, Kim DY, Zheng L. Usefulness of Arthroscopic Treatment of Painful Hip After Acetabular Fracture of Hip Dislocation. Clin Orthop Surg 2015;7(4):443-8.

29. Alfikey A, El-Bakoury A, Karim MA, Farouk H, Kaddah MA, Abdelazeem AH. Role of arthroscopy for the diagnosis and management of post-traumatic hip pain: a prospective study. J Hip Preserv Surg. 2019;6(4):377-84.

30. Hwang JM, Hwang DS, Lee WY, Noh CK, Zheng L. Hip Arthroscopy for Incarcerated Acetabular Labrum following Reduction of Traumatic Hip Dislocation:Three Case Reports. Hip Pelvis. 2016;28(3):164-8.

31. Lansford T, Munns SW. Arthroscopic treatment of Pipkin type I femoral head fractures: a report of 2 cases. J Orthop Trauma. 2012;26:e94-6.

32. Park MS, Her IS, Cho HM, Chung YY. Internal fixation of femoral head fractures (Pipkin I) using hip arthroscopy. Knee Surgery Sports Traumatology Arthroscopy. 2014;22:898-901.

33. Kekatpure A, Ahn T, Lee SJ, Jeong MY, Chang JS, Yoon PW. Arthroscopic Reduction and Internal Fixation for Pipkin Type I Femoral Head Fracture: Technical Note. Arthrosc Tech. 2016;5:e997-e1000.

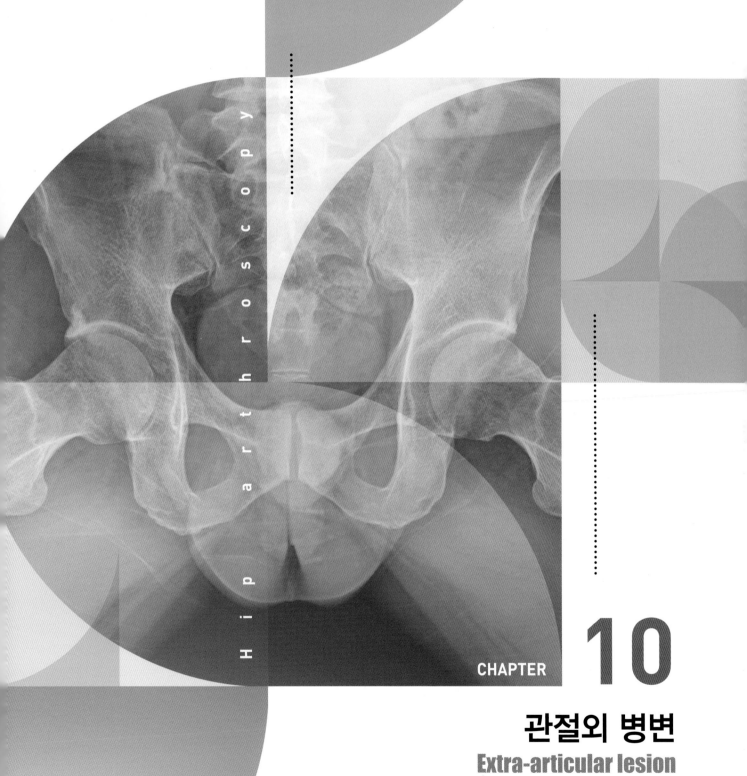

Hip arthroscopy

CHAPTER 10

관절외 병변
Extra-articular lesion

Hip
arthroscopy

CHAPTER 10-1

좌골대퇴
Ischiofemoral

윤선중

1

이상근 증후군, 좌골신경 압박증후군
(Piriformis syndrome, Deep gluteal syndrome, Sciatic nerve compression syndrome)

1) 해부학

좌골신경은 요추4번에서 천추3번 신경근의 앞쪽 가지가 골반 내에서 하나의 trunk를 이루어 대좌골절흔(greater sciatic notch)에서 이상근(piriformis muscle) 하방으로, 골반골 밖으로 나오게 된다(그림 1).

Miller 등의 연구 결과에 따르면 좌골신경은 ischial tuberosity의 가장 외측에서 1.2±0.2 cm 정도 떨어져 있고 슬괵근의 근위 부착부와 매우 가까이에 있다. 고관절을 굴곡할 때 좌골신경은 28 mm 정도 글라이딩 할 수 있다.

Deep gluteal space는 골반 밖으로 나온 좌골신경이 엉덩이에서 주행하는 가상의 공간으로, 앞쪽으로는 대퇴경부, 뒤쪽으로는 대둔근(gluteus maximus), 외측으로는 대퇴골의 linea aspera, 안쪽으로는 천결절인대(sacrotuberous ligament)로 경계가 이루어진다(그림 2).

이상근은 제2, 3, 4번 천추와 천장관절의 전면부 및 천결절인대(sacrotuberous ligament) 골반면에서 기시하여 대좌골절흔(greater sciatic notch)을 통과하여 원형의 근건형태로 대전자의 상연에 부착한다. 제5번 요추신경, 제1, 2번 천추신경의 지배를 받으며, 외회전근 가운데 유일하게 해부학적으로 좌골신경 후방으로 신경과 매우 밀접하게 주행하고 근육 자체의 해부학적 변형이 많아 좌골신경을 압박할 수 있다.

이상근뿐만 아니라 deep gluteal space를 차지하고 있는 sapce occupying lesion이나 어떤 구조물이라도 좌골신경 압박을 일으킬 수 있다.

2) 병태생리

이상근 증후군(piriformis syndrome)은 대좌골절흔(greater sciatic notch)에서 좌골 조면(ischial tuberosity)에 이르는 deep gluteal space에서 혈관구조를 포함하는 섬유성 밴드(fibro-vascular band), 둔근, 이상근, 슬괵근 등 deep gluteal space에 존재하는 구조물들에 의해 좌골신경이 압박 또는 포착(nerve compression or entrapment syndrome)되어 비척추성(non-discogenic) 둔부통과 하지 방사통을 특징적인 증상으로 하는 질환군으로 따라서 이상근 증후군 대신 deep gluteal syndrome으로 통칭해서 부르고 있다.

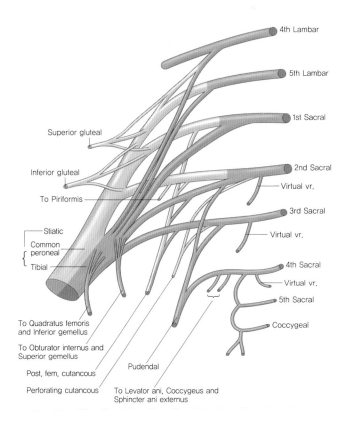

- 4th Lambar
- 5th Lambar
- 1st Sacral
- Superior gluteal
- Inferior gluteal
- 2nd Sacral
- To Piriformis
- Virtual vr.
- 3rd Sacral
- Stiatic
- Common peroneal
- Virtual vr.
- Tibial
- 4th Sacral
- Virtual vr.
- 5th Sacral
- To Quadratus femoris and Inferior gemellus
- Coccygeal
- To Obturator internus and Superior gemellus
- Post. fem. cutancous
- Pudendal
- Perforating cutancous
- To Levator ani, Coccygeus and Sphincter ani externus

그림 1 Sciatic nerve

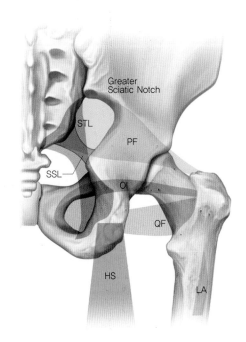

그림 2 Schematic image of the deep gluteal space

HS; hamstring origin, LA; linea aspera, LT; lesser trochanter, OI; obturator internus, PF; piriformis, SSL; sacrospinous ligament, QF; Quadratus Femoris.

하지의 감각이상 및 방사통을 동반하는 경우 요추의 추간판 탈출증, 골반강 내 요천추 신경 총 압박 질환 (intrapelvic entrapment)과 감별이 필요하며, 하지 방사통에 대한 표준적 진단과 치료에도 증상 호전이 되지 않은 환자 가운데 이상근 증후군 환자가 가장 많다는 보고도 있다. 발병기전에 따라 경미한 외상 등 뚜렷한 원인이 없이 이상근, obturator internus/gemellus complex, 햄스트링 염증과 유착성 섬유대(fibrous band)에 의해 발생하는 원발성(primary deep gluteal syndrome)과, 그 원인이 상대적으로 분명한 종양, 인공 고관절 치환술이나 골반골, 비구, 근위 대퇴골 골절 후 발생하는 속발성(secondary, posttraumatic, deep gluteal syndrome)으로 나눌 수 있다. 따라서 외상력이나, 이전 고관절 및 척추 수술 여부, 부인과 질환 및 수술 여부도도 확인해야 한다.

3) 증상 및 증후

주 증상은 30분 이상 앉아 있기 힘든 둔부통과 하지 방사통으로 좌골신경의 압박에 기인하며 장기간의 반복적 자극이나 외상, 작업에 의해서도 발생할 수 있다. 척추성 통증과의 다른 점은 고관절의 내회전 외회전등 운동에 의해 증상을 유발하는 것이며, 경도의 외상이나 혈종 이후 좌골신경과 근접해 있는 이상근, short external rotator, 슬괵근 사이에 반흔조직이 발생하여 좌골신경의 포착 또는 압박하게 된다. 1947년 Robinson이 처음으로 이상근 증후군을 명명하였는데 다음과 같은 특징적인 임상 양상을 보고하였다. ① 둔부나 천장관절 부위의 외상력이 있고, ② 보행 시 악화되는 천장관절, 대좌골절흔 또는 이상근 주위의 동통 및 하지 방사통, ③ 물건을 들거나 허리를 굽힐 때 악화되는 증상, ④ 증세가 악화될 때 촉지되는 심한 압통이 발생하는 이상근 주위의 종물, ⑤ Lasègue 검사 양성소견, ⑥ 장기간 이환에 따른 둔부의 위축소견이다. 진찰 소견으로는 둔부의 대좌골절흔 부분의 압통, 고관절 내전 및 내회전 시에 증가하는 동통, 하지 직거 상 검사상 제한된 소견(Lasègue sign) 등이 관찰될 수 있다. 이환된 다리를 신전 및 내회전시킬 때 좌골신경통이 유발되는 Freiberg 징후, 앉은 상대에서 고관절 굴곡,

내전, 내회전 하면서 이상근 부위를 누를 때 통증이 유발되는 seated piriformis test, 측와위에서 고관절을 굴곡한 상태에서 저항상태로 능동적 외전 시 통증이 유발되고 외전력 약화를 관찰하는 Pace 징후(active piriformis test), 환자를 앙와위로 눕혔을 때 이환된 하지가 외회전 되어있는 비대칭적인 모습을 보이는 이상근 징후(piriformis sign)를 관찰할 수 있다. 환자는 외래에 내원하였을 때 통증이 발생하는 쪽 좌골을 바닥에 대지 않으려고 하는 특징적인 앉은 자세를 보인다(그림 3).

4) 검사 소견

단순 방사선 사진이나 CT상 대부분 이상 소견은 없으며, 자기 공명영상에서 이상근의 비대칭성 비대를 보이거나(그림 4), 일부 환자에서 좌골신경병변이 관찰되기도 한다. 근전도 검사상 비골신경을 자극하여 마미 활동 전위(cauda equina action potential)의 변화를 관찰할 수 있으나 확진할 수 있는 방법은 없기 때문에 임상적 소견을 근거로 영상 및 근전도 검사를 통해 요추 추간판 탈출증, 천장관절 이상, 대전자부 점액낭염 등의 다른 질환을 감별해 나가는 배타적 진단(exclusive diagnosis)을 하는 것이 필요하다. 또한, 고관절 내 병변 및 대퇴비구 충돌증후군(femoroacetabular impingement, FAI)에 의해서도 유사한 증상을 보일 수 있어, 자기공명 관절조영술(magnetic resonance arthrography, MRA)이나, 관절 내 국소마취제 주사 테스트, 이상근내 주사 등이 진단에 필수적이다. 또한 고관절 이형성증 및 대퇴골 회전 변형(torsional deformity)에 의한 증상도 감별해야 한다. 골반강 내에서 좌골신경이 압박되는 경우도 감별하여야 하는데 종양이나 여성의 경우 자궁내막증 등이 해당된다(그림 5).

5) 비수술적 치료

물리치료, 비스테로이드성 소염제의 투여 등으로 치료하며 국소 마취제나 스테로이드 제제를 국소적으로 주사할 수도 있다. 최근에는 보툴리눔 독소(botulinum toxin)의 이상근내 주사가 동통 감소의 효과가 있다고 보고도 있다. 이상근

주사법에는 투시 영상 장치를 이용한 방법과, 초음파를 이용하는 방법이 있다. 투시영상장치를 이용하는 경우 조영제를 이용하여 이상근을 조영한 다음 주사한다(그림 6, 7).

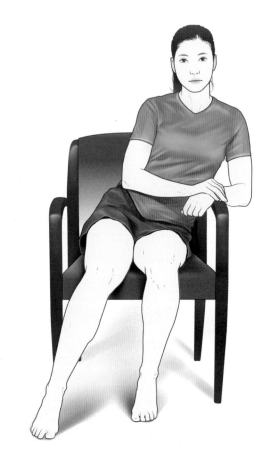

그림 3 환자는 이환된 엉덩이를 의자에 닿지 않게 앉으려고 노력하며, 도넛 모양의 방석을 가지고 다니기도 한다.

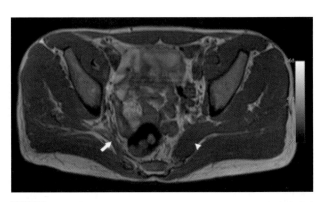

그림 4 항상 발견되는 MRI 소견은 아니나 piriformis muscle의 이상 비대가 드물게 관찰되기도 한다.

6) 수술적 치료

Decompression 후 호전까지 걸리는 기간이 환자마다 다양하게 소요되기 때문에 수술 전 informed consent가 중요하다. 수술적 요법으로는 이상근의 유리술 또는 절제술, 섬유대와 혈관의 제거 또는 신경 박리술(neurolysis) 등이 있으며 예후는 양호한 것으로 보고되고 있다. 고식적인 Kocher-Langenbeck 접근을 통해 좌골신경을 압박하는 구조물들을 유리시키는 방법이 있고, 골반 비구 골절 등 외상성이나 인공관절 수술 후 발생한 압박성 신경병증일 때 주로 사용되며, 신경 압박 원인이 확실한 경우 효과를 기대할 수 있다. 최근 관절경을 이용한 신경 감압술이 도입되어 있으며, 고식적인 방법에 비하여 출혈이 적고 확대된 관절경 시야에서 좌골신경의 상태, 즉 epineural

fat preservation 또는 epineural blood flow를 관찰하기 유리한 장점이 있다. 관절경을 이용한 좌골신경 감압술에 필요한 portal은 일반적인 고관절 관절경에 주로 사용되는 anterolateral portal, posterolateral portal과 함께 sciatic notch에 이르는 더 근위부쪽 신경 감압을 용이하게 하기 위하여 기존 posterolateral portal의 근위부에 auxiliary posterolateral portal을 사용할 수 있다(그림 8).

관절경은 주로 70°를 사용하며 peritrochanteric space를 관찰하면서 좌골신경으로 접근하게 된다. 관절 내 병변이 의심되는 경우 고관절 관절경을 먼저 시행할 수도 있다. 좌골신경이 확인되면 고관절을 운동시키면서 좌골신경의 kinematic excursion이 정상적인지를 확인하고, 대군근의 대퇴골 원위 부착부부터 sciatic notch까지 원위부에서 근위부로 신경을 압박하는 구조물을 관찰한다. Peritrochanteric

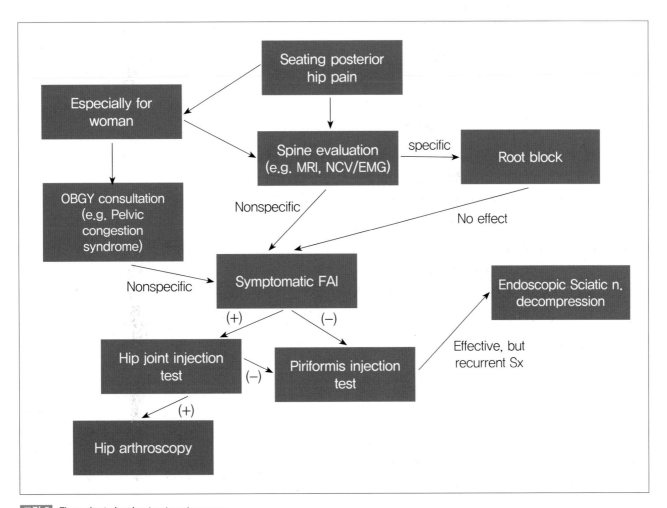

그림 5 Flow-chart showing treatment process
A flow-chart showing the decision making process for endoscopic sciatic nerve decompression of seating posterior hip pain.

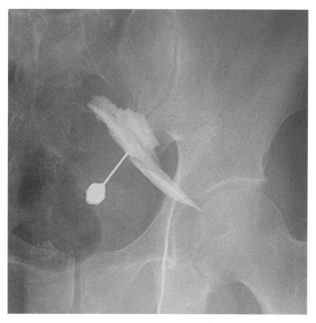

그림 6 Prone position에서 sciatic nerve 주행을 landmark로 표시하고 piriformis muscle myogram을 통해 주사한다.

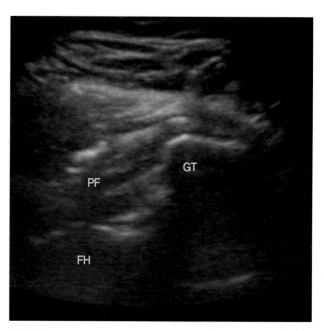

그림 7 초음파를 이용하는 경우 lateral 또는 prone position에서 femoral head, greater trochanter, ilium의 outer cortex를 확인하고 superior and inferior gluteal vessel을 찾으면 piriformis muscle을 특정할 수 있다.

space에서 신경 탐침(nerve probe)과 관절경용 가위를 이용해서 조심스럽게 압박하는 구조물을 박리한다. 관절경에서 좌골신경은 포착에 의해 관절운동 시에 mobility가 감소되어 있고, 압박에 의해 신경 표면이 창백한데 이는 epineural fat 및 blood flow가 압박에 의해 줄어들기 때문이다. 이상근건이 좌골신경과 유착되어 있는 경우 흔히 inferior gluteal vessel branch가 섬유성 반흔과 함께 새둥지 모양 밴드를 형성하는데 이를 bird's nest라고 부르며, 출혈이 발생하기 쉽기 때문에 박리에 주의를 요한다. 이상근은 여러 가지 형태의 변이가 존재하여 건을 유리할 때 자세히 확인하여 남아있는 이상근건이 없도록 하여야 한다. Deep gluteal space 전체에 걸쳐 압박성 병변 및 반흔 조직을 제거한 이후 dynamic test를 통해서 nerve excursion을 확인한다. 비만환자인 경우 좌골신경 전장을 관찰하기 위해서 extra-long arthroscope가 필요할 수 있다(그림 9).

7) 재활 및 경과 관찰

대개 6개월간의 재활치료를 요하며, 회전운동(circumduc-tion exercise)은 수술 후 1일째부터, 이상근 스트레칭 및 신

경가동운동(nerve glide exercise)은 통증이 없는 범위에서 시행한다. 신경유착 정도에 따라 슬관절 보조기는 45° 굴곡 상태로 4주간 유지하는 것이 좋다. 이후 2주마다 10°씩 신전운동을 시행한다. 수술 후 좌골신경을 스트레칭 시킬 수 있는 고관절 굴곡 및 내전운동 등은 통증을 유발할 수 있어 조심해야한다.

Benson outcome scale을 사용하여 치료 전후 경과를 비교할 수 있다(표 1).

표 1 Benson Surgical Outcome Rating

Outcome	Symtoms
Excellent	No pain with prolonged periods of sitting (>30 min), strenuous activity, bending, twisting, stairs, rapid walking, jogging
Good	No pain with short period of sitting (≤30 min) or daily activities or mild pain with prolonged periods of sitting or strenuous activity
Fair	Occasional mild pain with short periods of sitting or normal daily activities or moderate pain with prolonged sitting or strenuous activity
Poor	Severe pain with short periods of sitting or normal daily activities, little change from preoperative level of pain associated with sciatic nerve

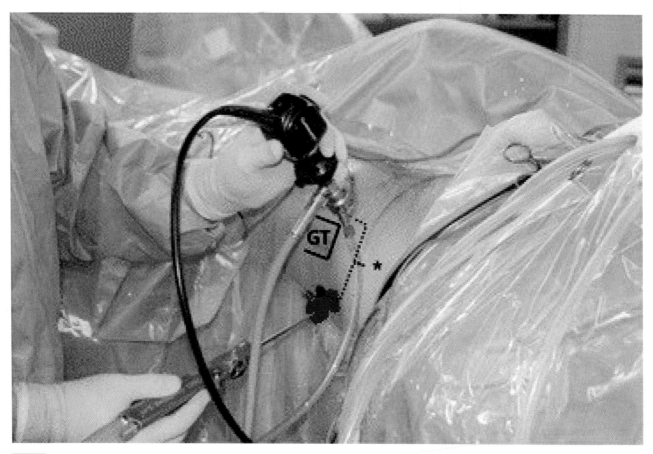

그림 8 Endoscopic portals for sciatic nerve decompression of left hip

The anterolateral portal placement is one cm anterolateral to the anterior corner of the greater trochanter (GT). The posterolateral portal is four-fingerbreadth posterior to the anterior portal*

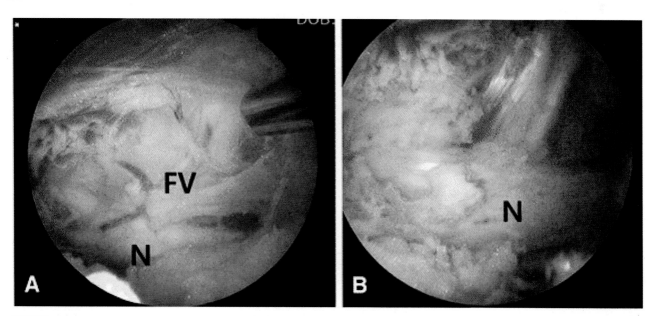

그림 9 Sciatic nerve entrapment by fibrovascular bands

A Endoscopic view of sciatic nerve (N) by fibrovascular bands (FV). b Endoscopic view of sciatic nerve (N) after decompression.

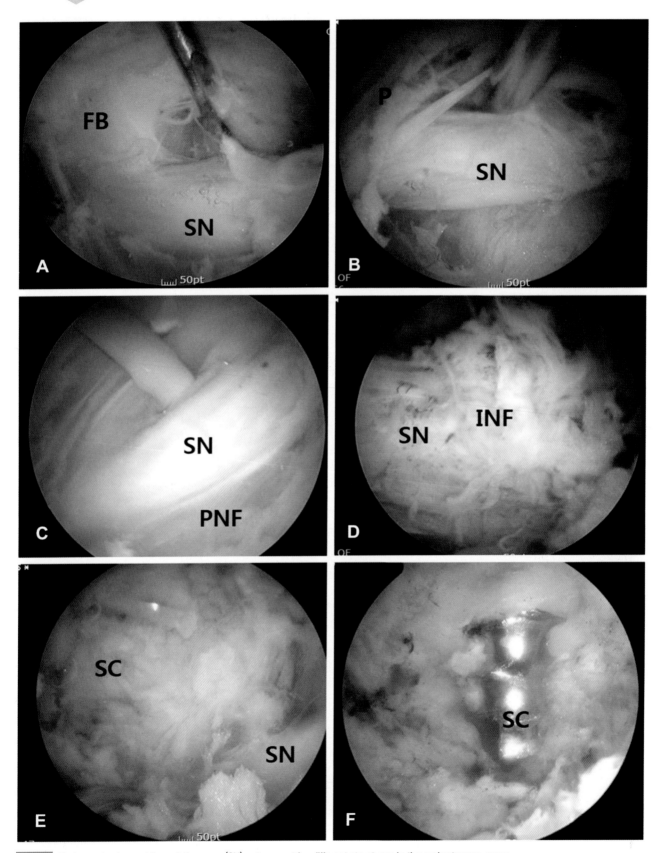

그림 10 Endoscopic views of the sciatic nerve (SN) entrapment by different structures in the major trauma group

(A) Endoscopic view of SN by fibrous scar band, (B) piriformis muscle (P) entrapped SN, (C) perineural fibrosis tethered SN, (D) SN transformed intraneural fibrosis, (E, F) SN irritation occurred by acetabular dome screw (SC).

2

좌골대퇴 충돌증후군
(Ischiofemoral impingement, Pelvico-trochanteric impingement)

좌골대퇴 충돌증후군(ischiofemoral impingement)은 좌골 조면(ischial tuberosity)과 대퇴골 소전자의 간격이 좁아져 사이에 있는 대퇴 방형근(quadratus femoris)이 압박을 받아 발생하는 질환이다(그림 11). 선천성으로 간격이 좁거나 인공 고관절 치환술, 전자부 절골술, 대퇴 근위부 골절 또는 골관절염 환자 등에서도 발생할 수 있다. 증상은 lesser trochanter와 ischium이 가까워지는 동작, 즉, 고관절의 신전, 내전 및 외회전 시 대퇴부 내측, 둔부 또는 서혜부 동통이 유발되며 하지 방사통이 동반될 수도 있다. 골반의 형태에 기인하여 중년 여자에게 흔하다고 알려져 있고 1/3 환자에서는 양측성으로 발생한다. 특징적인 신체검사는 없으며 방사선상 좌골 조면과 소전자의 간격이 정상은 23±8 mm 가량이지만 좌골대퇴 충돌증후군 환자에서는 13±5 mm로 감소되어 있다고 보고되었다. 자기공명영상에서 대퇴 방형근의 부종, 위축 또는 지방 침윤 등이 관찰되며 소전자에 부착하는 장요근 또는 좌골 조면에 기시하는 슬곡근에 영향을 미쳐 근육 주위 점액낭염이 발생할 수 있다. 손상에 의한 대퇴 방형근의 파열은 대부분 근건 이행부에서 음영 변화가 관찰되지만 좌골대퇴 충돌증후군은 근육의 전반적인 음영 변화가 관찰된다. 그 외 내부형 발음성 고관절, 좌골신 경통, 만성 슬근 손상 또는 내전근 건염 등과 감별이 필요하다.

치료 방법은 아직 정립되어 있지 않지만 비스테로이드성 소염제, 물리치료 등의 보존적 치료 이외 전산화단층촬영 유도 스테로이드 주사가 유용하며, 지속적인 통증 시 내시경적 대퇴 방형근 감압술 또는 소전자 절제술이 시행될 수 있는데 deep gluteal syndrome 및 ischial tunnel syndrome과 감별 및 함께 치료하는 것이 필요하다.

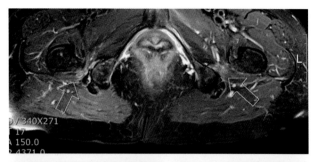

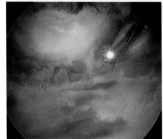
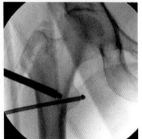

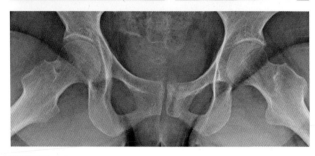

그림 11 양측 ischiofemoral space의 qudratus femoris muscle의 signal change가 관찰되나, 우측만 증상이 있어 관절경을 통한 sciatic nerve decompression 및 C-arm guide 하에서 lesser trochanterplasty를 시행하고 술 후 방사선에서 형태 변화를 관찰할 수 있다.

References

1. Martin HD, Palmer IJ. History and physical examination of the hip: the basics. Curr Rev Musculoskelet Med. 2013;6:219–25. doi: 10.1007/s12178-013-9175-x.

2. Martin HD, Shears SA, Johnson JC, Smathers AM, Palmer IJ. The endoscopic treatment of sciatic nerve entrapment/deep gluteal syndrome. Arthrosc J Arthrosc Relat Surg Off Publ Arthrosc Assoc N Am Int Arthrosc Assoc. 2011;27:172–81. doi: 10.1016/j.arthro.2010.07.008

3. Benson ER, Schutzer SF. Posttraumatic piriformis syndrome: diagnosis and results of operative treatment. J Bone Joint Surg Am. 1999;81:941–9. doi: 10.1302/0301-620X.81B6.10474.

4. Hopayian K, Song F, Riera R, Sambandan S. The clinical features of the piriformis syndrome: a

systematic review. Eur Spine J Off Publ Eur Spine Soc Eur Spinal Deform Soc Eur Sect Cerv Spine Res Soc. 2010;19:2095–109. doi: 10.1007/s00586-010-1504-9

5. Issack PS, Kreshak J, Klinger CE, Toro JB, Buly RL, Helfet DL. Sciatic nerve release following fracture or reconstructive surgery of the acetabulum. Surgical technique. J Bone Joint Surg Am. 2008;90(Suppl 2 Pt 2):227–37.

6. Pace JB, Nagle D. Piriform syndrome. West J Med. 1976;124:435–9.

7. Boyajian-O'Neill LA, McClain RL, Coleman MK, Thomas PP. Diagnosis and management of piriformis syndrome: an osteopathic approach. J Am Osteopath Assoc. 2008;108:657–64. doi: 10.7556/jaoa.2008.108.11.657

8. Papadopoulos EC, Khan SN. Piriformis syndrome and low back pain: a new classification and review of the literature. Orthop Clin North Am. 2004;35:65–71. doi: 10.1016/S0030-5898(03)00105-6.

9. Freiberg AH. SCiatic pain and its relief by operations on muscle and fascia. Arch Surg. 1937;34:337–50. doi: 10.1001/archsurg.1937.01190080138007

10. Freiberg AH, Vinke TH. Sciatica and the Sacro-Iliac Joint. J Bone Jt Surg Am. 1934;16:126–36.

11. Clohisy JC, Carlisle JC, Trousdale R, Kim Y-J, Beaule PE, Morgan P, et al. Radiographic evaluation of the hip has limited reliability. Clin Orthop. 2009;467:666–75. doi: 10.1007/s11999-008-0626-4

12. Ali AM, Teh J, Whitwell D, Ostlere S. Ischiofemoral impingement: a retrospective analysis of cases in a specialist orthopaedic centre over a four-year period. Hip Int J Clin Exp Res Hip Pathol Ther. 2013;23:263–8.

13. Coppieters MW, Alshami AM, Babri AS, Souvlis T, Kippers V, Hodges PW. Strain and excursion of the sciatic, tibial, and plantar nerves during a modified straight leg raising test. J Orthop Res Off Publ Orthop Res Soc. 2006;24:1883–9. doi: 10.1002/jor.20210

14. Byrd JW, Jones KS. Prospective analysis of hip arthroscopy with 2-year follow-up. Arthrosc J Arthrosc Relat Surg Off Publ Arthrosc Assoc N Am Int Arthrosc Assoc. 2000;16:578–87. doi: 10.1053/jars.2000.7683.

15. Grgić V. Piriformis muscle syndrome: etiology, pathogenesis, clinical manifestations, diagnosis, differential diagnosis and therapy. Lijec̆ nic̆ ki Vjesn. 2013;135:33–40.

16. McCrory P, Bell S. Nerve entrapment syndromes as a cause of pain in the hip, groin and buttock. Sports Med Auckl NZ. 1999;27:261–74. doi: 10.2165/00007256-199927040-00005.

17. Beaton LE, Anson BJ. The Sciatic Nerve and the Piriformis Muscle: Their Interrelation a Possible Cause of Coccygodynia. J Bone Jt Surg Am. 1938;20:686–8.

18. Jankovic D, Peng P, van Zundert A. Brief review: piriformis syndrome: etiology, diagnosis, and management. Can J Anaesth J Can Anesth. 2013;60:1003–12. doi: 10.1007/s12630-013-0009-5.

19. Kitagawa Y, Yokoyama M, Tamai K, Takai S. Chronic expanding hematoma extending over multiple gluteal muscles associated with piriformis syndrome. J Nippon Med Sch Nippon Ika Daigaku Zasshi. 2012;79:478–83. doi: 10.1272/jnms.79.478.

20. Smoll NR. Variations of the piriformis and sciatic nerve with clinical consequence: a review. Clin Anat N Y N. 2010;23:8–17. doi: 10.1002/ca.20893.

21. Draovitch P, Edelstein J, Kelly BT. The layer concept: utilization in determining the pain

generators, pathology and how structure determines treatment. Curr Rev Musculoskelet Med. 2012;5:1–8. doi: 10.1007/s12178-011-9105-8.

22. Hu M-H, Wu K-W, Jian Y-M, Wang C-T, Wu I-H, Yang S-H. Vascular compression syndrome of sciatic nerve caused by gluteal varicosities. Ann Vasc Surg. 2010;24:1134.

23. Toda T, Koda M, Rokkaku T, Watanabe H, Nakajima A, Yamada T, et al. Sciatica caused by pyomyositis of the piriformis muscle in a pediatric patient. Orthopedics. 2013;36:e257–9. doi: 10.3928/01477447-20130122-33

24. Martin RL, Philippon MJ. Evidence of validity for the hip outcome score in hip arthroscopy. Arthrosc J Arthrosc Relat Surg Off Publ Arthrosc Assoc N Am Int Arthrosc Assoc. 2007;23:822–6. doi: 10.1016/j.arthro.2007.02.004

25. Filler AG, Haynes J, Jordan SE, Prager J, Villablanca JP, Farahani K, et al. Sciatica of nondisc origin and piriformis syndrome: diagnosis by magnetic resonance neurography and interventional magnetic resonance imaging with outcome study of resulting treatment. J Neurosurg Spine. 2005;2:99–115. doi: 10.3171/spi.2005.2.2.0099.

26. Park MS, Jeong SY, Yoon SJ. Endoscopic Sciatic Nerve Decompression After Fracture or Reconstructive Surgery of the Acetabulum in Comparison With Endoscopic Treatments in Idiopathic Deep Gluteal Syndrome. Clin J Sport Med. 2019 May;29(3):203-208.

27. Yoon, S., Park, M., Matsuda, D.K. et al. Endoscopic resection of acetabular screw tip to decompress sciatic nerve following total hip arthroplasty. BMC Musculoskelet Disord 19, 184 (2018). https://doi.org/10.1186/s12891-018-2091-x

CHAPTER

10-2

외부형 및 내부형 발음성 고관절
External and internal snapping hip

김태영

건의 튕김이나 탄발음은 골의 돌출부(bony prominence)에서 발생하는 건의 아탈구(subluxation)나 협착성 건초염(stenosing tenosynovitis), 혹은 관절 내의 문제로 인해 생기게 된다. 발음성 고관절의 원인이 되는 건의 종류에 따라 크게 내부형 발음성 고관절(장요근건)과 외부형 발음성 고관절(장경대)으로 분류할 수 있으며, 드물게 대퇴 이두근(biceps femoris) 기시부에서 생기는 발음성 고관절이 보고되기도 하였다. 대표적인 두 가지의 발음성 고관절은 물리치료와 동반된 스테로이드(corticosteroid) 및 마취약의 국소부위 주사와 같은 보존적인 치료를 우선적으로 선택한다. 그러나 보존적인 치료에 실패한 환자들에게는 수술적 치료가 필요하다. 과거 개방성 수술이 시행되어 왔지만, 최근에는 관절경적 치료가 더 좋은 결과를 보여주고 있어 많이 시행되고 있으며 본 장에서는 관절경적 수술에 대한 설명을 위주로 기술하고자 한다.

1
외부형 발음성 고관절(External Snapping Hip)

장경대의 두꺼워진 후연(thickened posterior edge of the iliotibial band) 또는 대둔근건 전연(anterior edge of the gluteus maximus)이 고관절의 굴곡 및 신전 시 대전자에서 미끄러지며 탄발음(snapping)이 발생하는 것으로 대전자 밑의 대전자 점액낭에 염증을 동반한다(그림 1).

주로 발레 선수나, 달리기, 축구 선수 등에서 흔히 발생한다. 의심되는 경우 환자를 외측위로 누운 상태에서 능동적으로 고관절을 굴곡, 신전할 때 대전자 후방면을 가로지는 두꺼운 장경대에 의해 탄발(snapping)이 유발되거나, 서 있는 상태에서 검사자의 손을 대전자부에 놓은 후 환자에게 제자리 걸음을 시키는 방법으로도 진단이 가능하다. 초기 치료로는 장경대의 스트레칭이나 두꺼워진 장경대 부위에 스테로이드 주사 등 보존적 치료를 통해 증상의 호전을 기대할 수 있다. 하지만 지속적인 보존적 치료에도 증상이 호전되지 않을 경우 수술적 치료의 적응증이 된다. 과거 개방성 절개를 통해 장경대의 Z 또는 N 성형술을 보고하였으나, 최근 관절경의 발달로 고관절 관절경을 이용한 장경대 이완술이 합병증도 적고 만족스러운 결과를 보여주고 있어 많이 시행되고 있다. 접근 방법으로는 "outside–in"이나 "inside–out" 접근법을 통하여 시술할 수 있다.

1) 관절경적 장경대 이완술

장경대 병변에 대한 관절경적 접근 전 영상 검사나 환자 진찰상 관절 내 병변이 함께 의심된다면 이에 대한 관절경적 평가가 선행 되어야 한다. 외부형 발음성 고관절에서 병적으로 두터워진 장경대의 후방 1/3 부분이 대전자 위에서 튕김(snap)을 일으켜 종종 "kissing lesion"을 볼 수 있는데 이것은 충격이 가해져 멍이 들고 충혈이 된 대전자의 돌기 부분을 일컫는다. 전외측 삽입구를 통해 진단적 관절경을 시행한 이후 대전자부 외측 돌기 부분에 k–wire를 삽입한다. 관절경으로 시야를 확보한 상태에서 척추바늘(spinal needle)을 전외측 삽입구의 5–6 cm 원위부에 진입시킨다. 이 삽입구가 대략 전외측 삽입구의 선상에 위치하게 되는 원위 전측방 부 삽입구(distal anterolateral accessory portal)이다. 이 삽입구를 통해 지방조직과 건막을 장경대와 분리하여 장경대를 확인하고, 두 삽입구 간에 연결을 만든다. 이후

첫 번째 k–wire 삽입부 근위 1–2 cm 정도 위치에 두 번째 k–wire를 삽입하는데, 이 두 번째 k–wire의 위치가 장경대 이완술 시 근위부 경계가 된다. 근위부에 삽입된 k–wire에서 후방으로 약 45°의 각도로 2 cm 떨어진 위치에 피부 절개를 하여 전외측 삽입구와 피하지방층 아래로 연결을 만들고, 원위 전측방 부삽입구에서는 전방으로 약 45° 각도로 2 cm 떨어진 위치에 근위 횡절개를 위한 표식을 한다. 전기소작기를 삽입하여 "outside–in"방법으로 Z–이완술을 시행한다. Z–이완술 시행 시에는 근위 횡절개부터 시작하여 종절개, 원위 횡절개 순으로 진행시킨다(그림 2).

근위 횡절개 시에는 두터워진 장경대의 저항이 있기 때문에 전기소작기 사용에 주의를 기울여야 한다. 절개술을 마치고 나서 장경대 원위부에 일부 남아있는 부분이 있을 수 있으며, 손가락으로 촉지가 가능하다. 남아있는 장경대 원위부의 연결부위는 가위로 추가적으로 절개하여 완전절제가 되도록 하여 재발을 방지한다. 술후 합병증으로는 수술 부위의 혈종형성, 수액 유출(extravasation), 재발, 지속적인 통증 등이 발생할 수 있다.

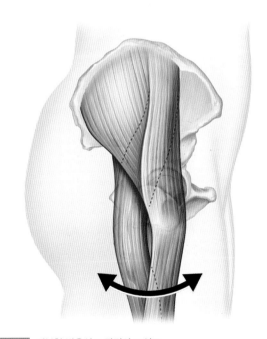

그림 1 외부형 발음성 고관절의 모식도
장경대 후연이나 대둔건 전연이 대전자부 위를 지나면서 발생하는 튕겨짐이 주된 증상이다.

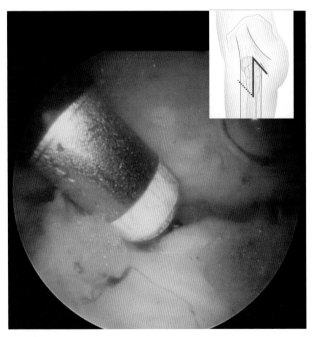

그림 2 외부형 발음성 고관절 환자에서 관절경을 이용하여 장경인대를 절개

2

내부형 발음성 고관절(Internal snapping hip)

장요근건이 장치 융기(iliopectineal eminence) 또는 전방 고관절낭 부분을 지날 때 탄발음을 초래하는 경우 내부형 발음성 고관절로 진단하게 된다. 고관절 굴곡 시 장요근건이 장치 융기의 외측에 위치하게 되는데, 환자가 고관절을 신전할 때 장요근건이 장치 융기 또는 전방 고관절낭 부분을 지나면서 탄발음을 발생하게 되며 종종 사타구니에 통증을 동반하기도 한다(그림 3).

정상인의 10% 정도에서도 무통증의 내재적 발음성 고관절이 발생한다. 의심이 되는 경우 환자가 누운 상태에서 고관절을 굴곡, 외전, 외회전 상태에서 신전, 내전, 내회전 상태로 움직이면서 탄발음을 유발할 수 있다. 관절 내 병변으로 탄발음이 발생하는 경우도 있으며, 장요근 인대로 인한 내부형 발음성 고관절에서 관절 내 병변을 동반하는 경우가 많아 자기공명영상 관절 조영술(MR arthrography)을 시행하

여 확인하는 것이 좋다. 그 외에도, 초음파 검사를 시행하여 역동적인 탄발음 소견을 확인함으로써 진단에 도움이 되기도 한다.

치료는 초기에 활동의 제한, 고관절의 신전 스트레칭, 약물치료, 스테로이드 주사 치료 등이 시행될 수 있다. 보존적 치료에 호전이 없을 때 수술적 치료를 고려해볼 수 있다. 수술적인 방법으로 개방적 절개술을 통해 장요근건의 이완술을 시행할 수 있으며, 이 방법은 내측(medial), 장서혜(ilioinguinal), 장대퇴(iliofemoral) 접근법 등으로 장요근 건의 부분적인 연장을 하는 것이다. 최근 고관절 관절경 수술의 발달로 관절경적 수술을 통해 관절 내 병변의 확인 및 장요근의 이완술을 동시에 시행할 수 있어 유용하다. 관절경적 접근을 통해 장요근건의 소전자부 부착부위나 전방 관절막 절개술을 이용하여 고관절의 중심구획(central compartment)이나 변연구획(peripheral compartment)을 통해 건 이완술을 하게 된다.

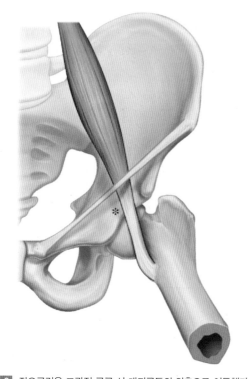 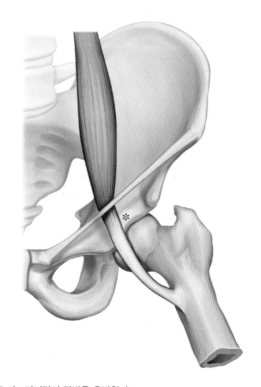

그림 3 장요근건은 고관절 굴곡 시 대퇴골두의 외측으로 이동했다가 신전하면 내측으로 미끄러지면서 탄발을 유발한다.

1) 관절경적 장요근건 이완술

내부형 발음성 고관절의 경우 장요근건은 고관절의 중심 구획을 통과한다. 만약 비구순 파열이 동반되어 있다면 비구순 변연 절제술이나 봉합술을 우선적으로 시행한다. 관절경 검사 및 동반 병변에 대한 시술이 끝나면 환측 하지를 약 20° 정도 굴곡시킨다. 그 이후 전측방 삽입구에 관절경을 재삽입하고 장요근을 덮고 있는 관절막을 확인한다. 저자들은 장요근건 이완을 위한 관절경시에는 70° 관절경을 주로 이용한다. 요근건(psoas tendon)을 덮고 있는 관절막과 활액막은 요근과의 잦은 충돌 결과 충혈된 양상을 자주 보인다. 중간 전방 삽입구를 통해 shaver를 삽입하여 관절낭을 일부 절개하여 장요근건을 노출시킨다. 이후 장요근의 건부분을 전기소작기를 이용하여 연장시킨다. 이때 근육 부분은 손상이 가지 않게 주의해야 한다. 드물게 장요근건이 대퇴골두 위에서 튕김이 되어 구(groove)를 만드는 경우가 있는데 이 경우에는 중심구획으로 들어가는 대신에 변연구획을 통해 건이완술을 시행해야 한다. 수술 후 합병증으로는 고관절 굴곡 약화, 이소성 골형성, 대퇴부 전외측 감각 저하, 지속적인 통증, 혈종, 재발 등이 있다.

3
수술 후 관리

장요근건 이완술이나, 장경대 이완술을 받은 환자들은 수술 후 8주간 목발을 이용하여 약 20파운드 정도의 부분 체중 부하를 해야 한다. 통증이 견딜 만 해지는 8주 이후에는 목발 없이 완전 체중 부하로 진행시킨다. 관절 운동이나 근력운동은 환자의 통증이 허용하는 한 수술 후 바로 시작한다. 하지만, 수술 후 6주 이내의 너무 빠르고 과격한 재활치료는 고관절 외측부의 상태를 악화 시킬 수 있기 때문에 피하는 것이 좋다. 수술 후 이소성 골형성을 줄이기 위해 3–6주간 비스테로이드성 소염제를 처방하는 것이 좋다.

References

1. Bird PA, Oakley SP, Shnier R, Kirkham BW. Prospective evaluation of magnetic resonance imaging and physical examination findings in patients with greater trochanteric pain syndrome. Arthritis Rheum. 2001;44(9):2138-45.

2. Kong A, Van der Vliet A, Zadow S. MRI and US of gluteal tendinopathy in greater trochanteric pain syndrome. Eur Radiol. 2007;17(7):1772-83.

3. Jani S, Safran MR. Internal snapping hip syndrome. In Byrd JW, Guanche CA, eds. AANA Advanced Arthroscopy: The Hip. Philadelphia, PA: Elsevier; 2010:125-32.

4. Sampson TG. Arthroscopic iliopsoas release for coxa saltans interna (snapping hip syndrome). In: Byrd JW, ed. Operative Hip Arthroscopy. 2nd ed. New York, NY: Springer; 2005:189-94.

5. Shu B, Safran MR. Case report: bifid iliopsoas tendon causing refractory internal snapping hip. Clin Orthop Relat Res. 2011;469(1):289-93.

6. Ilizaliturri VM Jr, Chaidez PA, Villegas P, Briseño A, Camacho-Galindo J. Prospective randomized study of 2 different techniques for endoscopic iliopsoas tendon release in the treatment of internal snapping hip syndrome. Arthroscopy. 2009;25(2):159-63.

7. Dobbs MB, Gordon JE, Luhmann SJ, Szymanski DA, Schoenecker PL. Surgical correction of the snapping iliopsoas tendon in adolescents. J Bone Joint Surg Am. 2002;84(3):420-4.

8. McCulloch PC, Bush-Joseph CA. Massive heterotopic ossification complicating iliopsoas tendon lengthening: a case report. Am J Sports Med. 2006;34(12):2022-5.

9. Fabricant PD, Bedi A, De La Torre K, Kelly

BT. Clinical outcomes after arthroscopic psoas lengthening: the effect of femoral version. Arthroscopy. 2012;28(7):965-71.

10. Wettstein M, Jung J, Dienst M. Arthroscopic psoas tenotomy. Arthroscopy. 2006;22(8):907.e1-907.e4.

11. Philippon MJ, Boykin RE, Patterson D, Briggs KK. Hip flexion strength and torque after arthroscopic fractional lengthening of the iliopsoas tendon. Arthroscopy. 2013;19(10):e165-e6.

12. Khan M, Adamich J, Simunovic N, Philippon MJ, Bhandari M, Ayeni OR. Surgical management of internal snapping hip syndrome: a systemic review evaluating open and arthroscopic approaches. Arthroscopy. 2013;29(5):942-8.

13. Lievense A, Bierma-Zeinstra S, Schouten B, Bohnen A, Verhaar J, Koes B. Prognosis of trochanteric pain in primary care. Br J Gen Pract. 2005;55(512):199-204.

14. Cohen SP, Strassels SA, Foster L, et al. Comparison of fluoroscopically guided and blind corticosteroid injections for greater trochanteric pain syndrome: multicentre randomized controlled trial. BMJ. 2009;338:b1088.

15. Ilizaliturri VM Jr, Martinez-Escalante FA, Chaidez PA, Camacho-Galindo J. Endoscopic iliotibial band release for external snapping hip syndrome. Arthroscopy. 2006;22(5):505-10.

16. Ilizaliturri VM Jr, Camacho-Galindo J. Endoscopic treatment of snapping hips, iliotibial band, and iliopsoas tendon. Sports Med Arthrosc. 2010;18(2):120-7.

17. Brignall CG, Stainsby GD. The snapping hip, treatment by Z-plasty. J Bone Joint Surg Br. 1991;73(2):253-4.

18. Jani S, Safran MR. Internal snapping hip syndrome. In Byrd JW, Guanche CA, eds. AANA Advanced Arthroscopy: The Hip. Philadelphia, PA: Elsevier; 2010:125-32.

19. Sampson TG. Arthroscopic iliopsoas release for coxa saltans interna (snapping hip syndrome). In: Byrd JW, ed. Operative Hip Arthroscopy. 2nd ed. New York, NY: Springer; 2005:189-94.

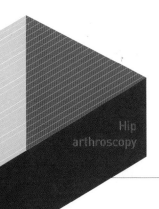

Hip
arthroscopy

CHAPTER 10-3

기타 질환

Others

유준일

1

장골 극하 충돌(Subspine Impingement)

1) 서론

장골극하 충돌은 비후된 전하방 장골극(anterior inferior iliac spine, AIIS)과 대퇴골 경부 원위부의 충돌로 장골극과 비구 경계부 사이에 존재하는 대퇴직근(rectus femoris)과 비구순, 전방 관절낭의 손상이 유발되고, 통증이 발생하는 현상을 지칭한다.

장골극하 충돌(subspine impingement)은 최근 새롭게 인식되는 질환으로 고관절의 90° 이상 굴곡 시, 대퇴경부의 전방 또는 하방/내측 부분이 전하방 장골극 혹은 장골극하(subspine) 충돌에 의한 통증을 유발한다. 일반적으로 대퇴직근의 전하방 장골극의 견열 손상이 전하방 장골극 변형의 가장 큰 원인이다. 그러나 견열 손상을 제외하고는 잠재적 전하방 장골극 변형이 가장 흔한 형태의 장골극하 충돌의 원인이다.

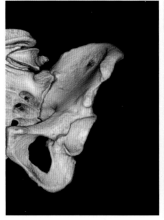
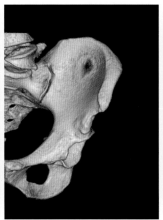
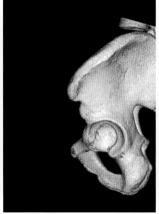
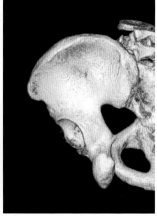

그림 1 Type I; 전하방 장골극(AIIS)의 끝단과 비구 변연(acetabular rim) 사이에 편평한 장골 벽(smooth ilium wall)을 이루는 경우

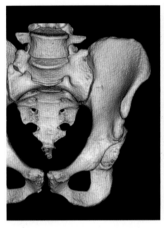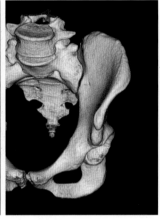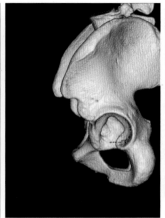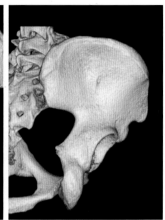

그림 2 Type II; 전하방 장골극(AIIS)의 끝단이 비구 변연(acetabular rim) 경계까지 연장된 경우

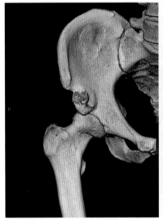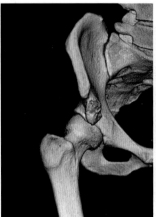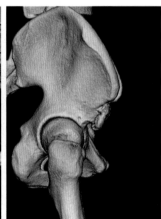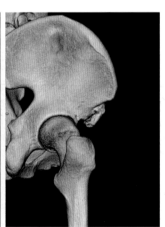

그림 3 Type III; 전하방 장골극(AIIS)의 끝단이 비구 변연(acetabular rim) 아래 연장되어 골극 모양(spur appearance)을 띠는 경우

2) 장골극하 충돌의 분류

장골극하 충돌의 분류는 3차원으로 재구성된 CT를 기반으로 하며 다음으로 분류된다.

일반적으로 Type II(그림 2)와 III(그림 3)의 장골극하 충돌이 고관절 충돌 증상에 잠재적 위험인자가 될 수 있으며, 수술의 적응증에 해당한다.

3) 진단

(1) 임상양상

장골극하 충돌의 임상양상은 고관절과 사타구니의 통증 및 압통, 고관절 굴곡 범위 제한 등으로 나타난다.

(2) 영상의학적 검사

초기 전하방 장골극 견열 손상은 대퇴직근의 석회화로 나타나기도 한다. 3D-CT는 수술 전 평가를 위해 사용하며 MRI는 연골, 비구순, 인대, 근육, 점액낭 등의 평가에 사용된다. 3D-CT 기반 컴퓨터 소프트웨어를 활용한 동적(dynamic) 모델은 고관절 움직임에 따른 통증 유무를 파악하는데 도움이 된다.

4) 치료

(1) 고관절 관절경술

관절경적 감압술은 단기 결과상 고관절의 기능 및 운동 범위의 향상 등의 몇몇 연구결과를 바탕으로 관심을 끌고 있다. 관절경적 접근법의 장점은 관절 내 및 관절 외 병변이 있다. 관절

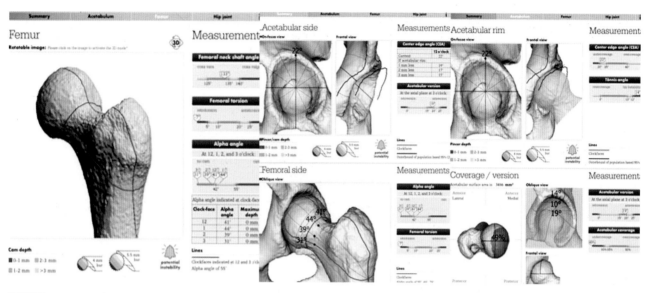

그림 4 3D CT 기반 컴퓨터 소프트웨어를 활용한 동적(dynamic) 모델 및 네비게이션 수술 소프트웨어

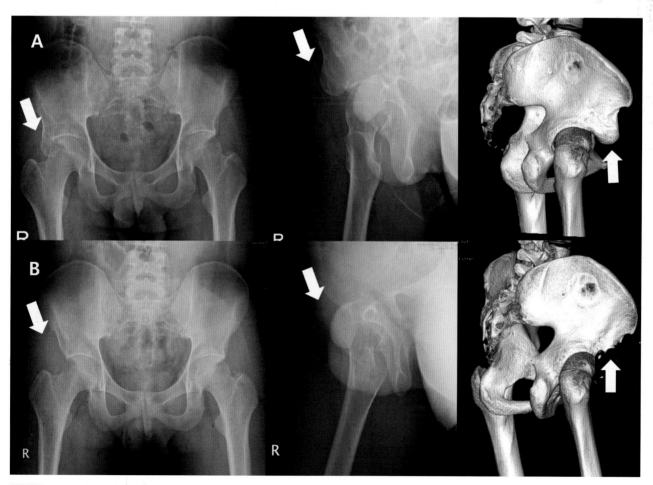

그림 5 (A) 수술 전 전·측방 고관절 일반 영상 및 3D-CT 소견, (B) 수술 후 전·측방 고관절 일반 영상 소견 및 3D-CT 소견

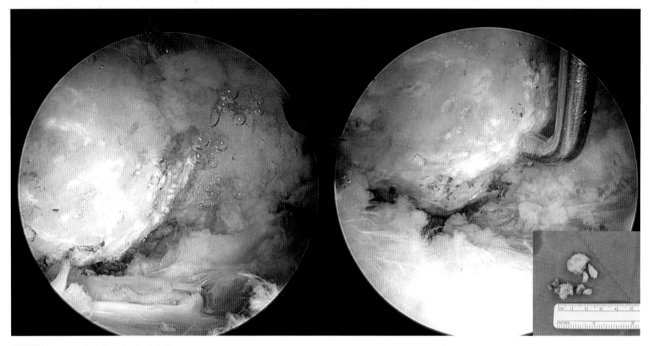

그림 6 수술장 관절경 소견 및 제거된 골극

경적 접근법의 장점은 관절 내 및 관절 외 병변이 함께 있는 환자에 대해 단일 고관절 관절경술로 접근할 수 있다는 점이다.

• 수술 기법

수술 시 환자 자세는 앙와위 혹은 측와위 등으로 술자의 선호도에 따라 선택할 수 있다. 수술 시 견인 관련 합병증을 최소화하기 위해 회음부 패드를 적용하여 회음부 감각 신경 손상을 방지해야 한다. 견인 시 10 mm 정도의 관절 공간이 확보된 경우를 적절한 견인으로 간주한다.

수술 시 사용하는 삽입구는 2개 혹은 3개를 사용하며 환자 개개인의 해부학에 기초하여 결정한다. 일반적으로 전외측 삽입구(anterolateral portal)와 전방 삽입구(true anterior portal) 혹은 변형된 전방 삽입구(modified anterior portal) 중 하나를 이용하여 총 2개의 삽입구를 사용하며 필요에 따라 원위 전외측 부 삽입구(distal anterolateral accessory portal)를 사용하기도 한다. 전외측 삽입구는 외측 대퇴 피부 신경(lateral femoral cutaneous nerve) 손상을 피하기 위해 전방 삽입구보다 약간 외측면에 위치하며 원위 전외측 부 삽입구(distal anterolateral accessory portal)는 앵커 고정, 피막 봉합, 대퇴 성형술 등이 필요할 때 사용한다.

피막(capsule)의 절제는 수술 시야 확보에 도움이 되며, 비구연(acetabular rim)과 장골극하(subspine) 영역 접근을 용이하게 한다. 히지만 수술 후 피막의 불안정성(capsular instability)을 야기할 수 있다. 장골극하 감압 시 피막을 들어 올리면, 전하방 장골극이 충분히 노출시킬 수 있으나, 대퇴 직근 부착부에 손상을 야기할 가능성이 있다. 그러나 전하방 장골극의 내측 부분은 인대가 접합하지 않아 감압 시 안전 지대(safe zone)로 알려져 있다. 관절경을 이용하여 수술 시 최장 견인 시간은 90분으로, 견인 없이 관절경 수술을 실시하면 견인 관련 합병증을 줄일 수 있다. 하지만 전하방 장골극 감압을 위해서는 중앙 구획(central compartment)을 이용한 변연 골판 다듬질(rim trimming), 전하방 장골극 절제술(AIIS resection), 비구순 봉합(labral repair)을 시행할 경우, 반드시 견인이 필요하다(그림 5, 6).

(2) 술 후 관리

환자는 고관절 관절경술 후 2–4주간 목발 보행을 이용한 체중부하를 시행한다. 근력강화 및 고유수용감각 운동은 재활에 도움이 되며 항염증제는 이소골화증(heterotopic ossification) 위험도를 감소시킨다.

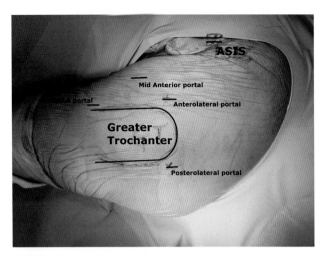

그림 7 관절경적 점액낭 절제술을 위한 관절경 삽입구

2 관절경적 활액제거술 (Endoscopic Trochanteric Bursectomy)

1) 서론

대전자 활액낭염(greater trochanter bursitis, GTB)은 고관절 통증의 주요한 원인으로 비수술적 방법이 선호되며, 치료 성공 확률이 높은 것으로 알려져 있다. 하지만 보존적 치료로 증상완화에 실패하는 경우 고관절 관절경술의 적응증에 해당한다.

2) 환자의 병력 및 검사

대전자 활액낭염은 감별진단이 매우 중요하다. 요추부 병증, 외부 발음성 고관절 증후군, 외상성 활액낭염 또는 파열, 고관절염, 병적 관절염 등과 같은 질환을 반드시 감별해야 한다. 환자가 호소하는 임상양상으로는 일반적으로 외측 둔부의 압통 및 불편감이 서서히 발생하며 환측으로 눕기 어려움을 호소한다.

3) 영상학적 진단

단순 방사선 사진은 골반 전후방, 45° Dunn view (고관절 45° 굽힘 & 20° 외전), False profile view 촬영이 필요하다. 단순 방사선 사진을 통해서는 고관절 골관절염, 윤활낭내 석회화, 석회화 건염 등을 감별 진단할 수 있다. 이외에 CT, 초음파, MRI 등을 고려해볼 수 있으며 특히 MRI의 경우 점액낭의 T2에서 증강된 신호가 보일 경우 의심해 볼 수 있다.

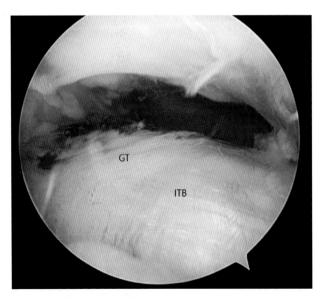

그림 8 대전자 점액낭 관절경하 절제 술시 관찰되는 장경인대

GM; gluteus medius, GT; greater trochanter, ITB; Iliotibial band.

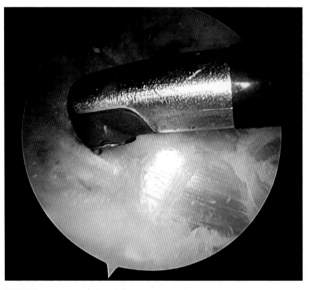

그림 9 고관절 관절경술을 이용한 대전자 점액낭 유착 박리 시행 사진

4) 치료

(1) 비수술적 치료

가장 선호되고 효과가 좋은 치료법으로 휴식, 소염제, 스트레칭, 체중 감량, 물리치료, 국소 마취제, 스테로이드 주사 등의 방법이 있다.

(2) 수술적 치료

관절경적 점액낭 절제술은 수술적 치료가 어려운 환자에서 효과적이다. 수술 시 환자 자세는 앙와위 혹은 측와위 자세를 취하게 되며, 시각화를 극대화하기 위해 고유량 브리지(high flow bridge) 및 펌프(pump)를 사용한다. 만약 점액낭 절제술만 시행한다면 견인을 시행하지 않아도 수술이 가능하며 수술 후 이소성 골 형성의 가능성이 있으므로 수술 후 예방이 필요한 것으로 알려져 있다.

5) 관절경적 점액낭 절제술

주로 두 가지 삽입구를 사용하게 되는데 전외측 삽입구와 원위 전외측 부 삽입구(distal anterolateral accessory portal, DALA)가 이에 해당한다(그림 7).

전외측 삽입구를 형성한 후 진단적으로 70° 관절경을 사용한다. 대둔근을 확인하고 점액낭 절제술을 시행한다.

관절경과 광원이 하방으로 향하게 하고, 외측 광근(vastus lateralis)의 아래에 대둔근에 삽입한다(그림 8).

고관절 관절경을 이용하여 대전자 주변 점액낭의 유착 박리를 시행한다(그림 9).

6) 결과

일부 연구에서 아날로그 통증 점수의 향상(visual analog pain scores), 해리스 고관절 점수(Harris hip scores), SF-36 등이 개선됨을 확인하였으나 현재까지 관절경적 수술의 결과에 대한 평가할 수 있는 연구가 매우 부족한 실정이다.

3

외전근 건병증과 봉합술
(Abductor tendinopathies and repair)

1) 서론

외측 고관절 통증은 일반적인 임상 문제이다. 대전자 통증 증후군은 초기에는 직접적인 마찰이나 외전근의 마찰로 정의되었다. 이 용어는 전자 점액낭염, 외부 발음성 고관절(snapping hip), 중둔근의 파열 등을 포함하는 개념으로 확장되었다.

2) 병력 청취 및 신체 진찰

(1) 문진

자세한 문진은 고관절 통증이 있는 환자의 진단에서 매우 중요하다. 사타구니 통증은 관절 내 병변을 의미하는 경우가 많으며 대퇴 외측 통증은 대전자 통증 증후군을 의심해 볼 수 있다. 고관절 운동 시 대퇴부에서 소리가 들리거나 팅김(popping)이 촉진되는 경우 외부 발음성 고관절 증후군을 의심해 볼 수 있다. 고관절 외전 시 발생하는 대전자 부위의 압통은 내전근 힘줄의 손상 및 전자 윤활막염일 때 나타날 수 있으며 급성으로 외전근의 약화나 트렌델렌버그 걸음걸이를 보이는 경우 외전근의 손상일 가능성이 높다.

(2) 신체진찰

일반적으로 환자들이 다리를 절거나 고관절통, 보행 시 통증, 트렌델렌버그 걸음걸이를 보인다. 신체 진찰 시, 고관절 운동 범위를 확인하고 통증을 유발하는 자세를 확인해야 하며 대퇴 외측을 촉진하여 통증이 있다면, 요추 질환, 대전자 통증 증후군 및 고관절강내 병변일 가능성이 있다. 그리고 근력 평가 역시 이루어져야 하는데 고관절을 굴곡, 폄, 내전, 외전시켜 약화된 근육을 확인한다.

3) 영상

(1) 단순 방사선 촬영

골반부 전후방 사진 및 Dunn lateral view를 찍어 확인한다.

(2) MRI

대전자의 후방은 가장 큰 활액낭이 있는 자리로 통증의 원인이 될 수 있고 MRI로 확인이 가능하다.

(3) 초음파

진단 및 치료적 주사 요법 시 필요하며 중둔근과 소둔근 평가에 도움을 준다. 동적 초음파는 외부 발음성 고관절 증후군에 대한 평가에 사용 가능하다.

(4) 수술적 방법

일반적으로 관절경으로 수술하게 되며, 대퇴외측피부신경 손상위험을 줄이고자 mid-anterior portal이 선호한다. 환자의 자세는 고관절을 20–25° 외전, 10° 굴곡, 15° 내회전한 상태를 취하며, 이때 장경인대와 대전자 사이의 공간을 확보할 수 있다. 수술 시야 확보를 위해 50–70 mmHg의 압력으로 펌프압력을 맞추고, 70° 관절경을 장경인대와 대전자사이에 위치시킨다. 원위 전외측부 삽입구는 전외측 삽입구보다 원위쪽으로 4–5 cm에 위치하고, 전동 절삭기를 사용할 수 있게 한다. 수술 시 고식적 전외측 삽입구는 시야 확보 혹은 다른 기구를 이용하기 위해 필요에 따라 사용할 수 있다. 수술 시야가 확보되면 대둔근의 기시부에서부터 대퇴골 거친선, 외측 광근, 중둔근의 기시부 등을 확인한다. 대전자의 anterior/lateral facets 그리고 인대들을 조심스럽게 탐색해야 하며, 부분파열 같은 경우는 수술 시야 밖에 존재할 수 있음을 인지해야 한다. 다음으로 관절경을 측면으로 돌려 장경인대를 평가한다. 만약 외부 발음성 고관절이 존재한다면 중둔근 부착부위 손상이 발견될 수 있고, 장경인대 역시 두꺼워져 있거나 손상된 것을 확인할 수 있다. 중둔근이 찢어져 있다면 조직의 움직임과 상태를 보고 봉합 여부를 평가한다. 봉합을 시행했다면 마지막으로 인대 및 나사의 위치가 해부학적 위치와 동일한지 반드시 확인해야 한다.

(5) 재활

중둔근 손상으로 수술적 봉합술을 시행한 모든 환자에게 목발과 고관절 외전 보조기(hip abduction brace)를 적용한다. 기본적으로 수술 후 6주까지 20파운드 정도의 체중부하를 허용하되, 수술 직후부터 지속적 수동 운동장치(continuous passive motion, CPM)를 하루에 2–4시간씩 시행한다. 수술 직후부터 2주까지 근력강화운동(hip extensors, adductors, and external rotators+quadriceps neuromuscular stimulation)을 하고, 수술 후 4–6주에 고관절 굴곡근, 대퇴근 강화운동을 시행한다. 수술 후 6–8주 기간 동안에는 전체중 부하가 가능하도록 체중 부하를 점차적으로 늘려 나간다. 수술 후 10주 이후로는 환자가 가능한 범위 내에서 전체중 부하, 양하지 근력운동, 코어 강화 운동까지 시행한다. 수술 후 3–6달째에는 통증을 최소화하고 대퇴근과 슬근의 힘이 반대쪽 사지와 비슷하도록 하는데,목표를 맞추며 외전근의 힘이 비슷해질 때 및 한 쪽 발로 골반을 지탱할 수 있는 능력이 될 때 달리기가 가능해진다.

4

관절경적 슬근 봉합술 및 좌골 점액낭절제술 (Endoscopic Hamstring Repair and Ischial Bursectomy)

1) 서론

(1) 근위부 슬근 손상

근위부 슬근은 좌골 결절에 강하게 붙어 있으며 슬근의 손상은 운동 선수에 매우 흔하게 발견된다. 슬건근 염좌 같은 경우에는 항상 수술적 처치가 필요하지 않으나 증상이 만성 통증으로 진행될 경우 부분 혹은 완전 파열, 만성 좌골 점액낭염 등을 의심해 볼 수 있다. 과거에는 수술적 치료 시행 시 절개 수술을 흔히 시행하였다.

(2) 급성 손상

근위부 슬근 손상은 고관절 굽힘과 슬관절 굽힘 시 손상이 많이 일어나며 급가속 및 급감속 시에 손상받을 수 있다.

(3) 근위부 슬근 손상 분류

근위부 슬근 손상은 반복되는 슬근의 자극에 의해 발생하게 되며 4가지 분류로 나눌 수 있다. 완전 견열, 부분 견열, 골단 견열(apophyseal avulsion), 퇴행성(건병증) 견열로 나뉜다. 일반적으로 손상은 서서히 발생하며 특히 달리기 선수들에게서 과다사용으로 인해 발생한다.

2) 병력 및 검사

환자는 급성 통증, 멍, 통증을 동반한 파열 감각(popping, tearing sensation)을 증상으로 호소하며 좌골신경을 따라 바늘로 찌르는 느낌(pin/needle sensation)을 경험하기도 한다.

3) 영상의학적 검사

단순 방사선촬영은 다른 골격계의 문제를 배제하기 위해 기본검사보 시행해야 한다. 또힌 MRI 검사는 진단을 위해 시행하며 쉽게 병변의 유무를 확인할 수 있다.

4) 치료

(1) 비수술적 치료

좌골 점액낭염 중 저등급 부분 파열(low-grade partial tears)의 치료로 가장 추천되며 휴식, 소염진통제, 물리치료 그리고 스테로이드 주사(50% 환자에서 효과 있음) 등이 이에 해당한다.

(2) 수술적 치료

일반적으로 환자는 복와위로 2개의 삽입구를 기본으로 사용한다. 삽입구는 좌골 결절(ischial tuberosity)을 기준으로 내측 및 외측으로 2 cm 위치에 삽입구를 만든다(그림 10).

수술기구는 반드시 좌골(ischium)의 중앙 및 내측으로만 진행시켜야 하며, 그 이유는 좌골신경(sciatic n.)의 손상을 방지하기 위해서이다. 관절경으로 환부에 접근한 후 좌골과

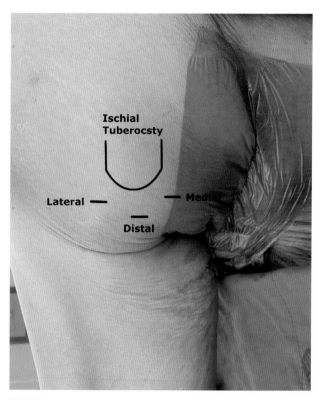

그림 10 좌골 결절 주변의 관절경 삽입구

둔근(gluteus muscle)의 섬유조직을 박리하고, 전방과 외측으로 좌골신경을 박리를 한다.

수술 중, 이차성 혈종, 유착, 인대 견인 등으로 인해 신경을 구분해 내는데 어려움이 있을 수 있다. 따라서 신경이 잘 보이도록 시야를 확보한 뒤에 병변을 명확히 확인하고, 염증조직을 제거한다. 하방 포탈(Inferior portal)은 좌골의 하방 4 cm 정도에서 포탈을 만들게 되는데 특히 봉합 나사(suture anchor)를 이용한 술식이 필요할 때 사용한다.

5) 재활

수술 후 체중부하 없이 Hinged knee brace (슬관절 90° 고정)를 4주간 착용하고, 슬관절 각도를 매주 30°씩 늘려간다. 수술 후 6-8주에 전 하중 부하를 실시하며, 수술 후 10-12주경 슬근 운동을 시작하고 수술 후 3달쯤 정상적 활동이 가능하다.

6) 결과

현재 지속적인 임상적 연구가 시행되고 있는 분야로 많은 만성적인 슬근 손상과 급성 손상은 절개수술이 내시경적 방법보다 효과적으로 알려져 있다. 내시경적 수술의 장점으로는 감염이 없으며 견인장치를 이용하지 않아 의인성 신경손상의 위험도를 감소시킨다. 고관절 관절경술의 단점으로는 수술 중 지속적으로 관류를 유지하는데, 골반내 관류 유출 위험성이 있다. 따라서 관류의 입출력을 잘 확인해야 하며 복부 팽창 여부도 반드시 확인해야 한다.

References

1. Amar E, Druckmann I, Flusser G, Safran MR, Salai M, Rath E. The anterior inferior iliac spine: size, position, and location. An anthropometric and sex survey. Arthroscopy. 2013;29(5):874-81.

2. Bedi A, Thompson M, Uliana C, Magennis E, Kelly BT. Assessment of range of motion and contact zones with commonly performed physical exam manoeuvers for femoroacetabular impingement (FAI): what do these tests mean? Hip Int. 2013;23 Suppl 9:S27-34.

3. Blasier RB, Morawa LG. Complete rupture of the hamstring origin from a water skiing injury. Am J Sports Med. 1990;18(4):435-7.

4. Clanton TO, Coupe KJ. Hamstring strains in athletes: diagnosis and treatment. J Am Acad Orthop Surg. 1998;6(4):237-48.

5. Cross MJ, Vandersluis R, Wood D, Banff M. Surgical repair of chronic complete hamstring tendon rupture in the adult patient. Am J Sports Med. 1998;26(6):785-8.

6. Cvitanic O, Henzie G, Skezas N, Lyons J, Minter J. MRI diagnosis of tears of the hip abductor tendons (gluteus medius and gluteus minimus). AJR Am J Roentgenol. 2004;182(1):137-43.

7. Domb BG, Nasser RM, Botser IB. Partial-thickness tears of the gluteus medius: rationale and technique for trans-tendinous endoscopic repair. Arthroscopy. 2010;26(12):1697-705.

8. Eijer H, Podeszwa DA, Ganz R, Leunig M. Evaluation and treatment of young adults with femoro-acetabular impingement secondary to Perthes' disease. Hip Int. 2006;16(4):273-80.

9. Farr D, Selesnick H, Janecki C, Cordas D. Arthroscopic bursectomy with concomitant iliotibial band release for the treatment of recalcitrant trochanteric bursitis. Arthroscopy. 2007;23(8):905 e1-5.

10. Fox JL. The role of arthroscopic bursectomy in the treatment of trochanteric bursitis. Arthroscopy. 2002;18(7):E34.

11. Fujii M, Nakashima Y, Yamamoto T, et al. Acetabular retroversion in developmental dysplasia of the hip. J Bone Joint Surg Am. 2010;92(4):895-903.

12. Ganz R, Parvizi J, Beck M, Leunig M, Notzli H, Siebenrock KA. Femoroacetabular impingement: a cause for osteoarthritis of the hip. Clin Orthop Relat Res. 2003(417):112-20.

13. Gomez JE. Bilateral anterior inferior iliac spine avulsion fractures. Med Sci Sports Exerc. 1996;28(2):161-4.

14. Hapa O, Bedi A, Gursan O, et al. Anatomic footprint of the direct head of the rectus femoris origin: cadaveric study and clinical series of hips after arthroscopic anterior inferior iliac spine/subspine decompression. Arthroscopy. 2013;29(12):1932-40.

15. Howell GE, Biggs RE, Bourne RB. Prevalence of

abductor mechanism tears of the hips in patients with osteoarthritis. J Arthroplasty. 2001;16(1):121-3.

16. Ilizaliturri VM, Jr., Martinez-Escalante FA, Chaidez PA, Camacho-Galindo J. Endoscopic iliotibial band release for external snapping hip syndrome. Arthroscopy. 2006;22(5):505-10.

17. Ito K, Minka MA, 2nd, Leunig M, Werlen S, Ganz R. Femoroacetabular impingement and the cam-effect. A MRI-based quantitative anatomical study of the femoral head-neck offset. J Bone Joint Surg Br. 2001;83(2):171-6.

18. Jamali AA, Mladenov K, Meyer DC, et al. Anteroposterior pelvic radiographs to assess acetabular retroversion: high validity of the "cross-over-sign". J Orthop Res. 2007;25(6):758-65.

19. Kagan A, 2nd. Rotator-cuff tear of the hip. J Bone Joint Surg Br. 1998;80(1):182-3.

20. Koulischer S, Callewier A, Zorman D. Management of greater trochanteric pain syndrome : a systematic review. Acta Orthop Belg. 2017;83(2):205-14.

21. Leunig M, Nho SJ, Turchetto L, Ganz R. Protrusio acetabuli: new insights and experience with joint preservation. Clin Orthop Relat Res. 2009;467(9):2241-50.

22. Lustenberger DP, Ng VY, Best TM, Ellis TJ. Efficacy of treatment of trochanteric bursitis: a systematic review. Clin J Sport Med. 2011;21(5):447-53.

23. Mader TJ. Avulsion of the rectus femoris tendon: an unusual type of pelvic fracture. Pediatr Emerg Care. 1991;7(2):126.

24. Matsuda DK. Acute iatrogenic dislocation following hip impingement arthroscopic surgery. Arthroscopy. 2009;25(4):400-4.

25. Rab GT. The geometry of slipped capital femoral epiphysis: implications for movement, impingement, and corrective osteotomy. J Pediatr Orthop. 1999;19(4):419-24.

26. Rajasekhar C, Kumar KS, Bhamra MS. Avulsion fractures of the anterior inferior iliac spine: the case for surgical intervention. Int Orthop. 2001;24(6):364-5.

27. Ranawat AS, McClincy M, Sekiya JK. Anterior dislocation of the hip after arthroscopy in a patient with capsular laxity of the hip. A case report. J Bone Joint Surg Am. 2009;91(1):192-7.

28. Reina N, Accadbled F, de Gauzy JS. Anterior inferior iliac spine avulsion fracture: a case report in soccer playing adolescent twins. J Pediatr Orthop B. 2010;19(2):158-60.

29. Reynolds D, Lucas J, Klaue K. Retroversion of the acetabulum. A cause of hip pain. J Bone Joint Surg Br. 1999;81(2):281-8.

30. Robertson WJ, Kelly BT. The safe zone for hip arthroscopy: a cadaveric assessment of central, peripheral, and lateral compartment portal placement. Arthroscopy. 2008;24(9):1019-26.

31. Rossi F, Dragoni S. Acute avulsion fractures of the pelvis in adolescent competitive athletes: prevalence, location and sports distribution of 203 cases collected. Skeletal Radiol. 2001;30(3):127-31.

32. Schapira D, Nahir M, Scharf Y. Trochanteric bursitis: a common clinical problem. Arch Phys Med Rehabil. 1986;67(11):815-7.

33. Smith-Petersen MN. The classic: Treatment of malum coxae senilis, old slipped upper femoral epiphysis, intrapelvic protrusion of the acetabulum, and coxa plana by means of acetabuloplasty. 1936. Clin Orthop Relat Res. 2009;467(3):608-15.

34. Tibor LM, Sekiya JK. Differential diagnosis of pain around the hip joint. Arthroscopy. 2008;24(12):1407-21.

35. Tortolani PJ, Carbone JJ, Quartararo LG. Greater trochanteric pain syndrome in patients referred to orthopedic spine specialists. Spine J. 2002;2(4):251-4.

36. Van Hofwegen C, Baker CL, 3rd, Savory CG, Baker CL, Jr. Arthroscopic bursectomy for recalcitrant trochanteric bursitis after hip arthroplasty. J Surg Orthop Adv. 2013;22(2):143-7.

37. Voos JE, Rudzki JR, Shindle MK, Martin H, Kelly BT. Arthroscopic anatomy and surgical techniques for peritrochanteric space disorders in the hip. Arthroscopy. 2007;23(11):1246 e1-5.

38. Voos JE, Shindle MK, Pruett A, Asnis PD, Kelly BT. Endoscopic repair of gluteus medius tendon tears of the hip. Am J Sports Med. 2009;37(4):743-7.

39. Zaltz I, Kelly BT, Hetsroni I, Bedi A. The crossover sign overestimates acetabular retroversion. Clin Orthop Relat Res. 2013;471(8):2463-70.

40. Zoltan DJ, Clancy WG, Jr., Keene JS. A new operative approach to snapping hip and refractory trochanteric bursitis in athletes. Am J Sports Med. 1986;14(3):201-4.

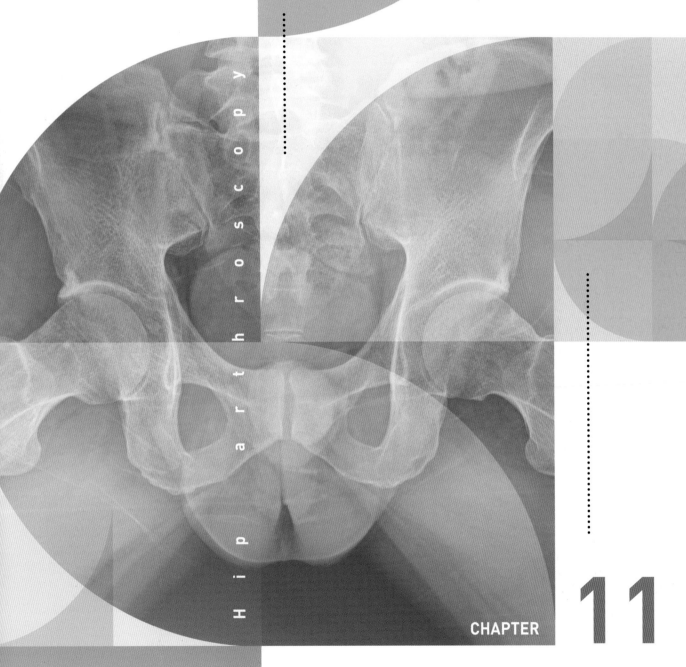

CHAPTER

11

재활 및 운동치료
Rehabilitation

CHAPTER

11

재활 및 운동치료
Rehabilitation

하용찬

1

재활

최소 침습 수술 방법의 하나인 고관절 관절경은 수술 후 결과를 최적화하기 위해서 고관절 재활 과정이 중요하다. 슬관절, 견관절, 주관절 그리고 족관절 등과 같은 다른 관절의 최소 침습 수술 후 이용되어 왔던 재활 치료 방법 및 기술이 고관절 질환의 관리에도 필요하다고 알려져 있다. 그 어떠한 수술 방법이라도, 성공적인 결과를 얻기 위해서는 반드시 기본 원리에 대한 이해와 주의가 필요하다.

전통적으로 고관절 관리에는 세 가지 관심 분야가 있다. ① 고관절 골절 환자의 치료 과정에서도 이용되는 보호적 체중 부하(protected weight-bearing)를 유지하는 보행 훈련(gait training) ② 인공 고관절 치환술 후 보호적 체중 부하 및 탈구 예방을 위한 교육 ③ 고관절 관절염 환자에서 증상을 지닌 채로 일상생활의 수행 및 적응에 대한 교육이 여기에 해당된다.

고관절 통증은 정형외과 환자들이 흔히 호소하는 증상으로, 성인 운동 선수의 전체 부상 중 고관절과 골반의 부상은 5–6%를 차지하고, 소아 운동 선수의 전체 부상 중 10–24%를 차지한다고 보고되었다. 고관절 및 골반 부상은 특히 발레

선수(44%), 축구 선수(13%), 달리기 선수(11%)에서 흔하다.

고관절의 관절경 수술은 최소 침습 관절낭 절개로 시행되며, 비구와순과 관절면의 병소에 대해서도 명확한 치료를 시행할 수 있다는 장점이 있다. 하지만 수술로 물리적인 장애를 치료한다고 하더라도, 기능적인 장애는 재활을 통해 해결되어야 한다.

재활 목표는 증상 감소(통증과 염증 조절)와 기능 향상(움직임, 힘, 위치감각, 지속성의 복원)이다. 환자의 상황(질환의 원인)과 기능적 필요성에 기초하여 전신적으로 접근해야 한다. 환자가 질환에 대해 얼마나 인지하는지, 목표에 대한 기대치가 어느 정도인지, 그리고 이러한 목표를 이루는 데 시간이 얼마나 걸리는지에 대하여 이해하고 있는지를 치료 계획 단계에서 임상 의사가 파악하는 것이 중요하다. 환자는 반드시 개개인에 따라 최적화된 재활 과정과 관련된 주의사항에 대해 이해하고 있어야 한다.

이 장에서는 유용하게 이용되고 있는 재활치료 방법과 자주 사용되는 재활 프로그램에 대하여 소개하고자 한다.

고관절 관절경 수술 후 재활 치료의 계획은 환자의 병리 소견과 관절경 수술 방법에 따라 달라진다. 각 환자별 목표를 성취하기 위해서 임상의사는 환자에게 어떠한 교육과 모니터링, 장비가 필요한지 찾아야 하고, 환자의 기능 회복에

어느 정도의 집중도와 강도가 필요한지 고려해야한다. 예를 들어, 명백한 퇴행성 병변을 갖고 있는 환자에선 회복이 늦어질 것으로 예상되므로 먼저 증상을 조절해야 할 것이다. 이런 환자의 경우, 가정기반 재활 프로그램(home-based rehabilitation program)을 일차적으로 고려할 수 있다. 운동 횟수와 지속 시간에 대한 최초의 교육 이후 재활운동은 집안 가구들로도 쉽게 행해질 수 있으나, 이러한 재활치료는 환자의 순응도에 의존한다. 연마 관절 성형술(abrasion arthroplasty)을 행한 환자들을 위한 재활 과정의 경우, 보호적 체중 부하 기간이 길어지기 때문에 보다 더 신중을 기해야 한다. 이 기간의 재활 강도는 아직 논란이 있으나, 체중 부하를 제외한 재활치료를 우선적으로 시행할 수 있다. 그러나 비구와순 파열(labral tear)만 있는 운동 선수들은 완전히 회복하고 운동으로 복귀하기 위해서 보다 더 강화된 프로그램을 시행한다. 이 경우 재활 치료에 특화된 기구가 구비된 환경이 요구된다. 안전한 재활치료 과정을 위해 임상 의사의 주의가 필요하다.

술 후 재활치료는 사실상 수술 전 교육에서부터 시작된다. 통증, 부종, 자세 변형, 보상적 움직임, 근육 길이와 강도의 감소, 위치 감각의 감소, 그리고 근 지구력과 심폐 지구력 등의 이상을 개선하기 위한 구조적 재활 프로그램이다. 고관절 통증은 요추-골반-고관절 움직임 방식에 변화를 주어, 근육의 불균형과 작용기전의 이상 등을 초래할 수 있다.

• 냉찜질 치료(cryotherapy)

냉찜질 치료는 수술 직후, 통증을 줄이고, 부종을 완화하며, 근육 수축을 최소화하고, 면역 반응의 부정적 영향을 줄일 수 있다. 지금까지 연구된 바로, 냉찜질 치료는 마약성 진통제의 사용을 줄일 수 있으며, 재활의 역치를 향상시키고, 수면의 질을 개선시킨다.

• 환자의 체중 부하 가능 상태

환자의 체중 부하 가능 상태는 수술 소견과 시행된 수술에 따라 다양하게 결정된다. 전형적으로 수술 후 첫 주에 전 체중 부하는 지양되며, 보행 보조기구(목발 혹은 보행 보조기)가 필요하다. 관절경 수술 후 불편감은 시술 중의 견인과 관절경 삽입구(arthroscopic portal)의 관통 등에 의한 근육의 손상이나 반사 저하, 기능 약화로 인해 어느 정도 발생할 수 있다. 그 대표적인 예로 중둔근(gluteus medius)은 관절경 시술 중 전면과 후면으로 관절경 삽입구들에 의해 손상이 불가피하다. 환자들은 수술 후 중둔근 수축에 의해 불편함을 느낄 수 있으며 이를 회복하는데 상당한 시간이 필요하다. 중둔근은 한쪽 발로 서있는 자세에서 동측 고관절의 안정성에 기여한다.

• 수동 운동 범위(passive range of motion) 운동 및 능동 보조 운동 범위(active assisted range of motion)

수동 운동 범위 운동 및 능동 보조 운동 범위 운동은 가장 먼저 시작된다. 그 다음에는 능동 운동 범위(active range of motion) 운동, 중력 보조 운동 그리고는 중력 저항 운동으로 진행한다. 고관절의 관절 범위 전체로 시행하며, 환자가 통증을 느끼는 범위까지 시행한다. 굴곡과 내전 또는 내회전에 의한 단계적인 움직임 치료는 중등도의 관절통에 효력이 있다. 환자 스스로 최대한 밀어내기 운동(pushing the extremes of range of motion)은 기능을 향상시키는데 큰 도움을 주지 못하며, 오히려 불편감만 심화시킬 수 있다.

• 근 긴장 운동(muscle toning exercise)

근 긴장 운동은 술 후 첫 주에 시행한다. 환자가 편안함을 느끼고 협조적일 수 있도록 통증이 심하지 않아야 하므로 한계 이상으로 과도하게 시행하지 않는다. 등척성 운동(isometric exercise)을 가장 먼저 시행하며 이는 관절 증상을 자극하지 않는 가장 간단하고 간편한 근 긴장 운동이다. 이 운동에는 둔근(gluteus muscle), 대퇴사두근(quadriceps muscle), 슬괵근(hamstring muscle), 내전근 · 외전근(adductor, abductor muscle), 그리고 하복부 근육의 등척성 운동이 포함된다. 길항 근육 군의 등척성 수축은 통증을 완화하고, 근육 강직을 억제할 수 있다. 둔근(gluteus muscle)의 등척성 운동은 장요근(iliopsoas muscle)의 강직을 줄이고, 관절내 삼출로 인해 증가된 굴곡근과 내전근의 긴장으로 인해 발생한 전방 고관절 통증을 감소시킨다(그림 1, 2).

- **폐회로역학운동(closed kinetic chain exercise)**

폐회로역학운동은 등척성 운동과 함께 시행되는데 폐회로역학운동과 개회로역학운동(open kinetic chain exercise)의 차이는 운동 시 상/하지의 원위 분절이 기구나 지면에 구속되어 있는지에 있다. 폐회로역학운동은 고관절의 관절면에 작용하는 전단력(shearing force)과 전위력(translational force)을 줄이는 방법으로 체중부하 전달을 점차 늘린다. 가장 간단한 방법은 외다리 서기 방법(controlled single leg stance maneuver)이다. 이는 골반 긴장(pelvic toning)에 도움을 준다. 또한 고유수용감각(proprioception)과 균형 감각(balance response)에도 도움을 준다. 다른 운동으로는 양측 뒤꿈치를 들고 쪼그리고 앉았다 일어서는 스쿼트(squat) 자세 운동이 있으며, 능숙해지면 한쪽 다리를 든 채 앉았다 일어서는 운동으로 진행한다. 이때 주의할 점은 과도한 고관절 굴곡으로 인해 대퇴-비구 충돌이 일어날 수 있으므로 90° 이상의 굴곡은 피해야 한다는 것이다. 런지(lunge) 자세 운동 역시 폐회로역학운동이다. 더블 레그 브릿지 자세(double leg bridge)는 조금 더 발전된 자세의 폐회로역학운동이며 반듯이 누운 자세에서 양측 발을 바닥에 대고 엉덩이를 위로 들어올려서 등을 다리 모양처럼 만드는 운동이다. 양다리로 충분히 가능하다면, 한쪽 다리를 들어올려 싱글 레그 브릿지 자세(single leg bridge)로 진행할 수 있다.

- **코어 강화 운동(core stabilization exercise)**

코어 강화 운동은 간과되기 쉬운 운동이나 고관절의 부상 재발을 최소화하고 수술 후 재활에 도움이 되는 중요한 재활운동이다. Behm 등에 따르면, 해부학적 코어는 견갑대(shoulder girdle)와 골반대(pelvic girdle)를 포함한 축성 골격(axial skeleton)과 축성 골격으로부터 기시하는 모든 연부 조직(관절 연골, 섬유 연골, 인대, 건, 근육, 근막)을 지칭한다. 이렇게 축성 골격 중 요·천추 부위로부터 기시하는 주요 코어 근육(core muscle)으로 요다열근(lumbar multifidus), 척추기립근(erector spinae), 요사각근(quadratus lumborum), 외복사근(external oblique abdominis), 내복사근(internal oblique abdominis), 복직근(rectus abdominis), 복횡근(transverse abdominis), 대요근(psoas major), 골반저근육군(pelvic floor muscles), 횡격막(diaphragm)이 있다. 특히 이 중에서 요다열근, 요사각근, 복횡근이 임상적으로 중요시되어왔다. 코어 근육과 고관절 근육의 근력 저하는 기능 운동을 하는 중 하지의 정렬을 악화시키는 것과 연관이 있다. 그러므로 골반 안정성을 확보하기 위해 체간 근육의 훈련이 강조된다. 코어 강화 훈련에는 폐회로역학운동 뿐만 아니라, 개회로역학운동도 포함되므로, 임상의사는 환자의 상태에 따라 점진적으로 재활 훈련을 실시하여야 한다.

- **교정을 위한 기능 운동(remedial functional exercise)**

기초 재활 다음 단계로 교정을 위한 기능 운동이 필요하다. 이 단계 역시 환자가 통증을 견딜 수 있는 한도 내에서 진행해야 한다. 실내 자전거 타기 기계(stationary bicycle) 운동은 매우 효과적이다. 특히 이 운동은 고관절 내 관절액

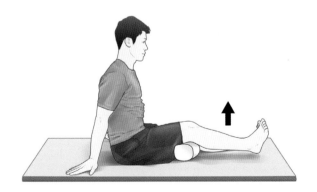 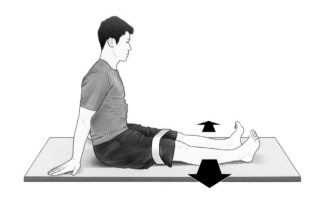

그림 1, 2 근 긴장 운동(muscle toning exercise)

그림 3 폐회로역학운동(closed kinetic chain exercise)

- **수중 프로그램(aquatic program)**

수중 프로그램은 봉합사를 제거하고 관절경 삽입구(portal site)가 치유된 직후, 운동을 바로 시작할 수 있는 장점이 있다. 수중 프로그램은 조기에 체중 부하 없이 관절 운동을 시행할 수 있으며, 근육을 부드럽게 강화시켜 준다는 장점이 있다. 수중의 부력은 안전하게 저항 하 활동을 하게 해주어 재활운동에 도움이 된다. 수중 보행 활동은 수술 부위에 최소한의 압박을 가하도록 허리 깊이의 물에서 시행한다.

의 흐름에 도움을 준다. 처음에 저항을 가장 최소화한 상태로 시작하며, 자전거의 안장도 환자가 거의 선 높이만큼 높여서 시작한다. 1회에 5분씩 하루 2회 운동으로의 시작을 권장하며, 적응 후 1회에 20분씩 하루 2회까지를 목표로 하고 그 이상의 운동 시간은 권하지 않는다. Treadmill 기계에 환자의 몸을 지탱하여 고관절의 압박력을 줄인 채 걷는 방법도 좋은 운동이 된다. 또 다른 운동으로 계단 오르기 기계(stepper) 운동, 레그 프레스 기계(leg press machine) 운동도 있으나, 환자 개별 상태에 따라 고려한다.

- **개회로역학운동(open kinetic chain exercise)**

개회로역학운동은 근육 발달에 도움을 주는 운동이다. 하지만, 고관절에 높은 압박력과 전단력을 줄 수 있어 주의를 요한다. 이 운동의 종류에는 세라 밴드(theraband) 운동과 여러 가지 중량 기구(weight machine) 운동 등이 포함된다. 위에서 설명된 재활운동은 모두 반드시 환자에 따라 개별화되어 진행해야 한다.

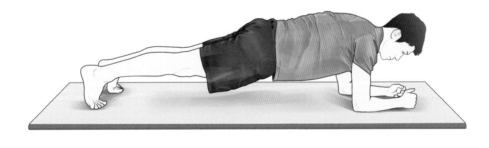

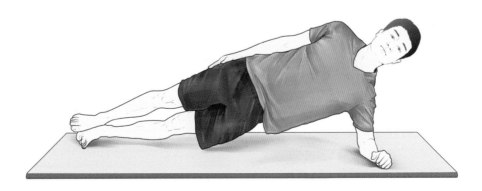

그림 4, 5 코어 강화 운동(core stabilization exercise)

2

재활 프로그램

고관절 관절경 수술 후 재활 치료는 단지 시간 경과에 따른 단계적 평가가 아니라, 환자 개개인에 따른 맞춤화가 필요하다. 현재 관절경 수술 후 다양한 재활 프로그램이 사용되고 있으며, 대표적인 프로그램을 소개하고자 한다.

1) 단계 기반 프로그램(Phase-based rehabilitation program)

단계 기반 프로그램은 주로 수술 후 기간 혹은 수술 전 기간을 단계로 나누어 진행하는 재활 프로그램이다.

(1) 수술 전 단계

수술에 대한 환자의 이해가 수술 결과에 직결되기 때문에, 수술이 예정된 환자에서 수술 전 교육과 수술 전 재활은 매우 중요하다. 수술 후 예상되는 결과에 대한 상의를 통해 환자와 보호자들이 재활에 대한 정신적 부담감을 준비할 기회를 줄 수 있다. 이러한 교육 과정은 환자의 만족감과 안정감에 도움을 준다. 환자들은 체질량지수(BMI)가 낮을수록, 관절운동범위(ROM)가 클수록, 절뚝 걸음(antalgic gait)이 없을수록 수술 후 기능 개선이 양호하다는 점을 알아야 한다. 수술 전 요추-골반-고관절 복합체의 불균형과 운동 한계에 대한 교정 교육, 근육 강화 운동은 수술 후 근량(muscle mass)을 보존하고, 좋지 않은 운동 습관을 막을 수 있다.

(2) 수술 후 단계

① 1단계(Phase I)

이 시기의 목표는 치유 조직의 보호, 통증과 염증의 조절, 관절운동범위의 회복이다. 수술 후 24시간 안에 시작해야 하고 수술 후 6주까지 주로 시행되며 수술 후 강직과 그로 인한 통증을 예방한다. 이 시기에는 제한적인 체중 부하, 유착 방지를 위한 조기의 운동 범위 운동(ROM exercise), 제한적인 코어 강화 운동과 고관절 등척성 운동이 주요 재활운

동이다.

고관절 등척성 운동을 시행할 때 고관절 중립 위치를 넘어서는 과신전, 과굴곡은 피해야 한다. 등척성 운동이 충분하면, 이 시기에도 폐회로역학운동의 한 종류인 양다리 브릿지 운동을 시행할 수도 있다.

수술 후 유착의 방지를 위해 스트레칭 운동, 수동적 운동 범위 운동(passive ROM exercise)을 시행하나, 역시 90° 이상의 과굴곡 운동은 삼간다. 이 시기에 CPM (continuous passive motion) 기계를 이용하기도 하는데, 환자의 상태와 수술 방법에 따라 수술 후 2-8주까지 사용할 수 있다.

실내 자전거 타기 운동도 저항 없이 시작할 수 있으나, 역시 고관절 과굴곡 방지를 위하여 안장을 높여서 시행한다.

체중 부하 시기는 문헌마다, 수술 방법마다 차이가 있다. 비구와순 변연절제술(labral debridement), 활액막 연골종증(synovial chondromatosis)에서의 유리체(loose body) 제거술, 세균성 관절염(septic arthritis)에서의 변연절제술, 전자부 점액낭 절제술(trochanteric bursectomy)에서는 환자가 통증을 견딜 수 있는 한도 내에서 체중 부하를 바로 시행한다. 비구와순 봉합(labral repair), 대퇴골두 골연골성형술(femoral osteochondroplasty), pincer 형 비구 성형술(pincer acetabuloplasty) 시행 시에도 부분 체중 부하(20-50% flat-foot weight bearing or toe-touch weight bearing)로 시작하며, 점진적으로 늘려간다. 미세 골절(microfracture) 수술 시행 시에는 조금 더 제한적으로 체중 부하를 시행하는데, 대게 6-8주까지 부분 체중 부하를 권장한다.

보통 이 시기에 퇴원을 한 후, 외래 기반 재활 치료로 이행되는데 재활 일정에 차질이 생기지 않게 팀 단위로 구성하여 진행한다.

다음 단계로 진행하기 전에 환자의 통증은 마약성 진통제의 도움없이 반드시 조절되어야 하며, 골 절제 부위의 방사선학적 증거가 관찰되어야 한다. 또한 목발이나 다른 도움없이 전 체중 부하 및 정상 보행이 가능해야 하고, 반대측에 비해 75-80% 이상의 관절운동범위(ROM)가 회복되어야 한다.

② 2단계(Phase II)

이 단계의 목표는 운동 범위(ROM)의 완전한 회복과 충분

한 동적 안정화를 위한 정상적 근육 발화(muscular firing) 재교육이다. 대부분 수술 후 4–12주에 진행되며, 체중 부하, 보행, 그리고 운동을 시행할 때 통증이 없도록 재활하는 시기이다. 코어 근육과 고관절 근육의 강화를 지속한다.

이 시기에 시행하는 재활 운동으로는 전 체중 및 저항을 더한 폐회로역학운동[closed kinetic chain strengthening exercise; 예: 저항을 준 상태에서의 실내 자전거 타기 운동, 양다리 스쿼트 운동, 사이드 스텝 운동(side stepping), 외다리 브릿지 운동 등], 수중 재활 치료, 회전 운동을 포함하여 강도를 높인 수동적 운동 범위 운동(passive ROM exercise) 등이 포함된다.

다음 단계로 나아가기 위해, 통증이 없이 일상 생활 동작, 보행이 가능해야 하며, 전 방향 운동 범위(full ROM)에서 움직임이 가능해야 한다. 또한 몸의 균형을 잡는 데 무리가 없어야 한다.

③ 3단계(Phase III)

수술 후 8–20주에 이루어지는 재활 단계이며, 이 단계의 목표는 근지구력(muscular endurance)의 회복과 근력의 강화(strengthening)이다. 즉, 근육의 부피를 성장시키는 운동을 시작하며, 유산소 운동을 통해 심폐지구력을 증가시키고, 균형 감각(balance)과 고유수용감각(proprioception)을 최적화시키는 재활을 시행한다.

이 단계에 포함되는 재활 운동으로 심화된 폐회로역학운동[예: 외다리 스쿼트 운동(single leg squat)–체중의 150%까지 무게 허용, 외다리 브릿지 운동, 사이드 런지(side lunge)

운동 등]이 있고, 균형 감각과 고유수용감각(proprioception)을 발전시키기 위해, 다양한 지면에서의 균형 잡기 운동을 시행할 수 있으며, 유산소 운동으로 역시 실내 자전거 타기, 수중 조깅 등이 있다. 그러나 이 단계에서는 아직 지상에서 treadmill 기계를 이용한 조깅은 하면 안 된다.

모든 운동은 속도, 복잡성, 안정성, 강도 면에서 점차적으로 시행한다.

이 단계를 통과하기 위한 조건은 역시 문헌마다 다르지만, 환측의 고관절 굴곡력(flexion strength)이 건측에 비해 70% 이상의 힘이 되었거나, 적어도 2–3주 동안 수영장 안에서의 조깅이 가능하여 지상에서의 조깅을 위한 준비가 되어야 하며, 또 다른 보고에서는 "10회 3세트 반복운동(10-rep triple)"이 가능해야 하는데, 이는 10번의 전방 계단 하강(front step–down) 운동, 10번의 외다리 스쿼트 운동, 저항을 준 상태로 시행하는 10번의 옆으로 누워 다리 들어올리기(side–lying leg raise) 운동의 세트 운동이다. 또한 심폐지구력의 경우, 수술 이전의 정도에 도달했을 때, 다음 단계 재활로 진행이 가능하다고 한다.

④ 4단계(Phase IV)

수술 후 최소 12주에 시작되는 이 단계는 제한이 없는 스포츠 활동으로의 복귀를 위해 시행되는 단계이다.

이 단계 운동에는 지상에서의 조깅부터 시작하여 달리기까지 시행하며, 스포츠별 강화 운동, 서킷 트레이닝, 다방면 민첩성 훈련 등 개별 필요한 강화 운동을 시행할 수 있고, 코어 운동도 마운틴 클라이밍 등의 심화 단계로 시행 가능

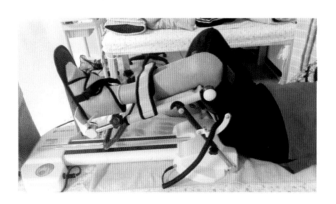

그림 6. 7 **실내 자전거 운동 및 수동적 운동범위 운동**

하다.

이 단계 및 재활 치료의 종료 조건으로는 모든 운동 시 통증이 없어야 하는 것, 부상을 예방하도록 재빨리 움직일 수 있는 능력이 갖추어 지는 것, 저항 밴드(sportcord)를 이용한 복귀 가능 검사(return-to-play test)를 수행하는 것 등

이 있다. 복귀 가능 검사는 저항 밴드의 저항을 이용한 동적 기능 검사로서 외다리 쪼그려 앉기(single-leg squat) 3분, 양측 반복 뛰기(lateral bounding) 80초, 앞/뒤로 반복 뛰기(forward/backward jogging) 2분으로 구성되어 있다(표 1).

그림 8, 9 양다리 스쿼트 및 외다리 스쿼트

그림 10 고관절 외전근 근력운동

표 1 단계 기반 재활 프로그램(Phae-based rehabilitation program)

수술 전 단계	
• 목표: 수술(수술과정 및 방법, 예상 결과, 재활 과정)에 대한 환자의 이해 • 주의: 수술 후 기능 회복 및 좋은 결과를 위해, BMI 감소, ROM 증진, 보행 교정 • 다음 단계를 위한 조건: 수술	• 시기: 수술 전 • ROM 운동: 수술 전 병변으로 인한 ROM 제한을 최대한 극복하도록 ROM 운동 • 강화 운동: 수술 전 고관절 주위 근력 및 코어 근력 강화 운동을 통한 수술 준비

수술 후 1단계(Phase Ⅰ)	
• 목표: 치유 조직의 보호, 통증과 염증의 조절, ROM의 회복 • 주의: 90° 이상의 과굴곡 삼가, 체중 부하는 병변과 수술 방법, 환자의 통증 내성에 따라 개별화 • 다음 단계를 위한 조건: 마약성 진통제 도움없이 통증 조절, 목발 도움 없이 전 체중 부하 및 정상 보행, 반대측에 비해 75–80% 이상의 ROM 회복	• 시기: 수술 후 24시간 이내 시작, 수술 후 0–6주 • ROM 운동: 필요 시 견인 치료, 스트레칭, 수동적 ROM 운동, CPM 기계, 무저항 실내 자전거 타기 운동 • 강화 운동: 등척성 운동, 양다리 브릿지 운동, 코어 운등

수술 후 2단계(Phase Ⅱ)	
• 목표: ROM의 완전한 회복, 충분한 동적 안정화를 위한 정상적 근육 발화(muscular firing) • 주의: 스트레칭 시 견디기 힘들 정도로 시행하는 것은 지양, 점진적으로 시행 • 다음 단계를 위한 조건: 통증이 없는 일상 생활 동작, 보행, 완전한 ROM 회복	• 시기: 수술 후 4–12주 • ROM 운동: 완전한 ROM 회복을 위해 회전 운동을 포함한 강도 높은 수동적 ROM 운동 및 스트레칭 • 강화 운동: 폐회로역학운동(저항 실내 자전거 타기, 양다리 스쿼트, 사이드 스테핑, 외다리 브릿지 등), 수중 재활 운동, 코어 운동(플랭크 자세)

수술 후 3단계(Phase Ⅲ)	
• 목표: 근지구력의 회복과 근력의 강화, 심폐지구력의 증가, 균형 감각과 고유수용감각의 최적화 • 주의: Treadmill을 이용한 지상 조깅 시행 불가, 모든 운동은 점차적으로 시행 • 다음 단계를 위한 조건: 환측의 고관절 굴곡력이 건측에 비해 70% 이상, 수술 이전의 심폐지구력과 동등한 수준으로 회복, 2–3주 이상 수중 조깅에 어려움이 없는 경우, 10–rep triple이 가능한 경우	• 시기: 수술 후 8–20주 • ROM 운동: 필요 시, 능동적 스트레칭 • 강화 운동: 폐회로역학운동 심화(외다리 스쿼트, 외다리 브릿지, 사이드 런지 등), 다양한 지면에서의 균형 잡기 운동, 유산소 운동(저항 실내 자전거 타기, 수중 조깅), 코어 운동

수술 후 4단계(Phase Ⅳ)	
• 목표: 제한이 없는 스포츠 활동으로의 복귀 • 주의: 수술 전 병변의 재손상 방지 • 다음 단계를 위한 조건: 모든 운동 시 통증이 없어야 할 것, 부상을 예방하도록 재빨리 움직일 수 있는 능력을 갖출 것, 복귀 가능 검사(return–to–play test)를 수행할 수 있을 것	• 시기: 수술 후 최소 12주 이상 • ROM 운동: 필요 시, 능동적 스트레칭 • 강화 운동: 조깅 및 달리기, 스포츠 별 강화 운동, 환자 개별 맞춤 강화 운동, 서킷 트레이닝, 다방면 민첩성 훈련, 심화 코어 운동(마운팅 클라이밍 등)

References

1. Behm DG, Drinkwater EJ, Willardson JM, Cowley PM. The use of instability to train the core musculature. Appl Physiol Nutr Metab. 2010;35(1):91-108.

2. Boyd KT, Peirce NS, Batt ME. Common hip injuries in sport. Sports Med. 1997;24(4):273-288.

3. Byrd JW. Hip arthroscopy utilizing the supine position. Arthroscopy. 1994;10(3):275-280.

4. Claiborne TL, Armstrong CW, Gandhi V, Pincivero DM. Relationship between hip and knee strength and knee valgus during a single leg squat. J Appl Biomech. 2006;22(1):41-50.

5. Crowninshield RD, Johnston RC, Andrews JG, Brand RA. A biomechanical investigation of the human hip. J Biomech. 1978;11(1-2):75-85.

6. Desmeules F, Hall J, Woodhouse LJ. Prehabilitation improves physical function of individuals with severe disability from hip or knee osteoarthritis. Physiother Can. 2013;65(2):116-124.

7. Edelstein J, Ranawat A, Enseki KR, Yun RJ, Draovitch P. Post-operative guidelines following hip arthroscopy. Curr Rev Musculoskelet Med. 2012;5(1):15-23.

8. Enseki KR, Martin RL, Draovitch P, Kelly BT, Philippon MJ, Schenker ML. The hip joint: arthroscopic procedures and postoperative rehabilitation. J Orthop Sports Phys Ther. 2006;36(7):516-525.

9. Garrison JC, Osler MT, Singleton SB. Rehabilitation after arthroscopy of an acetabular labral tear. N Am J Sports Phys Ther. 2007;2(4):241-250.

10. GD M, ed. Peripheral Manipulation. Boston: Butterworth; 1977.

11. Henry C MK, Byrd JWT. Hip rehabilitation following arthroscopy. AAOS annual meeting. Orlando, FL: IOI Theater(videotape); 1995.

12. Kullenberg B, Ylipaa S, Soderlund K, Resch S. Postoperative cryotherapy after total knee arthroplasty: a prospective study of 86 patients. J Arthroplasty. 2006;21(8):1175-1179.

13. M C. Core stabilization training. National Athletic Trainers Association(NATA) annual conference. Nashville, TN; 2000.

14. Mascal CL, Landel R, Powers C. Management of patellofemoral pain targeting hip, pelvis, and trunk muscle function: 2 case reports. J Orthop Sports Phys Ther. 2003;33(11):647-660.

15. Nadler SF, Weingand K, Kruse RJ. The physiologic basis and clinical applications of cryotherapy and thermotherapy for the pain practitioner. Pain Physician. 2004;7(3):395-399.

16. S S. Diagnosis and treatment of muscle imbalances and musculoskeletal pain syndrome. In: seminar At, ed. NATA annual conference. Nashville, TN; 2000.

17. Singh H, Osbahr DC, Holovacs TF, Cawley PW, Speer KP. The efficacy of continuous cryotherapy on the postoperative shoulder: a prospective, randomized investigation. J Shoulder Elbow Surg. 2001;10(6):522-525.

18. Wahoff M, Ryan M. Rehabilitation after hip femoroacetabular impingement arthroscopy. Clin Sports Med. 2011;30(2):463-482.

19. Willson JD, Ireland ML, Davis I. Core strength and lower extremity alignment during single leg squats. Med Sci Sports Exerc. 2006;38(5):945-952.

색
인